Danser ses rêves

PATRICIA MATTHEWS | *ŒUVRES*

Patricia Matthews

Danser ses rêves

traduit de l'américain par Monique LEBAILLY

Éditions J'ai lu

Tous mes remerciements à Elizabeth
et Leo Whitaker, qui sont mes liens
avec l'Ecosse.

Ce roman a paru sous le titre original :

DANCER OF DREAMS

1

Le son du pianoforte, entrant par la fenêtre ouverte, vint distraire Hannah Verner de son travail.

Elle posa sa plume sur la page du livre de comptes et leva les yeux vers le plafond, écoutant la voix d'André qui couvrait la musique.

– Non ! Non, Michèle ! (Son ton était péremptoire.) De la grâce. De la grâce. Mon Dieu ! Vous êtes censée incarner un esprit de la forêt et non une bûche. Remuez doucement les bras. Comme cela !

Hannah massa sa nuque douloureuse et sourit en évoquant ses propres leçons avec André. C'était il y a longtemps. Vingt ans, peut-être ? Oui, au moins. André Leclaire était arrivé à Malvern en 1717 pour enseigner les bonnes manières à une jeune sauvageonne, et l'on était maintenant en 1737.

Malgré le passage du temps, André avait peu changé. Il paraissait toujours aussi énergique et autoritaire. Il était un peu plus maigre, son visage comptait quelques rides de plus ; mais c'était de minimes changements après tant d'années écoulées.

A l'étage au-dessus, le tempo de la musique s'alanguit, s'adoucit, semblant s'accorder à la douceur de l'air printanier qui agitait le rideau de dentelle comme une caresse amoureuse ; cela lui rappela Michael et raviva son chagrin. Michael, son séduisant mari, si plein de vitalité, qu'elle aimait à la folie et qui avait trouvé la mort, il y a six mois, dans un accident stupide.

Refermant le livre de comptes d'un geste las, Hannah se leva. Malgré tous ses efforts, elle n'arrivait pas à se concentrer ; pourtant, il y avait tant de choses, dont Michael s'était toujours occupé, et qui lui incombaient maintenant.

Elle s'approcha de la fenêtre, laissant errer son regard sur le parc luxuriant et les champs au loin ; elle éprouvait toujours le même plaisir à contempler cette terre qu'elle aimait et qui lui appartenait. Oui, Michael n'était plus, pourtant il lui restait Malvern et elle devait s'en occuper ; mais pas aujourd'hui. Le printemps est cruel à ceux que la mort a dépossédés ; il réveille en eux trop de souvenirs.

Tandis que la brise odorante effleurait son visage, elle se revit, arrivant pour la première fois à Malvern. La petite Hannah McCambridge, déguenillée et craintive, avait, à seize ans, déjà connu plus de souffrances que bien des femmes au soir de leur vie. Elle s'était enfuie de l'auberge de cet homme horrible, Amos Stritch, auquel son beau-père l'avait louée, comme servante, pour cinq ans.

Quelle vie aurait-elle eu si Malcolm Verner ne l'avait épousée, malgré leur différence d'âge et de milieu social ? Elle ne serait certainement pas la propriétaire de Malvern, cette plantation qu'elle avait aimée et convoitée dès l'enfance. Elle revit le jour où, petite fille, elle était passée devant Malvern dans la charrette délabrée qui les emmenait, sa mère et elle, à Williamsburg. Hannah se rappelait encore son émerveillement en découvrant la vaste maison d'un blanc éclatant sous le chaud soleil de la Virginie, ombragée de grands arbres, entourée de dépendances, et le majestueux portail de fer forgé portant ce nom : Malvern.

Qui aurait pu penser que cette petite fille en guenilles réaliserait un jour son rêve et deviendrait la maîtresse de toutes ces richesses ?

Hannah secoua la tête pour essayer de se libérer du passé. Malcolm Verner était mort d'une crise cardiaque peu de temps après leur mariage ; et sa passion pour Michael, le fils unique de Malcolm, avait complètement éclipsé la tendre gratitude qu'elle avait éprouvée pour le père. Elle avait épousé le jeune homme qui lui avait donné une fille, Michèle.

Assez pensé au passé ! Michael avait disparu, mais elle était vivante, et Michèle aussi ; malgré sa douleur, il fallait continuer à vivre. Elle devait se consacrer à sa fille et à Malvern avec toute l'énergie dont elle était capable.

Elle esquissa un mouvement vers le bureau couvert de papiers puis, brusquement, fit demi-tour et monta au deuxième étage où se trouvait la grande pièce transformée en salle d'exercices.

Cher André ! Il avait été un ami si précieux. Quelle chance qu'il ait pu, comme il l'avait fait pour elle, donner à Michèle des leçons de maintien, de musique et de danse ! Mais il avait eu la tâche plus facile avec cette enfant élevée dans le luxe.

Avec elle, Hannah, André avait eu affaire à une petite sauvageonne obstinée qui ignorait tout des manières de la bonne société. Elle sourit en pensant que Michèle tenait d'elle ce goût de l'indépendance et donnait parfois autant de fil à retordre à son mentor.

La musique se déversait à flots par la porte de la salle et en approchant, Hannah entendit le bruit des chaussons de sa fille glissant sur le sol.

Dans la pièce inondée de soleil, elle aperçut André assis au pianoforte qui avait remplacé le vieux virginal ; il hochait la tête en mesure tandis que

Michèle tournait gracieusement sur le plancher ciré dans une envolée de jupe blanche.

Hannah contempla avec émotion son enfant unique. Chaque fois qu'elle voyait Michèle, elle la trouvait plus belle. La jeune fille s'épanouissait comme un bouton de rose qui déploie un à un ses pétales, jour après jour. Et c'était le visage de Michael qui se tournait vers elle, les yeux noirs de Michael qui la regardaient sous la masse de cheveux d'un blond ardent, semblables aux siens.

— Un, deux, trois ! Un, deux, trois ! cria André. La mesure, Michèle ! La mesure !

Il plaqua le dernier accord et leva les mains du clavier en un grand geste solennel. Avec l'âge, son comportement devenait de plus en plus théâtral, pensa Hannah avec amusement.

Michèle, tout en sueur, les joues roses, les cheveux en désordre, s'avança vers sa mère ; sa silhouette mince se reflétait trois fois dans les miroirs qu'André avait fait poser sur les murs afin qu'elle puisse observer elle-même ses progrès. Elle portait une robe blanche un peu courte qui laissait voir ses chevilles et ses pieds menus, chaussés de noir.

Elle a dix-sept ans, se dit Hannah en soupirant. A dix-huit, j'étais mariée pour la deuxième fois et enceinte. Elle a l'air si jeune ! Je paraissais sûrement plus mûre à cet âge, mais j'étais plus grande et plus en chair.

Du coin de l'œil, Hannah étudia sans indulgence son image que reflétait le miroir le plus proche. Avait-elle beaucoup changé ? Ses seins et ses hanches s'étaient un peu alourdis — André ne manquait jamais une occasion de le lui faire remarquer — mais sa taille était encore bien prise, sa peau fraîche et sa chevelure presque aussi rutilante qu'autrefois. A trente-sept ans, se dit-elle, elle était encore très belle. Beaucoup de femmes de son âge étaient déjà marquées, ridées, avaient des cheveux gris. Elle avait vraiment de la chance.

Michèle embrassa sa mère sur la joue ; sa chair échauffée embaumait l'eau de Cologne à la rose dont elle raffolait.

— Maman, avez-vous vu ? C'est une nouvelle danse. Elle vous plaît ?

Hannah étreignit sa fille.

— Je n'ai vu que la fin mais cela m'a paru très joli. Tu danses bien, Michèle.

— Ma chère Hannah, ce sont des choses à ne pas dire ! Michèle vient tout juste d'apprendre cette chorégraphie et son interprétation laisse encore beaucoup à désirer. Réservez vos louanges pour le jour où elle les méritera.

— Ne l'écoutez pas, maman, dit Michèle en faisant la moue. S'il ne tenait qu'à lui, je n'entendrais jamais un mot gentil. On a pourtant besoin d'encouragements !

La jeune fille jeta un coup d'œil hautain à André, embrassa de nouveau sa mère sur la joue et sortit de la pièce en dansant.

Hannah la suivit des yeux en riant tendrement.

— Ma chère Hannah, vous favorisez son obstination. Elle est pourrie, gâtée ! grogna André.

— Je la gâte, c'est vrai. Mais vous aussi. Dites-moi, cher ami, l'amour maternel m'aveugle peut-être, mais je la trouve très douée.

— Oui, vous manquez d'objectivité, et pourtant vous avez raison. Comme je vous l'ai souvent dit, Michèle a un talent inné. Et grâce à mes leçons, ce qu'elle fait est très bien, mais il ne faut pas le lui dire sans cesse. Elle est assez vaniteuse comme cela. Vous aussi, vous auriez pu être danseuse, Hannah, si vous aviez commencé plus jeune et travaillé plus longtemps.

— Non, André, je n'ai jamais été aussi gracieuse, ni aussi légère. Même à son âge, j'étais trop grande et déjà trop épanouie. En plus du talent et de la grâce, Michèle a un corps de danseuse.

— Ce qui m'amène au sujet que j'ai en tête depuis un certain temps. (La voix d'André devint plus grave.) Je vous ai déjà dit que le talent de Michèle avait peu de chances de s'épanouir ici, et encore moins d'être apprécié à sa juste valeur.

— Oui, mais elle aime danser et en tire un grand plaisir. Est-ce que cela ne lui suffit pas ?

— Non, chère Hannah. Du moins, plus maintenant. Michèle est votre fille et vous ressemble. Elle est ambitieuse, elle veut réussir sa vie, devenir une danseuse professionnelle.

— Mais elle n'en aura pas la possibilité, ici, en Virginie. Vous venez de me le dire.

— J'ai dit « ici ». Ici, danser, c'est déchoir. Mais en Europe, en France ou en Angleterre, la danse est considérée comme un art. Il y a là-bas des compagnies qui seraient ravies d'accueillir une danseuse aussi douée que Michèle. Pour vous, Hannah, ce serait l'occasion de voir de nouveaux pays. Je vous l'ai souvent dit.

La première réaction d'Hannah fut d'imposer silence à André par un refus catégorique, mais il poursuivit sans lui laisser le temps de s'exprimer.

— J'en ai déjà parlé avec Michèle et elle a très envie de partir. Je compte encore des amis en France, des gens qui pourront nous aider. J'ai entretenu une correspondance régulière avec plusieurs d'entre eux, dont Mme Dubois. C'est une femme fortunée qui a beaucoup d'influence et elle se sent seule depuis la mort de son mari. Elle m'a souvent prié de venir séjourner chez elle ; elle pourrait être utile à Michèle. Et puis, ma chère, vous éloigner un peu de Malvern vous serait bénéfique. Cela vous distrairait de votre chagrin. (Sa voix se fit plus douce.) Je sais combien cela a été dur pour vous, combien vous étiez attachée à Michael. Partir vous ferait du bien, croyez-moi.

Touchée par ce témoignage de sympathie, Hannah sentit les larmes lui monter aux yeux.

— Mais, ne m'avez-vous pas dit, un jour, que vous aviez dû quitter la France à cause de... certains ennuis ?

André sourit d'un air moqueur.

— Je ne crois pas vous avoir expliqué cela en ces termes, bien que ce soit vrai. Mais le temps a passé et je suis sûr que l'on a oublié mes frasques de jeunesse. Vous allez réfléchir, n'est-ce pas, Hannah ? Je sais que votre premier mouvement a été de me dire non ; vous ne supportez pas l'idée de laisser Malvern en d'autres mains ; mais réfléchissez, pensez à Michèle. Ne devons-nous pas lui donner une chance de mener la vie qu'elle souhaite ? La chance que vous n'avez pas eue à son âge ? Pensez à son talent qui ne peut s'épanouir ici. Pensez-y, je vous en prie.

Il se pencha et déposa un doux baiser sur sa joue ; et, une fois de plus, elle se sentit désarmée.

Hannah porta la main à son visage et quitta rapidement la pièce. André lisait en elle comme dans un livre ; il semblait toujours deviner ce qu'elle pensait et ressentait. Il sait aussi me manipuler, pensa-t-elle presque en colère. Eh bien, elle allait réfléchir, comme il le lui avait suggéré. Elle pourrait toujours dire non.

Elle descendait lentement le grand escalier tournant lorsqu'elle entendit retentir le lourd marteau de bronze de la porte principale. Qui cela pouvait-il être ?

Jenny, la servante, ouvrit la porte puis la referma et lui tendit une enveloppe au moment où elle posait le pied sur la dernière marche.

— Un messager vient d'apporter cela de Williamsburg, madame.

Hannah l'ouvrit et en sortit une seule feuille de papier qui ressemblait à une facture. Elle la parcourut rapidement des yeux et son appréhension grandit. C'était une sommation, lui signifiant qu'elle devait le premier remboursement d'une dette. Un remboursement ? Elle sursauta en voyant la somme : le chiffre en était terriblement élevé !

Quelques mots accompagnaient la sommation : *Je vous prie de bien vouloir venir me voir le jour qui vous conviendra. Mes très respectueux hommages. Courtney Wayne.* C'était sûrement une erreur. Pourtant l'enveloppe était bien à son nom : *Mme Hannah Verner, Malvern.* Qu'est-ce que cela voulait dire ?

Elle glissa la lettre dans sa poche et se précipita avec inquiétude dans la petite pièce qui avait servi de bureau à Michael. Elle n'avait pas encore fini de prendre connaissance des papiers que son mari gardait soigneusement rangés dans un classeur. Elle avait été trop bouleversée par sa mort ; il lui avait fallu du temps avant de se décider à les examiner. L'un d'eux allait sûrement éclairer l'étrange et effrayant message de ce mystérieux Courtney Wayne.

Elle chercha presque tout l'après-midi avant de le découvrir. Le document la consterna. C'était la copie d'un accord passé pour l'emprunt d'une grosse somme dont Malvern était la garantie. Michael l'avait signé peu de temps avant sa mort.

Hannah pâlit. Pourquoi ne lui en avait-il pas parlé ? Il est vrai, Michael avait toujours voulu lui épargner les soucis de la gestion du domaine. Pourtant, elle avait dirigé la plantation après la mort de son père, avec l'aide de l'esclave affranchi, Henry, devenu régisseur. Mais lorsqu'elle avait épousé Michael, Henry était mort, et son mari avait affirmé qu'il n'avait pas besoin de contremaître. Il s'occuperait lui-même de la plantation et Hannah se chargerait de la maison et élèverait Michèle.

Pourquoi Michael avait-il emprunté de l'argent ? L'année dernière, la récolte avait été mauvaise, mais lorsqu'elle avait exprimé son anxiété, il l'avait rassurée. Pourtant, si cette sommation n'était pas une erreur, il y avait bien là de quoi s'inquiéter.

Ses pensées retournèrent à l'époque où Michael vivait à la plantation avec son père, avant son arrivée à elle. Malcolm lui avait parlé de ces temps difficiles. Son fils s'adonnait alors au jeu avec insouciance, contractant d'énormes dettes. Pour finir, le père et le fils s'étaient âprement querellés et Michael était parti. Il n'était revenu que bien plus tard, lorsque Hannah était la maîtresse de Malvern.

Michael avait-il repris ses anciennes habitudes ? Elle repoussa cette pensée, la jugeant sacrilège. Il fallait voir Courtney Wayne le plus tôt possible ; et n'en parler à personne, pas même à Michèle ou à André, avant de savoir ce que tout cela signifiait.

Une fois sortie de la salle d'exercices, Michèle se dirigea lentement vers sa chambre tout en s'essuyant le visage avec le bas de sa jupe de mousseline. De toute façon, la robe irait à la lessive ; elle transpirait toujours beaucoup en dansant et aujourd'hui il faisait très chaud.

Michèle savait qu'André allait parler à sa mère de leur départ pour la France ; elle était très émue. Est-ce que maman dirait oui ? Il le fallait ! Michèle aspirait depuis toujours à se rendre à Paris. André avait nourri ses rêves d'enfant d'histoires sur la cour de France, les ballets, le théâtre, l'opéra, les plaisirs de la vie parisienne. Eh bien, ses rêves n'avaient pas changé.

Aussi loin qu'elle s'en souvînt, André avait toujours été à ses côtés. Elle savait qu'il avait tenu la même place fidèle auprès de sa mère ; et qu'il était là le jour de sa naissance. Elle savait aussi que lorsque son père et sa mère étaient revenus vivre au domaine, André était resté à Boston pour tenir l'auberge que sa mère et lui avaient créée. La séparation lui étant devenue insupportable, il était revenu à Malvern lorsque Michèle avait six ans.

André était heureux à Malvern, mais Michèle savait qu'en secret il désirait ardemment retourner à Paris. Il y avait fait allusion à plusieurs reprises, mais tout était resté à l'état de projet. Il faut dire qu'Hannah n'avait aucune envie de s'éloigner de son mari.

En pensant à son père, des larmes brûlantes montèrent aux yeux de Michèle et sa gorge se serra. Avec rage, elle tenta de ravaler ses larmes. Pourquoi ? Pourquoi était-il mort ? Pourquoi était-ce à lui que cet accident était arrivé, alors qu'il y avait tant de méchants de par le monde ? Cette injustice la révoltait et augmentait son chagrin. Bien qu'elle aimât Malvern, Michèle éprouvait de plus en plus l'envie de partir, de fuir ces souvenirs qui l'assaillaient à chaque pas. Comment maman faisait-elle pour supporter cela ? Il vaudrait mieux qu'elles partent, au moins pour un temps, et le moment lui semblait favorable. On pourrait engager un régisseur qui s'occuperait de la plantation. D'ailleurs, maman pensait beaucoup trop à Malvern ! Un voyage à l'étranger lui ferait du bien. Il fallait absolument qu'elle dise oui !

Dès qu'elle fut dans sa chambre, Michèle ôta sa robe de mousseline toute froissée. Puis elle enleva ses chaussons et les jeta dans un coin, chemin que suivirent ses sous-vêtements.

Lucy, sa servante, avait rempli le broc et apporté des serviettes propres. Michèle versa l'eau dans la cuvette de porcelaine, y trempa un linge et lava son corps couvert de sueur. L'eau fraîche lui parut délicieuse. En passant la serviette sur sa poitrine, Michèle sentit ses mamelons se durcir à ce contact, et elle frissonna légèrement. C'était une sensation agréable et pourtant gênante ; elle s'arrêta un moment pour contempler son visage dans le miroir fixé au-dessus de la table de toilette.

Elle avait l'air d'un garçon manqué avec ses cheveux ébouriffés et ses joues rouges. Lorsqu'elle éprouvait ce genre de sensation, Michèle essayait toujours de penser à autre chose. A la danse, par exemple ; et habituellement, cela suffisait à la distraire. Mais aujourd'hui, le stratagème échoua. Elle sentit son corps devenir de plus en plus brûlant, ses seins restèrent dressés, comme en attente...

D'un geste brusque, elle se détourna du miroir et passa une chemise propre. Ses joues étaient toutes chaudes. Oh ! elle savait bien ce que ses seins attendaient. Et l'image qu'elle essayait d'écarter s'imposa à sa mémoire.

Michèle dansait avec Beau Thompkins, un grand garçon séduisant, lorsque, sans lui en demander la permission, il l'avait entraînée, toujours dansant et riant, jusque dans le jardin.

Avant qu'elle puisse l'en empêcher, ou même proférer un mot de protestation, il l'avait conduite dans l'ombre nocturne d'un grand arbre et serrée contre lui ; elle n'avait pas trouvé déplaisantes son odeur d'homme, ni son haleine fleurant le vin.

La bouche de Beau chercha la sienne et ses mains vinrent se refermer en coupe sur ses seins qui se dressèrent, juste comme en cet instant, et elle éprouva pour la première fois cette sensation qu'elle aimait et méprisait tout à la fois.

Bien sûr, elle avait déjà ressenti quelque émoi avant ce soir-là, mais rien de semblable au feu qui l'avait embrasée lorsque Beau l'avait prise dans ses bras.

Elle l'avait repoussé et giflé pour faire bonne mesure ; mais trop tard, le dommage était fait.

Si on le lui avait demandé, Michèle aurait été incapable d'expliquer ce mot de « dommage » mais, au fond d'elle-même, elle savait bien ce qu'il signifiait.

En fait, elle voulait être une danseuse, et une bonne danseuse. Elle voulait danser en professionnelle, devant un public qui reconnaîtrait son talent.

Et elle ne voulait pas épouser le fils d'un planteur, tenir une maison et élever des enfants. C'était bizarre d'être ainsi, lui avaient dit ses amies. Les autres jeunes filles ne parlaient que des hommes ; le mariage était leur sujet de conversation favori. Enfants, elles avaient joué à la poupée, joué à la ménagère. Elles s'étaient préparées à ce qu'elles voulaient vivre... le mariage et la maternité.

Michèle n'avait jamais été ainsi. Dès qu'André lui avait appris les premiers pas, les premières figures, la danse était devenue, après son père et sa mère, la chose la plus importante de sa vie. Elle savait, tout au fond de son cœur, que les sensations secrètes qu'elle éprouvait, ces désirs physiques ardents ne pouvaient que la détourner de son rêve et la jeter dans les bras de quelqu'un comme Beau Thompkins. Et alors, elle serait perdue à jamais ; elle deviendrait une épouse comme les autres, chargée d'enfants, toujours affairée aux soins domestiques.

Non ! Cette vie-là n'était pas pour elle. S'il lui fallait maîtriser les penchants de son corps rebelle,

elle s'y appliquerait et y réussirait. Elle était courageuse.

Plus calme, elle prit la brosse pour se recoiffer. Ils
iraient tous les trois à Paris. Maman allait dire oui
et lorsqu'ils seraient là-bas, la vraie vie de Michèle
pourrait commencer.

2

Le lendemain matin, Hannah se mit en route pour Williamsburg, peu après le lever du soleil. La ville était à une demi-journée de voyage.

Elle était seule dans la voiture. Le cocher maintenait ses quatre chevaux au galop et des nuages de poussière s'élevaient sur leur passage.

Durant la première demi-heure, les champs de Malvern se déployèrent de chaque côté de la route. Hannah les contemplait pensivement. Ses ouvriers agricoles, hommes et femmes, étaient déjà au travail. Pendant des années, Malvern avait été une plantation de tabac, mais cette culture fatigue la terre et, après quelques récoltes, un champ doit rester en jachère pendant plusieurs années. Michael avait trouvé cela peu rentable et planté du coton sur la moitié de la propriété ; c'était une nouveauté dans le Sud, bien que le marché fût en expansion.

Mais c'était un travail lent et monotone. Après la récolte, il fallait séparer les graines des soies et, au mieux, on n'en obtenait qu'une livre quotidienne par travailleur.

De la plantation à la récolte, c'étaient des mois de dur labeur. Les arbustes fragiles exigeaient des soins attentifs de la fin du printemps jusqu'à l'automne, où les capsules blanches s'ouvraient brusquement comme des grains de maïs éclatant dans la poêle. La sécheresse, une invasion d'insectes, de trop fortes pluies ou une averse de grêle pouvaient détruire la récolte. C'est ce qui s'était produit l'automne dernier, peu de temps avant la mort de Michael ; une terrible chute de grêlons avait haché les capsules deux semaines environ avant la cueillette.

C'était pourquoi le coton ne couvrait que la moitié de la plantation, le reste étant en friche ou consacré au tabac. Michael, cependant, croyait que l'avenir du Sud dépendait du coton et il s'était engagé avec optimisme dans cette voie.

— Un jour, un type astucieux inventera un moyen mécanique de séparer les graines des soies et notre terre, Hannah chérie, nous rapportera des richesses incalculables.

Cher Michael, pensa-t-elle avec un sourire mélancolique, il ne voyait que le bon côté de la vie. C'était sans doute pourquoi il avait emprunté en engageant Malvern, convaincu que l'avenir ne pouvait être que meilleur et qu'il rembourserait facilement son créancier. C'est probablement ce qui serait arrivé s'il avait vécu.

Mais maintenant, elle allait peut-être voir le domaine lui échapper. Elle frissonna, bien que la matinée fût chaude. Non, elle n'allait pas perdre la terre qu'elle aimait ; elle ne le voulait pas. Elle s'en tirerait ; elle avait déjà affronté des situations difficiles.

Elle savait que la plupart de ses voisins la verraient perdre Malvern sans déplaisir. Même du temps de Malcolm, les Verner n'avaient pas le même point de vue que les Virginiens sur l'esclavage.

En réalité, cette attitude venait d'Hannah. Vendue toute jeune comme servante, elle savait ce que signifiait cette dépendance et c'est sous son influence que Malcolm Verner avait affranchi un grand nom-

bre de ses esclaves. Hannah et Michael avaient poursuivi dans cette voie et maintenant toute la main-
d'œuvre du domaine était libre.

Cela n'était pas fait pour établir de bonnes relations de voisinage car tous les propriétaires de
plantations de la région possédaient des esclaves.
Qu'importe ! Lorsque Hannah était certaine d'avoir
raison, elle ne se laissait pas influencer par l'opinion
des autres ; ce n'était pas maintenant qu'elle allait
changer.

Elle se redressa, prête à affronter ce qui l'attendait,
tandis que la voiture traversait les faubourgs de
Williamsburg.

Avant de quitter Malvern, elle avait interrogé John,
le cocher noir, sur ce Courtney Wayne. De tous les
employés de la plantation, John était le mieux informé sur Williamsburg et ses habitants. Il était non
seulement chargé de conduire Hannah à la ville, ce
qui était rare d'ailleurs, mais encore d'y acheter tout
ce qui était nécessaire à la maisonnée ; il connaissait
bien les commerçants et était attentif à tous les
commérages. C'était un sexagénaire très digne, un
autodidacte à l'élocution soignée, en qui Hannah
avait toute confiance.

— M. Wayne est un homme assez mystérieux,
madame, lui avait répondu pensivement John. Il est
arrivé à Williamsburg il y a moins d'un an. Il ne parle
guère de ses affaires mais on dit qu'il est riche. Il a
acheté une belle demeure, engagé une nombreuse
domesticité et s'est installé ici. Mais il est peu socia-
ble et l'on ne sait rien de son passé. C'est un bel
homme d'environ quarante ans.

— Mais que fait-il ? Quelle est sa profession ? Il doit
bien faire quelque chose !

— C'est un gentleman qui a une belle fortune. C'est
tout ce que l'on sait. Des rumeurs circulent sur lui,
bien sûr. On dit qu'il a hérité de son père. On dit

aussi qu'il a découvert un trésor. Mais à part cela, on ne sait pas grand-chose.

Un gentleman ! Vraiment ! Un gentleman n'aurait pas tiré profit des ennuis de Michael et, en tout cas, il n'aurait pas rédigé le papier qu'elle avait glissé dans son réticule.

Lorsque la voiture s'arrêta, elle se pencha par la fenêtre. Ils étaient arrivés dans une rue fraîche, bordée d'arbres, un peu éloignée du centre de la ville ; la voiture s'était rangée devant une imposante demeure de deux étages, en brique, devant laquelle s'étendait une vaste pelouse entourée de haies soigneusement taillées.

John ouvrit la portière et l'aida à descendre. Elle secoua les plis de sa robe marron, froissée par le voyage, remit quelques mèches rebelles sous son chapeau à brides et monta les marches du perron d'un pas décidé.

On répondit immédiatement à son coup de heurtoir. La porte s'ouvrit et un grand Noir portant une livrée de majordome apparut sur le seuil.

— Veuillez, je vous prie, dire à votre maître que Mme Hannah Verner demande à lui parler.

— Oui, madame, murmura le maître d'hôtel en la saluant. Veuillez me suivre, s'il vous plaît.

Hannah resta interloquée. Est-ce que Courtney Wayne s'attendait à sa visite ? Serrant son réticule contre sa poitrine, elle pénétra dans un grand vestibule. Le Noir s'arrêta devant une porte à double battant et l'ouvrit.

— Monsieur, Mme Verner est là.

— Fais-la entrer, Noé, je te prie, répondit une voix grave.

Noé s'effaça avec un petit salut et Hannah entra dans une pièce tout en longueur, tapissée de livres ; au fond, une porte-fenêtre ouvrait sur un jardin fleuri dont les douces senteurs lui parvinrent, apportées par la brise.

Hannah n'y prêta guère attention et regarda l'homme qui se tenait debout près d'un bureau ; il avait les yeux bleus et le nez plutôt grand ; une toison de cheveux bruns parsemés de fils d'argent couronnait son visage aux traits réguliers.

Il était vêtu avec recherche : une chemise ornée de dentelle aux poignets et au plastron, des culottes à la française, des bas noirs et des souliers à boucles qui devaient être d'or tant elles scintillaient. Une tenue de dandy que contredisaient ses traits énergiques et sa présence dominatrice.

Non, cet homme n'a rien d'un dandy, se dit Hannah.

— Madame Verner ? Madame Hannah Verner ? (Il lui fit un grand salut.) Je suis Courtney Wayne. Vous joindrez-vous à moi pour la collation ?

D'un geste, il désigna une table dressée près de la porte-fenêtre, recouverte d'une nappe blanche sur laquelle étincelaient des verres de cristal.

Croyait-il vraiment qu'elle allait manger et boire avec lui comme si de rien n'était ?

— Monsieur, je ne suis pas venue ici pour partager un repas avec vous, répliqua-t-elle d'un ton acerbe.

Un éclair d'amusement passa dans ses yeux.

— Rien qu'une tasse de thé, madame ?

— Non, merci.

Elle sortit de son sac la sommation et la reconnaissance de dette.

— Je vous prie d'accepter mes condoléances pour la mort prématurée de votre époux, madame.

— Des condoléances ? Est-ce que ceci ressemble à des condoléances ?

Elle lui mit les papiers sous le nez.

— Ah, oui ? (Il soupira.) Je regrette, madame, mais je suis un homme d'affaires. Et par respect pour votre chagrin, j'ai attendu cinq mois. J'espérais qu'il ne serait pas nécessaire de vous écrire et que de votre propre chef vous m'apporteriez la somme.

— Je n'étais même pas au courant de ce prêt jusqu'au jour où j'ai reçu votre lettre, monsieur.

— Alors j'en conclus que votre défunt mari ne vous avait pas informée de la transaction ?

— C'est exact.

— Ah !

Il eut un geste d'indifférence.

— Pourquoi a-t-il contracté cet emprunt, si emprunt il y a ?

— Si emprunt il y a ! Mettez-vous ma parole en doute ? Vous tenez à la main, me semble-t-il, un exemplaire de notre accord portant la signature de votre époux. Je détiens un autre exemplaire signé de ce même document.

— Vous n'avez pas répondu à ma question. Pourquoi mon mari est-il venu vous demander de l'argent ?

— Je n'en ai pas la moindre idée, madame. S'il n'a pas jugé bon de s'en ouvrir à vous, il ne m'en a pas non plus informé. Mais si vous me demandez pourquoi il s'est adressé à moi et non à un autre, je vous répondrai que j'avais fait savoir que j'avais des fonds disponibles. Comme vous ne l'ignorez sûrement pas, on considère les prêteurs sur gages comme des gens... disons, peu recommandables. Peut-être à tort, peut-être à raison. J'ai pensé qu'il était possible de mener honorablement ce genre d'affaires, entre gentlemen.

— Entre gentlemen, monsieur ? (Elle eut une moue de mépris.) Vous n'êtes pas un gentleman.

Il rougit et se redressa.

— Votre époux devait avoir ses raisons pour vous cacher ses ennuis d'argent. Il avait peut-être une grosse dette de jeu. Ou peut-être entretenait-il une maîtresse...

Vive comme l'éclair, elle s'avança et le gifla.

Au lieu d'aviver sa colère, la gifle parut le calmer. Il hocha la tête d'un air distant.

— J'ai mérité votre geste. Recevez mes excuses. Mais cela ne change rien au fait que votre mari me devait une somme coquette. Et puisque sa plantation servait de garant à cet emprunt, c'est à vous que la dette incombe maintenant. Je peux vous paraître sans pitié, mais j'insiste pour que les remboursements soient effectués.

— Il faut m'accorder un délai ! J'ignorais tout avant de recevoir votre mot. Laissez-moi le temps de dégager cette somme.

— Me voilà face à un dilemme, dit-il d'un ton aussi glacé que son regard. Si je vous refuse ce délai, je passe pour un être sans cœur. Si je vous l'accorde, je risque de perdre mon argent.

— Non, vous ne perdrez rien, monsieur. Je vous donne ma parole que je trouverai un moyen de vous rembourser. Je me suis déjà battue pour Malvern et j'ai toujours gagné. Cette fois encore, je gagnerai !

— J'admire votre détermination. (Courtney Wayne eut un mince sourire puis parut se décider.) Très bien, madame. Vous avez soixante jours pour me rembourser, mais pas un de plus. Je dois rester ferme là-dessus, vous le comprenez, j'espère.

Elle acquiesça.

— Vous aurez votre argent, monsieur, dit-elle en faisant de grands efforts pour empêcher sa voix de trembler.

Remettant les papiers dans son réticule, elle fit mine de partir.

— L'invitation à vous asseoir à ma table tient toujours, madame. Maintenant que nos affaires sont réglées, pourquoi ne parlerions-nous pas de sujets plus agréables ?

Hannah retint une réplique cinglante et se contenta de dire :

— Je vous remercie, mais il faut que je rentre.

— Très bien, madame. (Il eut un haussement d'épaules.) Je vais appeler Noé pour qu'il vous reconduise.

Il tendit la main vers le cordon.

Courtney Wayne suivit Hannah Verner des yeux avec un sourire amusé. Il aimait qu'une femme ait de l'intelligence et du courage, et celle-ci ne manquait sûrement ni de l'un ni de l'autre. La plupart des femmes qu'il avait connues étaient totalement dépendantes des hommes et c'était bien agréable d'en rencontrer une qui sache se défendre.

Il n'avait rencontré qu'une femme comme Hannah Verner... Katherine, qui avait été son épouse pendant trois ans. Nulle ressemblance physique cependant : Hannah était une rousse épanouie ; Katherine, une petite brune fragile. Mais l'une et l'autre rayonnaient d'intelligence et de courage.

Courtney pivota sur ses talons en soupirant ; son sourire s'effaça et il contempla le jardin d'un air mélancolique. Sa Katherine chérie, dont le corps frêle avait été ravagé par une fièvre mortelle, contractée sur une île des Caraïbes... Katherine, morte depuis dix ans déjà.

Il n'avait jamais aimé une autre femme, malgré la promesse solennelle qu'elle lui avait arrachée, le dernier jour. Katherine, qui frissonnait sous plusieurs couvertures malgré la chaleur tropicale, avait murmuré :

— Courtney ?

— Oui, mon amour ? Ne parle pas, repose-toi.

— Il faut que je te dise quelque chose, avant de mourir.

— Tais-toi, mon amour. Ne dis pas des choses pareilles. Ta fièvre va bientôt tomber, et alors...

— Tu ne m'as jamais menti, Courtney. Ce n'est pas

le moment de commencer ! Je sais très bien que je vais mourir et il faut que tu me fasses une promesse.

— Demande-moi tout ce que tu veux, Katherine.

— Lorsque j'aurai disparu, je veux que tu te trouves une autre femme et que tu l'épouses. Ce n'est pas bon pour un homme de vivre seul. (Sa main s'était refermée sur son poignet avec une force insoupçonnée.) Jure-le-moi !

— Je te le jure, Katherine. Maintenant, il faut que tu dormes.

Katherine ne s'était pas réveillée de ce sommeil-là. Et il n'avait toujours pas tenu sa promesse. Comment l'aurait-il pu ? Il n'avait jamais rencontré de femme qui puisse soutenir la comparaison avec son épouse.

Il se redressa en fronçant les sourcils. Pourquoi de telles pensées ? Et surtout, pourquoi avait-il accordé deux mois de délai à Hannah Verner ? Pour un homme d'affaires, c'était une erreur. Il avait éprouvé de la compassion pour cette femme placée brusquement dans une situation intenable, mais ce n'était pas une excuse. Dans deux mois, elle serait tout aussi incapable de le rembourser et il serait bien obligé d'agir. Comment une femme seule pourrait-elle se procurer cinq cents livres ? Il lui faudrait même en trouver plus car la somme empruntée par Michael Verner s'élevait en tout à mille cinq cents livres ; et Hannah devrait faire marcher la plantation jusqu'à la prochaine récolte.

Et d'abord, pourquoi était-il revenu en Virginie ? Il s'était juré de ne plus y remettre les pieds. C'était sans doute parce qu'il avait trop longtemps erré de par le monde — sans racines, sans foyer — et qu'il s'était lassé de cette vie. Il avait besoin de se sentir chez lui ; et ici, il était chez lui. De plus, il avait quelques vieux comptes à régler.

Ce serait agréable, pensa-t-il, de s'installer à Malvern, de devenir le propriétaire du domaine et d'être admis dans la bonne société. Et si pour cela, il devait s'endurcir le cœur contre Hannah Verner et faire valoir ses droits, bon Dieu, il n'hésiterait pas ! Qu'elle rembourse sa dette, ou alors, il s'emparerait de Malvern !

Entendant une petite toux derrière lui, il tourna la tête.

— Oui, Noé ?

— Puis-je servir, maintenant ?

— Oui... Non. J'ai changé d'avis. Je n'ai pas faim. Apporte-moi plutôt une bouteille de brandy.

En voyant le visage noir exprimer une vive désapprobation, Courtney se mit en colère.

— Ne me regarde pas comme cela, bon sang ! Fais ce que je te dis. Qui est le maître, ici ?

Hannah était plongée dans un profond embarras. Où trouver les fonds nécessaires pour sauver Malvern ? Pour la première fois de sa vie, elle regretta presque de s'être aliéné ses voisins dont plusieurs étaient de riches planteurs capables de lui venir en aide ; mais elle n'allait pas s'humilier devant eux. Elle trouverait bien une solution.

Ce qui augmentait encore son trouble, c'était l'ambivalence de ses sentiments à l'égard de Courtney Wayne. Ce n'était sûrement pas un gentleman et il avait le cœur insensible d'un prêteur sur gages ; pourtant Hannah le trouvait physiquement très attirant. C'était la première fois depuis la mort de son mari qu'un homme lui plaisait. Et elle était furieuse que cet homme soit précisément Courtney Wayne.

Elle savait d'expérience qu'il y avait beaucoup de séduisants scélérats et qu'il fallait aller au-delà des apparences pour découvrir l'homme véritable. Au moins, dans le cas de Courtney Wayne, elle n'aurait pas besoin de chercher ; il s'était révélé tel qu'il était.

Comme la voiture s'engageait dans l'allée de Malvern, elle chassa énergiquement Courtney Wayne de ses pensées et s'abandonna au plaisir qu'elle éprouvait toujours en retrouvant la blanche demeure. Elle ne l'avait quittée que quelques heures, mais elle tressaillit de plaisir en contemplant ses colonnades élancées, son portique élégant. Cette maison était la sienne.

Mais pour combien de temps encore ?

Son humeur était fort sombre lorsqu'elle franchit le seuil et découvrit qu'André et Michèle l'attendaient dans le vestibule.

— Maman, André m'a tout dit ! s'écria Michèle en lui sautant au cou.

— Il t'a dit quoi ? demanda Hannah d'un ton maussade en se libérant de l'étreinte de sa fille.

— Que tu es d'accord pour que nous partions à Paris.

— Il a dit cela ! Vraiment ? (Hannah jeta un regard mécontent à André qui haussa les épaules d'un air innocent.) Je n'ai pas encore dit oui, Michèle, j'ai dit seulement que j'allais y réfléchir.

— Cette enfant a tellement envie de partir qu'elle a mal interprété mes paroles. Il ne faut pas lui en tenir rigueur.

— Alors, vous ne voulez pas, maman ?

Le visage de Michèle avait pâli.

— Je n'ai pas dit cela non plus. J'ai besoin d'y réfléchir, c'est tout.

— Si vous refusez, je partirai tout de même. Et vous ne pourrez pas m'en empêcher.

Michèle leva le menton d'un air de défi.

Hannah étudia sa fille, partagée entre l'admiration et la contrariété. Michèle lui ressemblait tellement ! A cet âge, Hannah était aussi pleine de feu et de courage.

— Tu peux t'enfuir si tu veux, dit-elle enfin d'un air

28

las, mais le voyage coûte cher, ma chérie. Comment te procureras-tu l'argent du billet ?

— Je le trouverai bien quelque part !

— S'il est si facile, pour toi, de trouver de l'argent, dit sèchement Hannah, peut-être pourrais-tu me conseiller, Michèle. Cela me serait bien utile.

Elle se dirigea vers son bureau.

— Hannah ? (André s'était précipité à sa suite, l'air inquiet.) Que se passe-t-il, chère amie ? Vous avez des ennuis d'argent ?

Elle fut sur le point de tout lui dire. Il avait été son confident et son ami pendant tant d'années. Mais André n'avait aucun sens pratique et ce n'était pas la peine de l'accabler de ses soucis.

Elle sourit, prit ses mains dans les siennes et les tapota d'un geste maternel.

— Ne vous inquiétez pas. Michèle et vous, cher André, vous allez partir pour Paris, avec ma bénédiction.

— C'est vrai ?

Un sourire s'épanouit sur son visage.

— Bien sûr que c'est vrai, dit-elle avec un peu d'humeur, regrettant déjà sa générosité. Vous ai-je déjà manqué de parole ? Je vous demande seulement de me faire une promesse. Il va me falloir plusieurs jours pour rassembler les fonds nécessaires au voyage, et j'aimerais que ni vous ni Michèle ne veniez sans cesse me harceler. C'est promis ?

— Bien sûr, Hannah, bien sûr ! (Il rayonnait de bonheur.) Mais vous avez l'air de dire que vous ne viendrez pas avec nous ?

— Il faut bien que quelqu'un reste ici pour s'occuper du domaine. Et puis, vous n'avez pas besoin de moi. Maintenant laissez-moi, André. J'ai des choses à faire.

Brusquement, elle entra dans le bureau et referma la porte au nez d'André. Elle se laissa tomber dans le fauteuil, face à la table. Son désarroi était grand. Pourquoi avait-elle fait cette imprudente promesse ? Mais, après tout, ce n'était pas si grave. Elle trouverait ou non l'argent dont elle avait besoin pour rembourser Courtney. Si elle y arrivait, elle n'aurait pas de difficulté à en obtenir un peu plus afin de financer le voyage pour Paris.

En soupirant, elle ouvrit le livre de comptes et reprit son travail là où elle l'avait interrompu la veille. Elle passa ainsi le reste de l'après-midi. André frappa deux fois à sa porte, et la cuisinière une fois, pour savoir si elle désirait manger quelque chose. Hannah les renvoya avec humeur.

Enfin, tard dans l'après-midi, elle termina ses comptes et se laissa aller en arrière dans son fauteuil. Elle massa sa nuque raidie, tout en contemplant les derniers chiffres. La situation financière de la plantation était encore plus mauvaise qu'elle ne le pensait. Il n'y avait pour ainsi dire plus d'argent liquide et beaucoup de factures de fournisseurs n'avaient pas été réglées. Il n'y avait rien, à Malvern, qu'elle puisse vendre. Et, dans un sens, elle en était elle-même responsable. En général, lorsqu'un planteur avait besoin de se sortir d'un mauvais pas, il vendait quelques esclaves. Hannah ne le pouvait pas puisqu'elle les avait tous affranchis. De plus, la cinquantaine d'ouvriers qui travaillaient pour elle recevaient un salaire... et elle ne pourrait les payer.

Il ne lui restait plus qu'une solution : emprunter assez d'argent pour tenir jusqu'à la prochaine récolte, rembourser Courtney Wayne et envoyer sa fille et André à Paris. Michèle méritait bien qu'on lui offre sa chance et si elle voulait faire partie d'un ballet, Hannah mettrait tout en œuvre pour réaliser ce désir.

Pendant les trois jours qui suivirent, Hannah se

rendit chaque matin à Williamsburg et passa des heures à rendre visite à tous les prêteurs sur gages de la ville. Une fois, elle rencontra Courtney Wayne dans la rue. Il leva son tricorne et lui fit un petit salut ; son sourire entendu semblait signifier qu'il était au courant de ses démarches.

Elle rentra chez elle, au soir du troisième jour, plongée dans la plus noire mélancolie. Tout le monde avait repoussé sa demande ; les prétextes variaient mais elle connaissait la vraie raison de ces refus. Personne ne voulait prêter de l'argent à une femme.

Elle se dit qu'elle pourrait pousser plus loin, jusqu'à Jamestown, ou Norfolk, ou même Richmond, mais à quoi bon ? Si les gens de Williamsburg, qui connaissaient tous le nom de Verner, rejetaient sa requête, pourquoi des étrangers réagiraient-ils mieux ?

Elle se sentait lasse, découragée. Lorsque la voiture s'arrêta devant la maison, elle fut contrariée de voir qu'André l'attendait au bas du perron. Il faudrait lui dire que Michèle et lui ne pourraient pas partir pour Paris. Ce serait un coup terrible pour sa fille, mais plus elle attendrait, pire ce serait.

André s'empressa de venir lui ouvrir la portière, avant que John ait sauté de son siège, et il l'aida à descendre.

— Je voulais vous voir avant que vous n'entriez, dit André à voix basse. Il y a un visiteur. Il vous a attendue presque tout l'après-midi. Je lui ai dit que vous n'étiez pas à la maison mais il n'a pas voulu s'en aller. De plus, il a affirmé que vous seriez ravie de le recevoir. Je n'en crois rien, ajouta-t-il en faisant la grimace. C'est un personnage fort antipathique.

— Comment s'appelle-t-il ?

— Jules Dade.

Elle réfléchit en fronçant les sourcils puis secoua la tête.

— Ce nom ne me dit rien, mais je vais le recevoir puisqu'il a tant attendu.

— Si vous croyez qu'il le faut... (Il haussa les épaules.) Je l'ai fait entrer dans le petit salon pour le tenir à l'écart. Je vais rester dans les parages, au cas où vous auriez besoin de moi.

Lorsque Hannah entra dans la pièce, un homme petit et mince, habillé d'un sobre costume marron, se leva du sofa. Il ôta son chapeau, révélant une chevelure d'un brun terne... une perruque, se dit Hannah. Il avança vers elle à pas lents et mesurés, mais en dépit de sa petite stature, il semblait déborder d'énergie nerveuse. Hannah estima qu'il devait avoir environ cinquante ans.

— Madame Hannah Verner ? dit-il d'une voix neutre.

Elle vit alors ses yeux. Ils étaient gris, d'un gris pâle et glacé. Sans savoir pourquoi, Hannah frissonna.

— Oui, c'est moi-même.

— Je m'appelle Jules Dade.

Il fit un profond salut en balayant le plancher de son tricorne.

— Votre nom m'est inconnu, monsieur. Etes-vous de passage en Virginie ?

— Je ne suis arrivé que depuis peu à Williamsburg, madame. Originaire de la Virginie, je me suis occupé de transport maritime, à Norfolk. A présent, je suis à la retraite.

— Tout cela est très intéressant, monsieur, mais puis-je savoir ce qui me vaut l'honneur de votre visite ? demanda Hannah, toujours aussi perplexe.

— Bien sûr ! (Dade joignit les mains derrière son dos.) Je suis venu pour vous rendre un service, madame.

— Me rendre un service ? Et en quoi, je vous prie ?
Elle le toisa avec méfiance.

— J'ai appris que vous cherchiez à contracter un emprunt.

Elle ne le laissa pas poursuivre.

— Comment l'avez-vous appris ?

— Ah ! (Il esquissa un sourire.) J'ai mes sources d'information. En fait, à présent, c'est mon métier que de prêter de l'argent. J'ai des fonds importants que je cherche à investir, à un taux raisonnable mais profitable. J'ai aussi appris que jusqu'à maintenant, vos recherches étaient restées infructueuses.

— Vous semblez bien au courant de mes affaires, monsieur.

Il fit semblant de ne pas s'apercevoir de son mécontentement.

— C'est bien volontiers que je vous prêterais de l'argent à trois pour cent, madame. (Il sourit de nouveau, ce qui ne modifia en rien l'expression de ses yeux.) C'est un taux fort honnête, n'est-ce pas ?

— Et c'est tout ? (Elle se méfiait toujours de lui, et pourtant elle ne pouvait s'empêcher d'espérer.) Rien de plus ?

— Eh bien... (Les mains derrière le dos, il se mit à se balancer sur ses talons.) Disons que votre propriété me servira de garantie, mais ce n'est là qu'une clause formelle puisqu'elle tient déjà ce rôle vis-à-vis de Courtney Wayne.

— Vous connaissez M. Wayne ?

— Un peu, oui.

— Mais une double hypothèque...

— Oh ! ne craignez rien ! dit-il d'un ton doucereux. C'est simplement une sauvegarde qu'il est plus raisonnable d'exiger. Je suis sûr que vous me rembourserez mon prêt. On sait que vous êtes digne de confiance. Mais songez, madame, que s'il vous arrivait quelque chose... que Dieu vous en garde... il me faudrait pouvoir rentrer dans mes fonds.

— Oui, sans doute n'y a-t-il pas d'autre moyen, dit lentement Hannah.

Une étincelle s'alluma au fond des yeux de Dade.

— Je le crains fort. C'est ainsi qu'il faut procéder. (Il haussa les épaules.) Il est vrai que certaines personnes sont prêtes à risquer leur argent, disons par amitié, mais ce n'est pas ainsi qu'il faut traiter les affaires.

» Songez-y, madame. Notre accord n'inclut pas de paiements mensuels. Propriétaire d'une plantation, vous dépendez du cycle des récoltes, et je sais que vous ne pourrez pas me rembourser avant la prochaine cueillette. Je ne vous réclamerai donc rien jusqu'à cette date. Que pourriez-vous trouver de mieux ?

— Je ne sais pas.

Elle hésitait encore. Elle lui tourna le dos et s'approcha de la fenêtre pour regarder les champs qui s'étendaient jusqu'à l'horizon... les champs de Malvern. Allaient-ils tenir leurs promesses ? Elle se détourna du paysage et contempla pensivement Dade. Il y avait des aspects de sa personnalité qui ne lui plaisaient pas, mais cela venait peut-être de son antipathie pour les prêteurs sur gages en général. Elle n'aimait pas non plus Courtney Wayne.

Elle se décida brusquement, reprenant confiance en elle. Elle s'en tirerait, elle en était sûre !

— D'accord, monsieur Dade. J'accepte vos conditions.

— Parfait, madame ! C'est parfait ! (Il se remit à se balancer sur ses talons.) Vous ne le regretterez pas, j'en suis certain.

Une fois la transaction effectuée, Hannah ouvrit la porte du petit salon et fit reconduire Jules Dade jusqu'au perron.

Lorsque la porte se fut refermée sur lui, elle appela :

— Michèle ! André !

Celui-ci apparut comme par magie, au détour du couloir.

— Oui, Hannah ?

Michèle surgit sur le palier du premier.

— Oui, maman ?

— Faites vos malles. Vous partirez pour la France dès que j'aurai obtenu vos places !

3

En revenant de Norfolk où elle avait assisté à l'embarquement de Michèle et d'André, Hannah demanda à John de passer par Williamsburg. Elle voulait effectuer auprès de Courtney Wayne un premier remboursement. Elle songeait décidément trop à lui et voulait croire que c'était à cause de cette dette. Une fois la somme versée, il disparaîtrait de ses pensées et elle pourrait se consacrer à sa tâche : gagner assez d'argent pour se débarrasser de ses deux créanciers.

Lorsque le majordome ouvrit la porte, Hannah lui demanda de l'annoncer.

Noé jeta un coup d'œil gêné derrière lui.

— M. Wayne est... occupé en ce moment, madame, dit-il d'un ton hésitant. Peut-être pourriez-vous revenir un peu plus tard ?

Hannah passa devant lui en coup de vent.

— Impossible ! J'habite trop loin. Je suis certaine que M. Wayne va me recevoir. Si vous lui dites que c'est pour une affaire urgente...

Voyant croître l'inquiétude de Noé, Hannah avait élevé la voix.

Une porte s'ouvrit. Courtney Wayne apparut sur le seuil ; il finissait de rajuster sa culotte à la française. Il était rouge et décoiffé. Derrière lui, Hannah aperçut une silhouette pâle. Avant qu'il ne referme la porte, elle se rendit compte qu'il s'agissait d'une femme dénudée jusqu'à la taille.

— Qu'y a-t-il, Noé ? Que se passe-t-il ?

Il sursauta en voyant Hannah.

— Oh ! madame Verner ! Comment allez-vous ?

Hannah s'amusa de le voir un instant perdre contenance. Lors de leur première rencontre, il lui avait paru presque arrogant. Mais le temps qu'il traverse le vestibule, il avait recouvré son assurance habituelle.

— Excusez-moi de vous interrompre dans votre travail, dit-elle malicieusement.

Il la regarda, très calme.

— Que puis-je faire pour vous, madame ?

— Je suis venue effectuer le paiement en souffrance.

Il haussa les sourcils.

— Passons donc dans mon bureau. Voulez-vous une tasse de thé, madame ? Ou un verre de sherry ?

— Non, merci.

Il la prit par le coude et Hannah frissonna. Elle faillit le repousser mais préféra attendre qu'il lui lâche le bras pour ouvrir la porte.

Une fois dans la pièce, elle s'empressa de sortir l'argent de son sac. Lorsqu'il s'approcha d'elle, elle lui tendit les billets un à un, comptant à voix haute.

— J'aimerais que vous me donniez un reçu.

Il avait l'air étonné.

— Je ne comprends pas, madame. Comment avez-vous fait ? (Il sourit.) Ah, oui ! Vous avez peut-être retrouvé de l'argent que votre mari avait caché.

Ce fut au tour d'Hannah de s'étonner. Il ne lui était jamais venu à l'idée que Michael ait pu dissimuler de l'argent quelque part.

— Non, je n'ai pas trouvé d'argent, dit-elle sans réfléchir. J'en ai emprunté.

— Emprunté? Mais j'avais cru comprendre que personne ne voulait vous en prêter?

— Vous semblez informé, monsieur, répliqua-t-elle en colère. Mais imparfaitement, semble-t-il.

— On dirait, dit-il avec un sourire dépité. Mais je croyais que...

— ...Que personne ne prêterait d'argent à une femme?

— Eh bien, oui. Ou, au moins, que c'était fort improbable.

— Vous vous êtes trompé.

— Apparemment...

— Vous avez une piètre opinion des capacités féminines, n'est-ce pas?

— Notre société ne prépare guère les femmes aux affaires. Vous êtes bien obligée de l'admettre, madame.

— Il y a des exceptions, dit-elle avec fierté. Et j'en suis une.

— Pourtant... (Il regarda de nouveau l'argent qu'il avait dans la main.) J'ai du mal à croire que les impitoyables hommes d'affaires de Williamsburg aient trahi leurs principes jusqu'à prêter une telle somme à une femme. (Il leva les yeux, tout content d'avoir trouvé.) Ah! Je sais! Vous avez eu recours à un ami?

— Non. Un certain M. Dade qui a, semble-t-il, plus confiance que vous dans les femmes.

— Dade? Pas Jules Dade?

— Si, précisément.

— Vous avez commis là une grave erreur, madame, dit-il d'un air peiné. Jules Dade ne jouit pas d'une bonne réputation. Tout le monde sait que c'est un individu sans scrupules. Il a fait fortune en prêtant de l'argent, mais d'une manière qui n'a rien d'honnête.

Hannah sentit la crainte l'envahir, mais sa colère l'emporta.

— Ce n'est pas l'impression qu'il a produite sur moi, monsieur.

— Bien, bien...

Il fit un geste d'insouciance qui accrut sa fureur.

— Vous avez bien peu de respect pour les femmes, monsieur.

— En ce qui concerne mon respect et mon affection pour le sexe féminin, aucun homme ne pourrait m'en remontrer, madame.

— C'est ce que j'ai remarqué, répliqua-t-elle d'un ton glacial. J'ai aperçu une jeune femme, tout à l'heure, mais cela n'a rien à voir avec le respect. Vous pensez que les femmes n'ont pas de cervelle et sont dépourvues du sens des affaires. Eh bien, sachez, monsieur, qu'autrefois j'ai géré moi-même la plantation, et avec succès. Je peux le faire à nouveau. Je vous prouverai que vous vous trompez !

— Vous n'êtes pas obligée de me croire, dit-il en la regardant pensivement, mais je souhaite que vous réussissiez ; je le souhaite sincèrement.

Sa colère apaisée, Hannah changea de sujet.

— Il y a une chose que je serais curieuse d'apprendre, monsieur. Vous prétendez ne pas savoir pourquoi mon mari avait besoin de cet argent, mais pourquoi s'est-il adressé à vous pour cet emprunt ?

— Je ne le sais pas non plus, répondit-il en haussant les épaules.

— Connaissiez-vous Michael avant qu'il ne fasse cette démarche auprès de vous ?

— Non, madame. Je ne l'avais jamais rencontré. Ne vous est-il pas venu à l'idée qu'il préférait s'adresser à moi plutôt qu'à un coquin comme Jules Dade ?

— Je ne vois guère de différence entre vous ! répliqua-t-elle.

— Pensez ce que vous voulez, madame, dit-il d'un air de s'en moquer.

— J'effectuerai le prochain remboursement à la date prévue. Soyez-en sûr.

Après le départ d'Hannah, Courtney se sentit inquiet, anxieux même.

Jules Dade viendrait-il donc toujours le tourmenter ? Il avait cru que cet homme vivait à Norfolk. Est-ce parce qu'il avait appris que lui, Courtney, était venu s'installer à Williamsburg qu'il avait décidé d'y venir ? Etait-ce la Némésis qui le poursuivrait jusqu'à sa mort ? Une chose le rendait perplexe... pourquoi Dade avait-il prêté cet argent à Hannah Verner ?

Mais, voyons, la réponse était évidente. Dade cherchait la respectabilité et quelle meilleure manière de l'obtenir qu'en devenant propriétaire d'un domaine comme Malvern ? En accordant ce prêt substantiel à Hannah Verner, il avait probablement prévu qu'en définitive, tôt ou tard, il s'emparerait de la plantation.

Ne pensais-tu pas la même chose il y a quelques jours ? se dit-il. Il fit la grimace. C'était vrai, mais maintenant qu'il connaissait mieux Hannah, cette perspective le séduisait moins. Malgré son entêtement et son tempérament irritable, Hannah l'attirait. Elle allait certainement avoir besoin de sa sympathie, de son aide même !

Court eut un geste de colère et retourna dans la pièce qu'il avait quittée à l'arrivée d'Hannah.

Pourquoi penser à cette femme alors qu'une autre, tout à fait charmante et fort bien disposée à son égard, l'attendait ?

Lorsqu'il ouvrit la porte, Beth Johnson, étendue sur le divan, s'écria :

— Eh bien, il était temps ! Je me disais que tu n'allais plus revenir.

— Excuse-moi, Beth, dit-il en commençant à se défaire de ses vêtements. J'avais une affaire urgente à traiter.

Beth Johnson aussi était veuve depuis peu, mais la mort de son époux ne l'avait pas laissée inconsolable. Elle avait beaucoup de tempérament et prenait grand plaisir à faire l'amour.

— Mon mari avait autant d'ardeur qu'une souche, avait-elle dit à Court. Lorsque je l'ai épousé, je n'étais qu'une gamine ; il a fallu qu'il meure pour que j'apprenne ce que c'est qu'un homme.

En d'autres circonstances, on aurait probablement considéré Beth comme une catin, mais son mari lui avait laissé des biens considérables et une rente coquette, aussi pouvait-elle mener avec toute la discrétion souhaitable ses aventures amoureuses.

Non seulement elle était agréable au lit mais elle ne demandait rien d'autre que le plaisir, ce qui convenait parfaitement à Courtney. En dépit de sa promesse, il ne tenait guère à se remarier. Cependant, comme il était d'un tempérament vigoureux, une femme telle que Beth Johnson était la bienvenue dans sa vie.

Une fois déshabillé, il la rejoignit sur le divan et elle l'étreignit avec ardeur.

— Où en étions-nous lorsqu'on nous a si brutalement interrompus ? demanda-t-il.

— A vrai dire, il semble bien que nous n'ayons pas été interrompus, chéri ! (Elle eut un rire de gorge.) Et je crois que... oui, oui, mon chéri, c'est merveilleux !

Hannah était encore folle de colère tandis que sa voiture l'emportait au galop vers Malvern. Cet homme était d'une prétention et d'une arrogance intolérables ! Parce qu'elle était une femme, ce Courtney Wayne la jugeait dépourvue de cervelle et totalement incapable de diriger la plantation. Les hommes pensaient que les femmes n'étaient bonnes qu'au lit et au fourneau. Même Michael avait quelque peu partagé ce préjugé mais d'une manière plus nuancée. Non seulement elle avait géré la plantation avec succès, mais durant son séjour à Boston, elle avait tenu une taverne, avec André.

Elle pouvait recommencer ! Certes, ce ne serait pas facile. Elle avait trente ouvriers agricoles à nourrir et à vêtir, plus dix domestiques, et deux prêts importants à rembourser. Elle repoussa l'idée qui lui venait de congédier ne serait-ce qu'un seul de ceux qu'elle employait. C'étaient tous des Noirs et elle savait bien qu'ils ne retrouveraient pas de travail dans la région ; les esclaves affranchis étaient mal vus en Virginie. Elle se sentait responsable d'eux.

Tandis que la voiture approchait de Malvern, son humeur se modifiait. La colère qu'avait provoquée en elle son entretien avec Courtney Wayne s'apaisa et laissa place au doute. Elle avait contracté un énorme emprunt et elle se demandait si elle pourrait y faire face. Bien sûr, elle saurait administrer le domaine, mais beaucoup de choses pouvaient mal tourner. La récolte par exemple, et il n'était pas en son pouvoir d'écarter une catastrophe naturelle.

De plus, elle se souvenait encore de l'avertissement formulé par Courtney Wayne à l'égard de Jules Dade. Si l'usurier était aussi malhonnête qu'il le prétendait, comment ferait-elle pour s'en tirer ?

Hannah n'était pas encline à prendre des décisions à la légère, mais elle se dit que, cette fois, elle avait agi sans réfléchir. La mort affreuse et soudaine de Michael, la découverte de la dette, le désir de Michèle de partir pour la France... tout cela l'avait poussée à la précipitation. Elle allait peut-être le regretter.

Eh bien, toute sa vie, elle avait dû lutter et toujours elle avait triomphé. Pourquoi échouerait-elle cette fois-ci ?

Pour prendre un peu de recul par rapport aux problèmes qui l'assaillaient, Hannah revint à l'étrange mort de Michael ; étrange puisque inexpliquée. Pour la première fois, elle put y réfléchir objectivement.

Michael revenait de Williamsburg. Au lieu de prendre la voiture, il y était allé à cheval. Il avait réglé ses affaires tard dans l'après-midi et s'était arrêté à sa taverne favorite pour prendre un brandy. Hannah avait interrogé le tenancier qui lui avait assuré que Michael n'avait pris que deux verres. Mais elle se souvint du ton évasif sur lequel il lui avait répondu. Michael se serait-il enivré avant de repartir ?

Quoi qu'il en soit, personne n'avait rien su de ce qui s'était passé ensuite. La nuit était tombée lorsque Michael avait quitté la taverne. Un cavalier avait découvert son corps le lendemain matin, dans un fossé, au bord de la route, à environ huit kilomètres de Williamsburg. Son cheval paissait paisiblement à quelques mètres de là. Michael avait la nuque rompue et, après une enquête hâtive, la police avait conclu que son cheval l'avait sans doute désarçonné, qu'il s'était tué en tombant. Il avait aussi une grosse bosse à l'arrière de la tête mais elle avait également été attribuée à la chute.

Michael, le plus étonnant cavalier qu'Hannah ait jamais connu, se faire ainsi désarçonner ? Mais s'il était ivre, la chose était possible. De toute façon, il serait à jamais impossible de savoir. Puisque Michael chevauchait seul et que l'accident n'avait pas eu de témoin, comment découvrir la vérité ? Et quelle autre hypothèse envisager ? Le policier avait secoué la tête d'un air sceptique lorsque Hannah avait parlé d'une agression. Et il avait raison, bien sûr. Personne ne haïssait Michael, en tout cas, pas assez pour le tuer.

Elle soupira tandis que la voiture tournait dans l'allée. Déjà la vaste demeure paraissait vide. Finis les éclats de rire de Michael, l'exubérance juvénile de Michèle, les espiègleries d'André. Maintenant, ils étaient tous partis et elle allait se sentir seule, dans la seule compagnie des domestiques. Elle regretta un moment la décision qu'elle avait prise de ne pas accompagner sa fille à Paris.

Puis elle secoua cette mélancolie, déterminée à ne pas s'apitoyer sur elle-même. Elle aurait trop à faire durant l'année à venir pour souffrir vraiment de la solitude.

La voiture s'arrêta et le cocher l'aida à descendre.

— John, peux-tu venir dans mon bureau, quand tu auras dételé et soigné les chevaux ? Il faut que nous parlions, toi et moi.

— Bien sûr, madame, dit-il avec un petit salut.

Lorsque John entra dans la pièce, Hannah le fit asseoir et lui exposa sa situation financière. Elle lui dit tout, sauf ses craintes que Michael ait perdu au jeu ces sommes considérables.

— Sais-tu pourquoi mon mari a contracté un prêt de cette importance ?

— M. Verner ne me parlait pas de ses affaires, madame.

— Ce Jules Dade, que sais-tu à son sujet ?

— Rien de favorable, je le crains. Toutefois, ce que je pense de lui est sans doute influencé par le fait que M. Dade est un marchand d'esclaves. Ou du moins, qu'il l'a été.

— C'est ainsi qu'il a fait fortune ? demanda-t-elle, consternée.

— C'est ce que l'on m'a dit. Oh ! il n'allait pas

jusqu'à les chercher en Afrique. Mais les gens de ma race faisaient la traversée à bord de ses navires et M. Dade les vendait à Norfolk.

— Mais alors, j'ai emprunté au prix du sang !

— On pourrait en dire autant de presque tout l'argent de la Virginie, madame, puisque l'économie de notre Etat est fondée sur l'esclavage, dit-il d'un air impassible.

Hannah le regarda avec surprise. Elle ne l'avait jamais entendu formuler la moindre remarque sur ce sujet et se demanda quels ressentiments il nourrissait en secret.

— John, est-ce que ton sort te paraît vraiment si déplorable ?

Il eut un regard où la tristesse se mêlait à l'ironie.

— Etant donné que mon seul autre destin serait l'esclavage, je crois ne pas devoir me plaindre. Et si j'éprouve de l'amertume, ce ne peut être à votre égard, madame. Vous nous avez donné la liberté et un emploi convenable. Bess m'a dit, avant de mourir, que vous aviez lutté pour la faire affranchir ; et aussi que vous aviez été vendue comme servante à Amos Stritch.

Cette évocation réveilla de douloureux souvenirs. Bess, une esclave noire, était cuisinière à l'auberge de Stritch. Lorsque Malcolm Verner avait acheté Hannah afin de la libérer, celle-ci avait insisté pour qu'il agisse de même envers Bess. Et Bess était restée son amie jusqu'à sa mort, trois ans auparavant.

Hannah soupira et tenta une fois encore de surmonter sa mélancolie.

— Si je ne peux pas rembourser les sommes que je dois, il n'y aura plus d'emploi pour personne, convenable ou pas. C'est pour cela que je voulais discuter avec toi, John. Lorsque j'ai géré seule la plantation, j'avais Henry comme régisseur. Crois-tu qu'il faut que j'en trouve un autre ?

— Vous aviez l'intention de tout diriger seule ? demanda lentement John. Je ne vous le conseillerais pas, madame.

— Pourquoi ?

— Les ouvriers agricoles n'aiment pas beaucoup recevoir les ordres d'une femme. Même si les instructions viennent de vous, il vaut mieux qu'elles soient transmises par un homme.

— Tu veux dire qu'ils préfèrent être commandés par un homme plutôt que par une femme ?

Il hésita, gêné.

— Oui, madame.

Hannah sentit la colère monter.

— Pourquoi en est-il ainsi ?

Il haussa les épaules.

— C'est dans la nature des choses, madame.

— Mais je donne des ordres depuis la mort de Michael, et l'on m'a toujours obéi. Cela n'a pas l'air de gêner les domestiques.

— Dans la maison, il est normal que ce soit la maîtresse qui commande...

— Mais pas sur la plantation, n'est-ce pas ? dit-elle avec amertume. Je pense que tu as raison, John. Tu connais tout le monde ici. Vois-tu quelqu'un qui pourrait remplir les fonctions de régisseur ?

— Aucun, madame, s'empressa de répondre John. Et il ne faut pas que ce soit l'un de nous, madame, mais un homme de votre race.

— Henry était noir et ils lui obéissaient.

— Henry, c'était Henry ; il y a peu de Noirs comme lui. Mais je pensais surtout aux autres planteurs. Vous savez bien qu'ils désapprouveraient que vous preniez un régisseur noir.

— Je ne m'occupe pas de ce qu'ils pensent !

— Vous devriez, madame, dit-il avec douceur. Vous avez actuellement assez de difficultés, sans y ajouter l'hostilité de vos voisins.

Elle baissa la tête, soudain lasse.

— Je sais que tu as raison, mais pourtant... (Elle se redressa.) Connais-tu quelqu'un, un Blanc, qui accepterait cet emploi ?

John resta silencieux un moment, sans la quitter des yeux.

— Peut-être ! J'ai entendu parler d'un homme qui pourrait être disponible. Je vais voir ce qu'il en est, mais que personne ne sache, pas même lui, que c'est moi qui ai eu cette idée.

Quatre jours plus tard, Hannah recevait Nathaniel Bealls dans son bureau. C'était un homme de trente ans, grand et vigoureux ; il avait des yeux noirs au regard brûlant et un visage d'une beauté presque classique. Il portait des vêtements rudes et des bottes de cavalier. Il tenait une cravache à la main. Il était arrivé au manoir sur un cheval gris.

Lorsqu'il était entré dans la pièce, Hannah s'était levée pour l'accueillir. Il l'avait examinée avec hardiesse, avec une admiration insolente qui l'avait d'abord un peu gênée. Et pourtant, elle se sentait flattée qu'un homme de cet âge, et qui semblait très viril, la trouvât attirante.

Ils prirent du thé et des biscuits ; la fragile petite tasse de porcelaine sembla disparaître dans sa puissante main. Son regard, toujours admiratif, avait fait monter le sang aux joues d'Hannah.

— Vous savez peut-être déjà que les ouvriers agricoles de Malvern ne sont pas des esclaves, mais des hommes libres, dit-elle.

— Je l'ai entendu dire, madame.

— Et il ne faut pas les traiter en esclaves.

— Du moment qu'ils s'acquittent convenablement des tâches qui leur sont assignées, répliqua-t-il en haussant les épaules, il n'y aura pas de problème.

— Avez-vous déjà rempli les fonctions de régisseur dans une plantation ?

— C'est le métier que j'ai exercé dans tout le Sud depuis une dizaine d'années.

— Pourquoi êtes-vous disponible en ce moment ?

— A cause des mauvaises récoltes de l'année dernière. M. Tribow, chez lequel je travaillais, a dû vendre plusieurs esclaves et congédier tous ses salariés.

John avait déjà raconté cela à Hannah. D'après le cocher, Nathaniel Bealls bénéficiait d'une bonne réputation ; il travaillait avec acharnement, et sous sa direction, les terres prospéraient. Cependant, les récoltes avaient été désastreuses partout, l'année passée. Le seul défaut de cet homme, c'était une certaine instabilité ; il restait rarement plus d'un an dans une plantation. Après quoi, il devenait nerveux et s'en allait.

— Je ne pourrai pas vous payer avant que la cueillette ait été faite et la récolte vendue. Je vais être franche avec vous : j'ai de grosses difficultés financières. Mais une fois le coton et le tabac vendus, je vous verserai la totalité de votre salaire.

Il haussa de nouveau les épaules.

— Pour le moment, je n'ai besoin que du gîte et du couvert. Je travaillerai de l'aube au crépuscule.

— Une chose m'ennuie...

Elle s'arrêta, hésitante.

— Quoi donc, madame ?

— Cette cravache, que vous tenez à la main... (Elle la montra du doigt.) J'ai déjà vu des hommes en porter une, mais d'ordinaire ils s'en servent pour frapper les esclaves lorsqu'ils sont mécontents d'eux.

— Cela ? (Il leva la cravache et la regarda comme s'il ne l'avait jamais vue. Puis il éclata d'un rire franc.) Je la tiens par habitude, madame. Je l'ai depuis si longtemps à la main que je l'oublie la plupart du temps. Je n'ai jamais frappé personne.

— Et ne le faites jamais. Je ne permettrais pas que l'on fouette mes ouvriers. S'il vous faut punir quelqu'un, venez d'abord me consulter. C'est bien compris, n'est-ce pas ?

Les yeux noirs l'étudièrent attentivement.

— Si je dois remplir, ici, les fonctions de régisseur il faut que j'aie le droit de renvoyer tout travailleur agricole qui causerait des ennuis ou qui n'accomplirait pas la tâche dont je l'ai chargé.

— Vous l'aurez, bien sûr, dit-elle en hochant la tête. Mais je ne veux pas de sévices corporels sur les terres de Malvern. (Elle se leva.) Je vous reverrai sur le domaine. John, mon cocher, va vous conduire à votre logement. J'espère que nous allons bien nous entendre, pour notre agrément mutuel.

Elle le précéda jusqu'à la porte d'entrée. Il y avait une voiture arrêtée devant le perron ; les chevaux étaient couverts de sueur. John était en train de parler au cocher. Il recula et ouvrit la portière.

Hannah s'arrêta en haut des marches et observa la scène.

L'occupant de la voiture sortit enfin. C'était Courtney Wayne. Il redressa son chapeau, remit ses vêtements en ordre et s'avança vers la véranda.

Nathaniel Bealls prononça quelques mots. Il tournait le dos au nouvel arrivant.

— Je vous demande pardon ? dit-elle.

— C'est avec grand plaisir, disais-je, que je vais travailler pour vous, madame.

Il lui prit la main et la porta à ses lèvres. Hannah jeta un furtif coup d'œil vers Courtney et se sentit étrangement satisfaite de le voir se figer, contemplant la scène.

Puis Courtney monta les marches du perron et Bealls, prenant conscience de sa présence, se retourna vers lui.

— Nathaniel Bealls, je vous présente M. Courtney Wayne. Monsieur Wayne, Nathaniel est mon nouveau régisseur.

Lorsque les deux hommes se serrèrent la main, Hannah sentit passer entre eux comme un courant d'hostilité. Elle se demanda pourquoi puis comprit... Elle en était la cause !

4

Lorsque le plancher ciré se mit à tanguer sous ses pieds, Michèle glissa tout du long et vint heurter brutalement le mur, ce qui lui arracha un cri de douleur. André, assis sur un banc de bois, près de la porte, glissa de côté et son instrument — un accordéon — émit un son horriblement discordant, aussitôt suivi d'un grand éclat de rire.

Lorsque le navire se redressa, Michèle découvrit un homme sur le seuil du petit salon, en proie à la plus vive hilarité.

Vexée, elle sentit la colère monter en elle. Elle détestait être ainsi surprise en fâcheuse posture et, de plus, son épaule lui faisait mal. Elle détestait enfin qu'on la surprenne dans sa tenue d'exercice, laquelle manquait pour le moins d'élégance.

Elle se releva avec précaution et jeta à l'intrus un regard furieux. Il était jeune, bien que sans doute plus âgé qu'elle de quelques années ; à la lumière de la lanterne, ses cheveux étaient d'un blond roux. Plus il riait, plus la colère de Michèle montait.

— Vous êtes vraiment très impoli, monsieur ! Que faites-vous là à m'épier ? Vous n'avez pas honte ?

Le jeune homme essayait désespérément de maîtriser son fou rire.

— Je suis désolé, mademoiselle, dit-il d'une voix un peu haletante, mais c'était trop drôle, surtout ce miaulement de l'instrument.

— Vous n'avez pas le droit de m'épier !

En dépit de son mécontentement, Michèle avait remarqué qu'il parlait avec un léger accent qu'elle n'avait jamais entendu mais qui ne manquait pas de charme.

Il se redressa et elle découvrit qu'il avait un visage sympathique, avec des yeux gris clair, un nez plutôt fort et une bouche bien dessinée.

— Je ne l'ai pas fait exprès, je vous assure, dit-il. Il se trouvait que je passais dans la coursive lorsque votre, euh, accident est arrivé. Comme la porte était ouverte, j'ai involontairement jeté un coup d'œil à l'intérieur.

— Eh bien, je vous serais reconnaissante de bien vouloir poursuivre votre chemin. Un gentleman ne s'attarde pas lorsqu'il sait que sa présence n'est pas souhaitée.

— Naturellement, mademoiselle Verner. Je m'en vais en m'excusant de vous avoir offensée. Je ne l'ai pas fait exprès.

S'inclinant très bas, il recula et disparut dans la pénombre de la coursive.

Michèle se retourna vers André qui s'était levé et la regardait d'un air compatissant.

— C'est impossible, André ! Je ne peux pas travailler dans ces conditions. J'aurais pu me casser la jambe. Et cet affreux jeune homme ! Comment osait-il m'épier ainsi ? Et quel toupet de se moquer de moi !

André la prit par les épaules.

— Allons, allons, ma chérie. Je suis sûr qu'il n'avait pas l'intention de vous offenser. Sans doute ne fai- sait-il que passer devant la porte ouverte lorsque le navire s'est mis à tanguer, et vous devez admettre que le spectacle devait valoir le coup d'œil. Et puis ce miaulement si peu musical !

Michèle ne put s'empêcher de sourire mais comme son épaule l'élançait douloureusement, son sourire s'effaça vite.

— Cela n'a rien de drôle ! Je me suis fait mal, très mal, et son attitude était indigne. D'ailleurs, comment sait-il mon nom ? Nous ne l'avons jamais rencontré.

André haussa les épaules.

— Il vous a peut-être remarquée lorsque nous sommes montés à bord et il aura interrogé le capitaine à votre sujet. Vous êtes une ravissante jeune fille, savez-vous !

Michèle se frictionna l'épaule.

— Eh bien, il ne manque pas d'audace. (Puis elle ajouta :) Il a un drôle d'accent, que je n'ai entendu nulle part.

— C'est un Écossais.

— J'espère que nous ne le reverrons plus.

André sourit.

— J'ai bien peur que ce soit impossible, ma chérie. C'est un grand navire, certes, mais les passagers sont peu nombreux et nous le rencontrerons forcément aux heures des repas.

Michèle lui lança un regard noir.

— Alors je ferai tout pour l'ignorer, le décourager. En tout cas, je ne peux plus travailler aujourd'hui. Le vaisseau tangue trop et cette pièce est trop petite. Je peux à peine y esquisser quelques pas.

— Michèle, ma mignonne, vous devez apprendre à vous plier aux circonstances. Vous savez qu'il est essentiel de continuer vos exercices et ce salon est le seul endroit disponible. Le capitaine a été bien aimable de le mettre à notre disposition. Nous serons en mer pendant cinq à six semaines et si vous cessez de travailler, vous ne serez guère en état de paraître devant Arnaut Dampierre. Je lui ai écrit que vous étiez une bonne danseuse. Voulez-vous me faire honte ?

Michèle soupira.

— Non, André, bien sûr que non. Je sais que je dois m'exercer chaque jour. Voyez-vous, cet homme m'a irritée et mon épaule me fait vraiment souffrir.

André l'embrassa sur la joue.

— Vous êtes fatiguée, voilà tout. La journée a été éprouvante et vous n'avez pas encore le pied marin. Pour cette première journée à bord, nous allons nous en tenir là. Mais demain, il faudra travailler. D'accord ?

Michèle hocha la tête.

— Peut-être me sentirai-je mieux après une bonne nuit de sommeil. Si toutefois je réussis à dormir malgré ce tangage. (Elle sourit.) Dieu merci, je n'ai pas le mal de mer.

Lorsque Michèle ouvrit la porte de sa cabine, elle fit la grimace. La pièce, à peine éclairée par un petit hublot, était minuscule et aménagée d'une façon vraiment spartiate. La couchette étroite et sa malle prenaient presque toute la place. Pourtant, elle savait qu'elle avait eu beaucoup de chance d'avoir une cabine pour elle seule car peu de places, sur ce bateau, étaient réservées aux passagers. André, lui, se trouvait contraint de partager sa cabine avec un homme d'affaires d'une corpulence encombrante et qui, de plus, toussait sans arrêt.

Il n'y avait d'autres passagers qu'un couple d'âge mûr, de Norfolk, avec lequel ils avaient échangé quelques mots en montant à bord et, lui avait-on dit, deux hommes qui voyageaient de compagnie ; l'un d'eux devait être celui qui s'était moqué d'elle.

Michèle frotta son épaule endolorie et sentit renaître sa colère. Elle savait qu'elle était trop susceptible – du moins André et sa mère l'affirmaient-ils – mais, en la circonstance, elle jugeait sa mauvaise humeur parfaitement justifiée.

Elle soupira, s'allongea sur l'étroite et dure couchette et essaya de se détendre. Maintenant qu'elle était couchée, elle trouva plutôt agréable le mouvement du navire. Tout en s'abandonnant lentement au sommeil, elle tenta d'imaginer ce que serait sa vie à Paris. Que ressentirait-elle en dansant sur une vraie scène, devant un public ? Elle se vit saluant sous une tempête d'applaudissements, on la rappelait, on lui jetait des fleurs, et l'on donnait ensuite une réception en son honneur. D'innombrables admirateurs se pressaient autour d'elle. Elle s'endormit en souriant.

Lorsque Michèle se réveilla, elle prit aussitôt conscience d'avoir dormi longtemps. La faible lumière qui filtrait par le hublot lui révéla que l'après-midi s'achevait. Elle savait que l'on servait le dîner à six heures et il lui fallait encore se rafraîchir et s'habiller.

C'était son premier repas à bord et elle voulait faire bonne impression ; elle se demanda quelle robe choisir. André lui avait conseillé de ne déballer que ses vêtements les plus simples car le voyage serait long et les possibilités de blanchissage fort restreintes. Il lui avait recommandé des toilettes de couleur sombre, dont l'étoffe ne se froisserait pas trop facilement. Il lui avait toutefois permis deux robes plus élégantes et habillées pour les repas à la table du capitaine.

Elle finit par se décider pour un ensemble de taffetas vert, jupe à volants et corsage lacé. Elle l'avait choisi parce que la jupe pouvait s'accommoder de corsages différents ; on pouvait, de plus, la porter avec des cerceaux relativement discrets, point trop encombrants dans l'espace confiné du navire. Il n'empêche que lorsqu'elle l'eut revêtue, sa jupe touchait la couchette d'un côté et le mur de l'autre. Elle pouvait à peine bouger.

Inconfortablement penchée, elle se regarda dans le petit miroir suspendu au-dessus de la table de toilette. Autant qu'elle put en juger sous ce médiocre éclairage, elle semblait à son avantage. Le vert de sa robe avivait ses cheveux roux et son teint clair, et rendait ses yeux plus brillants. Elle se demanda si le jeune Ecossais dînerait avec eux. Bien sûr que oui ! Tous les passagers mangeaient à la table du capitaine Hobart, lui avait-on dit. Pourquoi se préoccupait-elle donc de la présence de ce garçon ?

On frappa à la porte de la cabine. Elle alla ouvrir, non sans avoir à se battre avec sa large jupe. André était sur le seuil. Lui aussi avait fait toilette et portait sa perruque grise à catogan, son costume bordeaux et son gilet de satin gris d'où jaillissait un jabot de dentelle. Ses bas étaient en soie grise et des boucles d'argent brillaient sur les souliers à bouts pointus qu'il avait fait venir de France.

— Vous êtes très belle, ma chère, dit-il en lui offrant le bras. Sommes-nous prêts à affronter la table du capitaine ? Je suis sûr que la nourriture sera abominable, mais il faudra nous y habituer. Je dois vous avouer que j'ai apporté quelques provisions de bouche, des biscuits, du vin et d'autres douceurs qui nous consoleront, en cas de besoin.

Michèle sourit. André pouvait se montrer autoritaire et tyrannique mais il savait aussi l'amuser et la réconforter.

Il la contempla avec admiration.

— Vous êtes ravissante, ma chère Michèle. Le vert vous va si bien ; pourtant, si je peux me permettre une suggestion, vous feriez mieux de ne pas porter de jupe à paniers à bord de ce navire. J'ai vu la pièce où nous allons dîner, elle est exiguë. Et vous circuleriez plus aisément dans les coursives.

Michèle regarda sa jupe. L'idée d'être délivrée de ce carcan la tentait.

— Mais ma robe va être trop longue, dit-elle d'un ton hésitant.

— Vous n'aurez qu'à relever votre jupe en marchant. Laissez-moi vous aider.

Ils dégagèrent les cerceaux et les rangèrent dans la malle.

— J'aimerais bien ne plus jamais être obligée de les porter, soupira Michèle en refermant le couvercle. Avec eux, j'ai toujours l'impression d'être prisonnière...

André eut un petit rire.

— Les modes changent, ma chère. Un jour, sans doute, on ne portera plus de robes à paniers. Mais d'ici là, il faut s'en accommoder, si l'on veut être élégante.

D'un petit geste précieux, il tira son mouchoir de sa manche et se tamponna le nez en faisant la moue. Michèle éclata de rire. La mode était aussi aux gestes maniérés. Michèle trouvait cette affectation ridicule mais André, de par son métier sans doute, réussissait à en faire quelque chose d'amusant et de gracieux.

— Allons-nous dîner ? demanda-t-il avec un salut d'une solennité exagérée.

Toujours riant, Michèle prit son bras et ils s'engagèrent dans l'étroite coursive.

Le capitaine Hobart était un gros homme à la mine joviale, au teint rubicond, avec de grandes touffes de favoris roux. Il s'enticha aussitôt de Michèle, se répandit en compliments sur sa beauté et l'installa cérémonieusement à côté de lui. Elle vit avec déplaisir que le jeune homme qui avait si grossièrement interrompu ses exercices, tout à l'heure, était assis à sa gauche.

— Mademoiselle Verner, dit le capitaine d'une voix

tonitruante, je vous présente M. Ian MacLeven qui retourne en Ecosse, sa terre natale. Assis à ses côtés, M. Angus Lowrie, son compagnon de voyage.

Les deux hommes se levèrent et saluèrent. Michèle sentit le sang lui monter au visage lorsqu'en croisant le regard de Ian MacLeven, elle découvrit dans ses yeux une expression moqueuse. Son compagnon était plus âgé que lui et d'une apparence sévère quoique bienveillante.

Le capitaine poursuivit les présentations.

— A ma droite, voici M. et Mme Blakely, en route pour la France, et M. Deering que M. Leclaire a déjà rencontré puisqu'ils partagent la même cabine. Et puis, M. Higgins, mon second.

Ce dernier était un jeune homme de bonne mine qui paraissait très timide.

Les Blakely étaient un couple austère, d'âge mûr. Deux visages solennels qui semblaient ignorer le sourire. La digne épouse portait une robe en coton gris, du même gris que ses cheveux et sa peau terne. Son mari avait un teint bilieux et des yeux d'un noir opaque et inexpressif. Sinistre ! pensa Michèle, et elle ne put réprimer un petit frisson.

Elle jeta un bref coup d'œil au jeune homme assis à sa gauche et se réjouit de n'être pas la voisine de M. Blakely ; cela lui aurait coupé l'appétit.

En dépit des prédictions d'André, le repas ne laissait rien à désirer : un potage revigorant, suivi d'un poulet rôti servi avec des légumes frais. Comme dessert, de délicieux babas au rhum ; Michèle en mangea plus qu'il n'était raisonnable en feignant d'ignorer les regards furieux que lui lançait André.

La conversation à bâtons rompus fut fort agréable et elle dut reconnaître que malgré les préventions qu'elle avait contre lui, Ian MacLeven était un interlocuteur intelligent et amusant. Michèle prit grand plaisir à ce dîner sympathique.

Quand il fut terminé et que l'heure vint pour elle de se retirer dans sa cabine, ses sentiments à l'égard du jeune Ecossais avaient considérablement changé.

La traversée dura six semaines, mais le temps parut moins long à Michèle qu'elle ne l'avait craint. Tous les jours, elle faisait ses exercices dans le petit salon – si la mer le permettait – et ensuite elle se promenait sur le pont, goûtant le soleil et la brise marine, sachant aussi apprécier les embruns et les ciels chargés de nuages. Elle se découvrit une affinité profonde avec l'Océan et comprit pourquoi certains hommes lui consacraient leur vie. La compagnie de Ian MacLeven lui plaisait de plus en plus ; il n'était son aîné que de peu et, à l'exception d'André et du capitaine Hobart, c'était le seul passager avec lequel elle pût entretenir des conversations intéressantes.

Il lui raconta qu'il venait de faire un voyage autour du monde. Il était parti pendant deux ans et maintenant il lui fallait rentrer pour s'occuper d'affaires de famille. Il resta toutefois assez imprécis sur ce sujet.

En retour, elle lui parla de Malvern, de la danse et et des raisons qui l'amenaient à se rendre en France.

– Peut-être vous y reverrai-je, dit-il.

Ils étaient à la poupe et regardaient le merveilleux coucher de soleil qui se déployait devant eux.

– Je me rends souvent en France, reprit-il. Chez qui logerez-vous ?

– Chez une ancienne amie d'André, une certaine Mme Dubois. La connaîtriez-vous, par hasard ?

Il eut l'air surpris.

– Oui. J'ai fréquenté son salon. Une femme intéressante qui a des amis influents. Grâce à elle, vous pourrez vous faire d'utiles relations dans le monde du spectacle.

Michèle sourit.

— C'est ce qu'a dit André. Oh ! j'ai tellement hâte d'y être. J'ai tant de choses à voir et à faire !

Ian devint grave.

— Ne changez pas trop, dit-il avec douceur. (Il leva la main, comme pour lui caresser les cheveux, mais suspendit son geste.) Je suis peut-être ridicule de vous donner des conseils, mais voyez-vous, Michèle, la vie à Paris est très différente de celle que vous avez connue. Tout va très vite là-bas, beaucoup trop vite parfois.

Elle le regarda d'un air pénétrant, touchée par son inquiétude à son sujet.

— Vous pensez que je suis naïve, n'est-ce pas ? Vous croyez que je ne suis qu'une simple fille de la campagne.

— Non, ne vous fâchez pas ! Je suis désolé. Je n'avais pas l'intention d'être pontifiant, ou de vous faire la morale.

Michèle sourit malicieusement.

— Non, nòn, je ne suis pas fâchée. En fait, votre sollicitude me touche, mais je ne suis pas si naïve que vous le croyez. André me raconte des histoires parisiennes depuis que j'ai six ans et je suis allée à Boston et dans d'autres grandes villes. (Elle se garda de lui dire qu'elle n'était alors qu'une toute petite fille.) Je sais que j'ai encore beaucoup à apprendre et je serai prudente, n'ayez pas peur. Mais c'est gentil à vous de vous inquiéter ainsi à mon sujet.

Ils étaient très près l'un de l'autre maintenant et, brusquement, elle en prit conscience. Ian tourna la tête pour regarder la mer et Michèle put contempler son fin profil. Ce garçon était beau, intelligent et plein d'esprit. Dommage, vraiment, qu'il ait à rentrer directement en Ecosse et ne s'attarde pas en France. Mais qu'elle était sotte d'avoir de pareilles idées alors que, précisément, elle redoutait de se laisser entraîner dans des histoires sentimentales ! Pourtant, elle ressentit un pincement au cœur en pensant qu'elle ne le reverrait peut-être jamais. Mais il venait de dire qu'il résidait souvent en France. Peut-être se rencontreraient-ils de nouveau ? En amis, bien sûr, rien qu'en amis.

Soudain, elle remarqua que Ian s'était rapproché d'elle. Elle leva les yeux et vit son visage penché sur le sien ; et avant de comprendre ce qui se passait, elle sentit ses mains saisir ses épaules et ses lèvres se poser sur les siennes, doucement mais avec insistance.

Entraînée dans un tourbillon d'émotions, Michèle se surprit à répondre à ce baiser. Elle éprouva un mélange de plaisir et de peur, puis la peur l'emporta. De toute sa force, elle s'arracha à son étreinte, le visage empourpré.

— Vous êtes bien hardi, monsieur ! dit-elle d'une voix altérée. Qu'est-ce qui vous a fait croire que je vous permettrais de telles libertés !

Il leva les mains en un geste d'apaisement.

— Pardonnez-moi. Je me suis laissé entraîner.

Il avait l'air malheureux.

— C'est une bien piètre excuse. N'est-ce pas ce que les hommes disent toujours ? J'ai cru que nous étions amis, que je pouvais bavarder avec vous en toute confiance !

Il tourna la tête vers l'Océan.

— Quoi que vous puissiez penser, je suis votre ami, Michèle. Mon Dieu, c'est que... Ma mie, savez-vous que vous êtes belle ? Que vous êtes désirable ? Etre là à côté de vous, vous voir chaque jour, c'est une véritable torture ! Vous ne savez pas à quel point cela peut troubler un homme !

Michèle, se sentant maintenant protégée par la colère qu'elle ressentait, leva la main pour le faire taire.

— Il suffit, monsieur ! Je ne veux plus rien entendre. Il ne reste que quelques jours de voyage ; je vous prie de ne plus m'aborder.

Et elle s'éloigna.

— Mais, Michèle...

Elle descendit rapidement dans sa cabine, toujours habitée par la fureur. Elle avait raison ! C'était impossible d'avoir des rapports amicaux avec un homme. Heureusement qu'il se rendait en Ecosse. S'il venait plus tard à Paris, eh bien, elle n'aurait qu'à l'éviter.

Pourtant cette nuit-là, sur son étroite couchette, Michèle rêva de Ian ; des rêves dont elle ne voulut pas se rappeler le lendemain.

Tandis que le carrosse que Mme Dubois leur avait envoyé cahotait dans les rues encombrées de Paris, Michèle, penchée à la vitre ouverte, s'efforçait de ne rien perdre du spectacle nouveau qui s'offrait à elle.

Elle se sentit brusquement gênée en se rappelant qu'elle avait fièrement dit à Ian que Paris ne risquait pas de lui faire perdre la tête puisqu'elle avait vu Boston et quelques autres grandes villes. Il avait dû la prendre pour la plus stupide des provinciales ! Car il n'y avait pas de comparaison possible entre ce qu'elle avait vu et cette magnifique cité, avec ses places si harmonieuses, ses splendides hôtels particuliers, ses églises, ses palais. Et bien sûr, le fleuve lui-même, la Seine, avec ses larges ponts, ses péniches et ses bateaux.

Elle ne put retenir un cri lorsqu'elle aperçut, au loin, les tours de Notre-Dame, qu'elle reconnut grâce aux illustrations qu'elle avait vues dans des livres. Elle se tourna vers André, le visage empourpré par le vent et par la joie, les yeux pétillants de plaisir.

— André ! C'est merveilleux ! C'est encore plus beau que tout ce que j'avais imaginé !

Il sourit avec indulgence et lui tapota la main.

— Vous n'avez encore rien vu, Michèle. Lorsque nous serons installés, je vous ferai visiter Paris. Je vous montrerai tout, je vous le promets, ma chère Michèle. Regardez !

Le carrosse venait de s'arrêter sur une place, devant une imposante façade de brique rouge et de pierre blanche.

— C'est la place des Vosges, dit André dont la voix tremblait d'émotion. Voici la demeure de Mme Dubois et elle va devenir la nôtre. Qu'en pensez-vous ?

Les maisons, toutes semblables, s'alignaient autour de la place... Alternance de brique rouge et de pierre blanche, se fondant en un rose exquis. C'était si différent de là-bas, Malvern au cœur de sa plantation, de Williamsburg... Cette place était d'une beauté intimidante.

— C'est merveilleux, dit-elle haletante.

Sur le seuil de la maison, se tenaient une femme de chambre et un valet de pied, et lorsque celui-ci aida Michèle à descendre du carrosse, elle sentit son cœur palpiter. Voilà ! Sa nouvelle vie commençait !

La femme de chambre ouvrit la porte et les introduisit dans une vaste entrée, ornée d'objets d'art magnifiques : statues sur des piédestaux de marbre ; peintures dans de grands cadres dorés ; vases somptueux... tout cela était très beau, mais Michèle ne put s'empêcher de penser que ce décor était un peu trop chargé à son goût.

Elle n'avait pas fini d'en contempler toutes les richesses qu'une femme surgit dans un grand tourbillon de jupes.

Elle était plus petite que Michèle et plus potelée, vêtue d'une somptueuse robe de brocart vert avec un empiècement de soie blanche ; deux grands plis, dans le dos, retombaient sur une jupe à paniers. Mme Dubois — car ce devait être elle — était coiffée « à la française », comme on disait dans les colonies ; ses cheveux étaient poudrés de clair, ce qui accentuait le rouge, sans doute artificiel, de ses joues et de ses lèvres.

Tandis qu'elle s'avançait vers eux, elle releva sa jupe avec délicatesse afin d'éviter le socle d'une statue ; et Michèle put voir que ses souliers à hauts talons et à boucles d'argent étaient faits du même tissu que sa robe.

— Renée ! s'écria André. Mon Dieu, vous êtes toujours aussi jeune et aussi belle !

— André ! Vous voilà enfin revenu parmi nous. Comme vous m'avez manqué ! Je suis heureuse de voir que ces longues années passées parmi les sauvages des colonies vous ont bien peu marqué.

Elle l'embrassa sur les deux joues.

— André, votre présence est une bénédiction pour moi. Je m'ennuie tellement depuis la mort de ce pauvre Jean.

Elle parlait très vite, mais Michèle, qui avait appris le français avec André, comprenait presque tout ce qu'elle disait.

— Cette jeune fille doit être votre élève, poursuivit Mme Dubois, la charmante Michèle dont vous me parliez dans vos lettres. Bienvenue à Paris, ma chère. Je veux que vous vous sentiez chez vous ici.

Michèle se retrouva enlacée par deux bras tièdes et doux, et enveloppée par les effluves d'un capiteux parfum.

— Comme c'est merveilleux de vous avoir là, tous les deux ! Ma vie était si terne, si ennuyeuse. Je vais donner une réception en votre honneur. Nous allons bien nous amuser.

André menaça du doigt son amie.

— Allons, allons, Renée. C'est très bien tout cela mais Michèle est venue ici dans un dessein bien précis. Il faut qu'elle travaille !

Mme Dubois fit la grimace. En la regardant plus attentivement, Michèle s'aperçut que ce n'était plus une jeune femme. La poudre et le rouge pouvaient faire illusion mais non effacer les rides autour des yeux et de la bouche. Les contours du visage manquaient de fermeté, mais c'était encore une belle femme.

— Je le sais bien, mon ami. Après tout, qui a obtenu d'Arnaut qu'il vous accorde une audition? Il attend seulement confirmation de votre arrivée et je vais lui envoyer un petit mot, aujourd'hui même. Si elle a du talent et qu'elle lui plaise, il y a place pour elle dans sa compagnie. Il me l'a affirmé et Arnaut est un homme de parole.

Elle se tourna vers Michèle.

— Vous avez de la chance, mon enfant. Toutes les danseuses n'ont pas l'occasion de passer une audition devant Arnaut Dampierre. Si vous êtes aussi douée que le dit André, tout se passera bien, ajouta-t-elle avec chaleur.

Michèle sentit brusquement le doute l'envahir. Etait-elle aussi bonne danseuse qu'André le pensait? Pourrait-elle rivaliser avec les ballerines européennes? Elle sursauta en sentant la main d'André se poser sur son épaule.

— Elle est remarquable, dit-il avec confiance. Elle réussira cet examen de passage.

Michèle lui sourit tendrement, mais elle se demanda s'il ne surestimait pas son talent.

Mme Dubois tapota l'épaule de Michèle avec son éventail.

— Mais que je suis étourdie. Vous devez être fatigués et avoir grand besoin de vous rafraîchir après un si long voyage. J'ai fait préparer la chambre bleue pour vous, Michèle. Je pense qu'elle vous plaira. André, mon ami, vous êtes dans la chambre dorée. J'espère que vous vous y sentirez bien. J'ai fait disposer des plateaux de fruits et de fromage dans vos chambres, ainsi qu'un petit vin léger. On sert le dîner à huit heures. Michèle, une fois que vous serez installée, nous aurons une bonne conversation, toutes les deux. Il faut que nous fassions connaissance.

Michèle sourit, un peu intimidée.

— J'en serais ravie.

Elle était sincère car elle trouvait Mme Dubois amicale et sympathique, et elle avait hâte de lui poser mille questions sur Paris et ses spectacles de ballet.

La chambre de Michèle était vaste et luxueusement meublée. Comme son nom l'indiquait, tout y était bleu, couleur fort reposante. Il y avait un grand lit à colonnes avec un baldaquin de satin bleu brodé de roses d'argent. Les doubles rideaux étaient de la même étoffe et le canapé tendu d'un velours du même bleu.

Il y avait un élégant secrétaire, près de la fenêtre, et Michèle se dit qu'il serait bien agréable de s'y installer pour écrire de longues lettres à sa mère. Le tapis d'Aubusson, bleu pâle, argent et rose, dissimulait en partie un beau plancher marqueté ; l'un des murs était recouvert d'une magnifique tapisserie des Gobelins.

Michèle n'avait jamais vu de chambre à coucher aussi somptueusement aménagée ; et dire que ce serait la sienne tout le temps où elle demeurerait chez Mme Dubois. Elle avait vraiment de la chance.

5

Tout se passait bien à Malvern. C'était l'été et les plants de coton avaient atteint leur taille maximale. Le temps avait été favorable : ni grêle ni averses violentes, et très peu d'insectes.

Hannah nourrissait toujours quelques doutes à propos de Nathaniel Bealls. Il travaillait très bien. Il connaissait son métier et passait de longues heures dans les champs, chaque jour. Pour autant qu'elle le sût, il s'entendait bien avec les ouvriers agricoles. Elle savait pourtant qu'ils étaient discrets et prudents, habitués dès l'enfance à ne jamais se plaindre d'un Blanc à un autre Blanc. Mais elle avait demandé à John de lui faire tout de suite part de ses soupçons s'il découvrait qu'ils souffraient sans le dire par la faute de Nathaniel.

— Tout semble aller bien, maîtresse, lui avait-il dit. M. Bealls ne plaisante pas avec le travail mais il ne traite pas ses ouvriers plus durement que lui-même. Il se met facilement en colère s'il surprend quelqu'un en train de lui désobéir ou de négliger sa tâche, mais la seule arme dont il se serve, ce sont les mots. Il n'a maltraité personne, mais il a l'injure facile, ça oui.

— S'il se passait la moindre chose, fais-le-moi savoir, John.

Aussi Hannah se sentait-elle relativement heureuse, malgré l'absence de Michèle et d'André ; elle n'avait pas encore eu de nouvelles de sa fille mais ne s'en inquiétait pas. La France était loin et même si Michèle lui avait écrit dès son arrivée, la lettre n'aurait pu encore parvenir à Malvern.

Un des éléments essentiels de sa vie, c'était Court Wayne ; ce qu'elle aurait d'ailleurs farouchement refusé d'admettre. Il ne s'écoulait guère de semaine sans qu'il vienne lui rendre visite.

La première fois, le jour où elle avait engagé Nathaniel Bealls, Courtney lui avait dit avec un charmant sourire :

— J'ai prêté mon argent sur Malvern, madame, et je viens vous demander la permission de visiter le domaine. Votre délicieuse présence ne peut que rendre la chose plus agréable.

Il l'avait prise au dépourvu et elle avait accepté, presque malgré elle. Mais les visites se multipliant, elle en vint à mieux le connaître et découvrit que c'était un homme d'esprit et d'un commerce agréable. Il demeurait toutefois trop discret sur son passé. On eût dit qu'il avait commencé à vivre le jour de son arrivée à Williamsburg. Lorsqu'elle le questionnait, il répondait invariablement :

— Mon passé ne présente aucun intérêt, Hannah, je vous le jure.

Elle reconnaissait, dans le secret de son âme, que la présence de Courtney faisait battre son cœur plus vite. Elle se mit à attendre avec impatience ses visites, chaque semaine. Lorsqu'il était là, elle ne songeait plus à Michael. Sa douleur s'estompait. C'était chose normale, se disait-elle. Elle devrait tôt ou tard oublier le passé ; elle était encore jeune, une vie nouvelle pouvait s'ouvrir à elle.

Un après-midi de la mi-juillet, elle attendait l'arrivée de Court avec impatience car ils avaient prévu de faire une promenade à cheval. Wayne était un merveilleux cavalier. Il y avait plusieurs pur-sang à la plantation mais il avait choisi Etoile Noire, l'étalon que Michael chevauchait le soir de sa mort. Personne ne l'avait monté depuis. Deux garçons d'écurie avaient essayé mais il les avait aussitôt désarçonnés. Depuis la mort de son maître, il se montrait plus sauvage que jamais. Mais curieusement, Court lui avait plu et il semblait se réjouir de ses visites.

Hannah aussi aimait monter à cheval, mais elle ne s'y était guère adonnée ces temps derniers. Elle n'aimait pas monter seule. Maintenant, la situation avait changé et, chaque fois que c'était possible, elle se promenait à cheval avec Court.

Elle avait déjà revêtu sa tenue d'amazone lorsque la voiture de Court s'engagea dans l'allée, peu après midi.

Ses vêtements, toujours aussi élégants, souli-gnaient sa silhouette mince et musclée. Il ne portait pas de chapeau lorsqu'il montait à cheval et elle ne l'avait jamais vu les cheveux poudrés.

— Hannah, ma chère Hannah. (Il lui baisa la main.) Vous êtes ravissante aujourd'hui, comme toujours d'ailleurs.

— Merci, Court, murmura-t-elle. Partons, voulez-vous ? Les chevaux sont sellés.

Il lui présenta le bras pour se rendre à l'écurie. Le palefrenier avait préparé leurs montures et les atten-dait. Etoile Noire hennit et s'agita en apercevant Court. Il lui flatta l'encolure et l'animal se calma. Hannah se mit en selle sur sa jument brune. Le garçon d'écurie ouvrit la barrière et ils partirent au petit trot.

Hannah ne put s'empêcher d'évoquer une autre promenade en ces lieux, vingt ans plus tôt. Ce jour-là, elle montait le père d'Etoile Noire, qui portait déjà ce nom ; il l'avait désarçonnée et elle s'était évanouie.

Lorsqu'elle était revenue à elle, Malcolm Verner la tenait dans ses bras et elle avait alors compris combien il la chérissait. Elle l'avait épousé peu de temps après.

— Vous lambinez, Hannah ! lui cria Court.

En riant, Hannah poussa sa monture à prendre une allure plus rapide et bientôt ils galopèrent, tête baissée, vers une rangée d'arbres longeant le ruisseau qui serpentait à travers la plantation. Les cheveux d'Hannah flottaient dans le vent ; lorsqu'elle atteignit les arbres, elle était comme enivrée. L'étalon l'avait battue d'au moins trois longueurs, et Court le retint pour l'attendre, à l'ombre des chênes. Hannah tira sur les rênes et sa jument s'immobilisa.

— Vous n'êtes pas assez combative, Hannah, dit-il d'un air taquin. Comment pourrez-vous jamais me battre, si vous n'essayez même pas ?

— Je sais être combative quand il le faut, répondit-elle les yeux brillants. Mettez-moi à l'épreuve, un jour. Mais dites-moi, Court, comment réagiriez-vous si je vous battais à la course ? La plupart des hommes seraient furieux.

— Cela ne m'ennuierait pas le moins du monde, si vous gagniez sans tricher. Je vous présenterais même mes sincères félicitations.

Ils descendirent de cheval. Courtney attacha les deux montures à un arbre autour duquel elles pourraient paître à loisir et ils se promenèrent, marchant sous les grands chênes, jusqu'à la clairière traversée par le ruisseau. Doux murmure sur les rochers moussus.

— Katherine, mon épouse, qui est morte il y a bien longtemps, dit-il d'un air pensif, aimait beaucoup la compétition. Elle essayait de me battre dans tous les domaines. Malheureusement, c'était une femme beaucoup plus délicate que vous, Hannah, sa santé était fragile. De là qu'elle l'emportait rarement sur moi. Certes, j'aurais pu la laisser gagner, mais Katherine ne se laissait pas aisément duper.

Courtney s'éloigna de quelques pas, contemplant d'un air rêveur l'eau changeante du ruisseau. Hannah ne lui en voulait pas d'avoir dit que sa femme était plus fragile qu'elle ; elle savait que sa santé était robuste et s'en réjouissait. Il demeura silencieux un long moment, et Hannah respecta ce silence. Allait-il continuer à lui parler de son passé ? C'était la première fois qu'il se livrait un peu ; elle ne savait même pas jusqu'à ce jour qu'il avait été marié.

Comme il se taisait toujours, elle se décida à l'interroger.

— Avez-vous eu des enfants, Court ?

Il tressaillit et la regarda, le visage soudain crispé.

— Non, Hannah, dit-il d'une voix un peu sèche, nous n'avons jamais eu d'enfant. C'eût été trop dangereux pour Katherine.

Il se détourna à nouveau. Puis, avec une brusquerie qui la fit sursauter, il revint vers elle et lui prit les mains. Ses yeux brillaient et il dit, d'une voix rauque :

— Hannah, depuis deux mois, je viens vous voir chaque semaine. J'ai pris infiniment de plaisir à monter à cheval avec vous, plus que je ne le pressentais.

— Moi aussi, Court. (Hannah se sentit étrangement troublée. Elle essaya de rire, mais sans succès.) Et plus que je ne l'aurais pensé, moi aussi, surtout en compagnie d'un prêteur qui possède des droits sur Malvern.

— Au commencement, je me suis dit que je venais ici pour raisons d'affaires, pour vous surveiller en quelque sorte. Je voulais m'assurer que vous seriez capable de me rembourser. Mais hier soir, j'ai fini par admettre la vérité.

— La vérité, Court ?

— Oui. Je ne viens nullement ici pour vérifier l'état

de la plantation. Je viens pour vous voir, Hannah chérie. Je viens pour vous et vous seule.

Il posa les mains sur ses épaules, des mains fortes qui l'étreignirent presque douloureusement, et il l'attira lentement vers lui. Hannah regarda sa bouche qui s'approchait doucement de son visage. Il avait des lèvres pleines et bien dessinées, sensuelles ; elles étaient entrouvertes. Son souffle chaud sentait la menthe.

Puis cette bouche se posa sur la sienne et ce contact la bouleversa tout entière. Elle aurait voulu pouvoir résister mais la douceur et la force de ces lèvres étaient si merveilleuses qu'elle renonça. Elle s'abandonna à son plaisir.

Il l'étreignit avec violence et il sembla à Hannah que tout ce corps d'homme se révélait à elle, dans sa tension, dans sa passion.

Il se mit à caresser ses cheveux dénoués :

— Votre chevelure est si belle, si soyeuse, Hannah chérie.

Sa bouche revint se poser sur la sienne. Sa main descendit lentement le long de son dos. Elle ne portait pas de corset sous son amazone et l'étoffe était assez légère pour qu'elle frémisse à la caresse de ses doigts, à la pression de sa paume.

Un soupir lui échappa lorsque sa main atteignit la cambrure des reins où elle s'attarda un instant avant de descendre encore, se faisant plus possessive et hardie. Il l'étreignit encore plus fort et elle se cambra, suffoquant presque.

Une faiblesse la saisit ; elle sut qu'elle n'aurait pas la volonté de résister s'il décidait de la prendre là, à l'ombre des arbres. Hannah, qui avait toujours été d'un tempérament passionné, n'avait pas connu d'homme depuis la mort de Michael. Aujourd'hui, ce corps contre le sien éveillait en elle un désir si ardent qu'il en était presque douloureux.

La bouche de Court abandonna la sienne et traça comme une ligne de feu le long de son cou jusqu'au point le plus vulnérable, juste derrière l'oreille. Comme il l'explorait de la langue, elle gémit faiblement et ouvrit les yeux.

Sur son grand cheval gris, à la lisière des arbres, Nathaniel Bealls les regardait. Son expression était sévère et ses yeux brûlants. Lorsque leurs regards se croisèrent, il sourit, très légèrement, d'un air entendu. Il effleura son chapeau du doigt, toucha de sa cravache le flanc de sa monture et s'éloigna au trot. Court ne l'avait pas vu.

Hannah s'arracha à l'étreinte de Court; elle se sentait un peu honteuse. Elle recula de deux pas.

— Non, Courtney, non.

— Pourquoi non ? Cela ne vous a pas déplu.

— Peut-être, mais il ne faut pas.

— Pourquoi ? Nous sommes tous deux majeurs, tous deux libres. Au moins, c'est vrai pour moi et, à moins que vous ne m'ayez caché quelque chose, il en est de même pour vous. Alors, si nous nous sentons attirés l'un vers l'autre, quel mal y a-t-il ?

— Non, il ne faut pas, répéta-t-elle.

— Ne jouez pas à ce jeu avec moi, Hannah ! Cela vous a plu. Ne faites pas la timide ou la coquette. Cela vous va mal.

Hannah sentit la colère monter en elle.

— Je ne joue ni les timides ni les coquettes ! Pourquoi vous imaginez-vous que l'on peut me culbuter aussi facilement que la fille que j'ai vue chez vous l'autre jour ?

— Je n'imagine rien, madame, dit-il froidement. Si je vous ai offensée, je vous présente mes excuses et vous promets de ne plus jamais vous importuner.

Il s'éloigna. Hannah ne comprit qu'il allait la quitter qu'en le voyant sauter en selle.

Elle fit un pas vers lui et leva la main, mais il était trop tard.

— Courtney, ne partez pas ainsi !

Il avait déjà lancé son cheval au galop et ne l'entendit probablement pas.

Tout à la fois furieuse contre Nathaniel et contre elle-même, Hannah demeura un instant immobile, les poings serrés. Puis elle alla s'asseoir sur la rive.

Bien sûr, elle était injuste envers Nathaniel. Il était le régisseur et avait le droit de circuler librement sur toute la plantation. Mais pourquoi avait-il poussé jusqu'ici ? Il n'y avait guère de champs cultivés, aucun ouvrier n'était au travail. Elle se souvint qu'elle l'avait souvent vu les observer de loin lors des visites de Courtney. Sa première idée était donc la bonne ? Il l'épiait peut-être. Mais pour quelle raison ?

Elle finit par se dire que seul le hasard avait conduit Nathaniel jusqu'à eux. Cette interruption avait empêché que leur étreinte ne se prolonge. Devait-elle le déplorer ou s'en réjouir ?

Hannah était incapable de répondre à cette question. Durant ces deux derniers mois, son attitude à l'égard de Courtney Wayne avait changé. Elle trouvait sa compagnie agréable et elle était sensible à sa présence physique. Elle ignorait cependant jusqu'ici l'intensité de cette attirance...

Elle se leva, remonta sur sa jument et revint au pas vers la maison. Elle avait fini par se résigner à l'absence de Michèle, mais par moments, elle se sentait bien seule. Les visites de Court avaient constitué une aimable diversion... Elle se demanda si elle l'avait définitivement perdu ou s'il reviendrait la semaine suivante.

Pendant ce temps, dans la voiture qui le ramenait à Williamsburg, Court se disait qu'il ne retournerait plus voir Hannah Verner. Qu'elle aille au diable, cette femme ! Elle lui avait donné de faux espoirs, elle l'avait troublé et, au dernier moment, s'était dérobée. Il détestait les femmes qui se comportaient ainsi. Court se piquait de les comprendre mieux que ne le faisaient la plupart des hommes et il savait qu'au jeu de la séduction, il était d'une certaine force. Ce qui rendait les instants qu'il venait de vivre particulièrement exaspérants, c'était qu'il l'avait sentie consentante, sur le point de céder.

Il la reverrait une dernière fois, le jour où elle lui rembourserait le solde de sa dette, et il serait à jamais délivré d'elle.

Brusquement, Court se mit à rire. Son orgueil avait un peu souffert, un point c'est tout. Peut-être avait-il surestimé son propre pouvoir et agi trop rapidement. Il savait bien, au fond de lui-même, qu'il retournerait rendre visite à Hannah.

Non seulement elle l'attirait physiquement, mais il s'était pris d'affection pour elle, plus qu'il n'était raisonnable d'ailleurs. Il l'estimait plus qu'aucune femme depuis la disparition de Katherine. Oui, il la reverrait et peut-être, un jour, ne le repousserait-elle pas...

En attendant, il avait besoin d'une femme. Les formes généreuses qu'il avait tenues dans ses bras, le goût de cette bouche l'obsédaient.

Il fallait qu'une autre étreinte lui fasse oublier tout cela...

Quand la voiture entra dans les faubourgs de Williamsburg, Courtney demanda à son cocher de le conduire chez Beth Johnson.

La première lettre de Michèle arriva enfin. Hannah l'emporta dans sa chambre afin de ne pas être dérangée.

Elle ouvrit l'enveloppe avec fièvre et se mit à lire :

Chère maman, je vous écris dans la chambre la plus élégante que vous puissiez imaginer, sur un élégant petit secrétaire, devant une fenêtre qui donne sur une place d'une splendide architecture.

La demeure de Mme Dubois est magnifique et si abondamment meublée de belles choses qu'elle en paraît presque encombrée ; mais on m'a dit que c'est du dernier chic, ici, à Paris.

Mme Dubois est très gentille et a tout fait pour que je me sente chez moi. André est au septième ciel. Je ne m'étais jamais rendu compte combien sa chère France avait dû lui manquer durant toutes les années qu'il a passées avec nous.

Demain, il m'emmènera passer mon audition devant M. Dampierre. Je suis tellement excitée que je ne vais pas dormir de la nuit. Je ferai de mon mieux, soyez-en sûre, et je vous écrirai dès que je saurai le résultat.

Paris est une très belle ville, où il y a mille choses à découvrir. Je voudrais que vous soyez ici avec nous, maman, et que vous partagiez mes plaisirs. Je mène une vie merveilleuse, mais vous me manquez tellement. J'espère que tout se passe bien à la maison et que vous êtes très occupée et très heureuse. Peut-être, un peu plus tard, pourrez-vous nous rejoindre. Rien ne pourrait me faire plus plaisir.

Prenez bien soin de vous, maman chérie, et écrivez-moi bientôt, aux bons soins de Mme Dubois. Je vous promets de vous donner régulièrement de mes nouvelles.

André vous dit toute son affection. Cher André ! Je ne sais pas ce que je deviendrais sans lui !

Je vous embrasse tendrement. Michèle.

Hannah soupira et relut la lettre. Comme ce devait être merveilleux, la France ! Hannah n'était jamais allée plus loin que Boston, il y avait vingt ans de cela, et elle n'en avait pas tiré grand plaisir. Il est vrai qu'elle avait dû y assumer de lourdes tâches. Comme ce serait agréable de partir vers une terre lointaine, d'oublier toute responsabilité, d'être tout aux divertissements de la vie !

Peut-être pourrait-elle réaliser son désir si l'année se passait bien, pour elle et pour Malvern.

6

Le studio de danse d'Arnaut Dampierre était situé dans le quartier commerçant, au dernier étage d'une maison, au-dessus des boutiques d'une modiste et d'une couturière.

Le cœur de Michèle battait très fort tandis qu'elle montait l'escalier, suivie d'André. Plairait-elle au maître de ballet ? Serait-elle convaincante ? Aurait-elle fait ce long voyage pour s'exposer à un refus ? A cette idée, sa gorge se serra.

— Nous y sommes, dit doucement André. Arrêtons-nous un instant ; décontractez-vous et respirez à fond. N'ayez pas peur. Vous êtes une bonne danseuse, croyez-moi. Ayez confiance en vous, Michèle. Et ne laissez pas Arnaut vous troubler outre mesure. C'est un homme d'apparence sévère, comme la plupart des maîtres de ballet, mais je l'ai connu lorsqu'il n'était qu'un simple danseur et c'est un homme sensible, qui a du cœur. Maintenant, relevez la tête et redressez les épaules ; et rappelez-vous tout ce que je vous ai enseigné.

Michèle obéit aux instructions d'André. Elle entra d'un pas assuré, mais elle tremblait intérieurement.

Elle n'avait jamais vu une aussi grande salle d'exercices. Le toit mansardé était constitué d'immenses vitres et bien que le ciel fût plutôt gris, la lumière entrait à flots dans la pièce. L'un des murs était revêtu de miroirs sur une hauteur de deux mètres ; le long des trois autres murs, courait une barre. Il y avait des bancs de bois et, dans un coin, un pianoforte devant lequel était assis un monsieur âgé.

Il y avait une douzaine de danseurs dans la pièce, tous en tenue d'exercice, mais elle devina aussitôt qui, parmi eux, était le maître de ballet, Arnaut Dampierre. Il s'avança vers elle d'un pas gracieux et elle vit qu'il était remarquablement bien bâti, avec des épaules larges, une taille fine et des jambes musclées.

Elle ne distingua pas tout de suite son visage car il était à contre-jour ; mais lorsqu'il s'approcha, elle se rendit compte qu'il devait avoir une quarantaine d'années. Il avait les traits forts, les pommettes hautes, et des yeux noirs légèrement bridés. C'était un visage plus frappant que beau. Il ne portait pas de perruque et une mèche blanche striait curieusement sa chevelure brune.

— André, mon vieil ami, dit-il d'une voix grave, mais plutôt cassante. Te voici enfin revenu après tant d'années ?

André s'inclina légèrement, avec un sourire ironique.

— Oui, Arnaut. C'est le retour de l'enfant prodigue.

Dampierre embrassa André sur les deux joues, puis recula d'un pas et lui donna une bourrade amicale sur l'épaule.

— C'est bon de te revoir. Et c'est une bonne nouvelle d'apprendre que, bien que tu n'aies pas poursuivi ta carrière, pourtant pleine de promesses, tu as transmis tes connaissances à d'autres. Voici, je pense, Mlle Verner, la jeune fille dont tu m'as parlé dans ta lettre ?

— Oui, répondit fièrement André en poussant Michèle devant lui. N'est-elle pas ravissante ?

Dampierre ne se départit pas de sa réserve, et Michèle, confuse et gênée, maudit André en secret.

— C'est tout à fait exact, mon ami, mais ce n'est pas de sa beauté qu'il est question ici. C'est de la manière dont elle danse. (Dampierre se tourna vers Michèle.) Mademoiselle, est-ce que cela vous gêne de danser devant les membres de la troupe ? Préférez-vous que je leur demande de sortir ? C'est à vous de décider.

Michèle aurait voulu se montrer courageuse et affirmer que la présence des autres danseurs ne la dérangeait pas, mais c'eût été mentir. Elle esquissa une petite révérence et s'efforça de parler calmement :

— Comme je suis un peu nerveuse, je préférerais danser seule devant vous, monsieur, je vous prie.

Dampierre inclina légèrement la tête.

— Comme vous voulez. Mesdemoiselles, messieurs, vous pouvez quitter la pièce quelques minutes, le temps de cette audition. Ne vous éloignez pas. Lorsque nous aurons terminé, nous reprendrons la répétition des *Indes galantes*.

Les élèves sortirent de la salle, un à un, et Michèle se sentit aussitôt soulagée. Ils avaient gardé les yeux fixés sur elle depuis qu'elle était entrée, et elle avait eu l'impression que leurs sentiments n'avaient rien d'amical. Elle aussi les avait observés — avec plus de discrétion, bien sûr — et avait remarqué, avec consternation, combien ils étaient jeunes, pour la plupart. Plus jeunes qu'elle de plusieurs années. Certaines élèves ne devaient guère avoir que douze ou treize ans, mais déjà leurs visages exprimaient plus de calcul que de simple curiosité ; et Michèle comprit qu'elles voyaient en elle une rivale.

Lorsqu'ils eurent quitté la pièce, Dampierre fit un

geste vers l'accompagnateur installé au pianoforte.

— Voulez-vous que M. Duval vous accompagne ou préférez-vous que ce soit André ?

De nouveau, Michèle parla d'une voix ferme :

— André, si vous le voulez bien, monsieur. Je suis habituée à lui. Je vais danser un extrait des *Amours de Mars et de Vénus*.

Dampierre acquiesça et André s'assit au pianoforte.

Michèle ferma les yeux un instant, respira profondément et essaya d'imaginer qu'elle dansait dans la grande salle de Malvern.

André plaqua le premier accord, elle ouvrit les yeux et s'élança.

Lorsqu'elle eut terminé, Michèle se dit qu'elle avait bien dansé ; mais elle hésitait encore à regarder le maître de ballet, de peur de lire le mécontentement dans ses yeux, ou même un refus catégorique.

Lorsque les dernières notes s'éteignirent, il y eut un long silence, puis Dampierre prit la parole.

— Elle a de la grâce et une bonne technique. Mais elle a encore beaucoup à apprendre, mon ami.

Michèle osa enfin le regarder. Il avait l'air pensif, le menton appuyé sur sa main. Nulle sévérité ne se lisait sur son visage.

— Cela fait longtemps que tu as abandonné la danse, mon cher André, et il y a beaucoup d'innovations, beaucoup de changements de style, depuis que tu as quitté Paris. Pourtant, comme elle a du talent et de bonnes bases, je pense qu'elle n'aura pas trop de difficultés à assimiler les nouvelles techniques.

» Soyez ici demain à huit heures, mademoiselle. Je ne tolère aucun retard. Revêtez quelque chose de simple et de pratique car je vous assure que je vais vous faire transpirer. Vous apporterez votre déjeuner et de quoi vous désaltérer car nous travaillons tard dans l'après-midi. N'oubliez pas de prendre un châle, afin de ne pas prendre froid pendant les pauses. Maintenant, excusez-moi, mais je dois reprendre ma répétition. André, je suis libre demain soir, nous pourrions nous voir et parler du bon vieux temps.

André se leva, le visage rayonnant.

— Ce sera avec plaisir, Arnaut. Ici, ou à notre café ?

— Ici, à cinq heures.

— D'accord, dit André en rassemblant ses partitions. Et merci, Arnaut, pour le temps que tu as bien voulu nous consacrer. Merci infiniment.

Dampierre hocha la tête ; un peu sèchement, pensa Michèle.

Comme ils descendaient l'escalier, André laissa éclater sa joie.

— Il vous a engagée, ma chérie ! Vous voilà acceptée par le plus grand maître de ballet de Paris. Votre avenir est assuré.

Michèle se sentait perplexe, presque déçue.

— Il n'a pas eu l'air si satisfait que ça, dit-elle lentement.

André l'enlaça.

— Ma chère Michèle, ne vous laissez pas prendre aux manières bourrues d'Arnaut. Il est toujours ainsi.

— Mais il a dit que j'avais beaucoup à apprendre !

— C'est vrai, ma chérie. Et c'est toujours vrai pour nous tous. Je n'ai pu vous enseigner que ce que je savais, loin de Paris depuis si longtemps. Et il a affirmé aussi que vous vous adapteriez sans peine.

— Il est bien arrogant, dit Michèle sans se laisser convaincre. Il vous a pratiquement ordonné de venir le voir demain. Il ne vous a même pas demandé si cela vous convenait !

— Il est comme cela, ma mignonne, dit André avec un petit rire. Ne vous tracassez pas pour moi. Contentez-vous d'obéir et ne lui répondez pas, ne discutez pas, comme vous en aviez l'habitude avec moi. Mon Dieu, ne faites surtout pas cela !

Michèle ne répondit pas. Elle venait d'être engagée dans une troupe de danseurs ; elle aurait dû être au septième ciel, et pourtant elle ressentait un profond désarroi. Cette expérience qu'elle venait de vivre l'avait laissée insatisfaite et même, mécontente. C'était peut-être à cause des réactions des autres danseurs, de l'atmosphère qui lui avait paru hostile. Elle avait espéré être accueillie gentiment. Eh bien, tant pis ! Elle était engagée par Arnaut Dampierre, elle travaillerait avec acharnement, elle les surpasserait tous. Elle y était bien décidée.

— Mesdemoiselles et messieurs ! Je voudrais vous présenter quelqu'un.

La voix de Dampierre résonna dans l'immense salle et ses élèves se rassemblèrent docilement autour de lui. Tous les regards étaient tournés vers Michèle.

— Voici votre nouvelle compagne, poursuivit Dampierre, Michèle Verner, de l'Etat de Virginie, dans les colonies anglaises. J'espère que vous lui ferez bon accueil et que vous lui offrirez l'aide et les conseils qu'elle est en droit d'attendre de vous. Vous vous présenterez plus tard, à la pause de midi. Maintenant, je vous prie, à la barre !

Les danseurs se dispersèrent pour regagner leurs places à la longue barre de bois, laissant à Michèle l'endroit le moins favorable, le plus éloigné du professeur. Michèle se rendit compte que, malgré les paroles de Dampierre, ils n'avaient nulle intention de l'aider, de la mettre à l'aise. Eh bien, s'il en était ainsi, elle se contenterait de les ignorer. Elle n'avait besoin de personne, à l'exception d'Arnaut Dampierre.

Le menton pointé en avant, Michèle prit place et fixa les yeux sur le maître de ballet.

— Nous allons commencer par des pliés. Duval, vous êtes prêt ? Plié, tendu ! Plié, tendu !

Michèle, regardant attentivement Dampierre, se mit à exécuter les exercices. Trois heures plus tard, trempée de sueur, le souffle court, ce fut avec soulagement qu'elle entendit le professeur donner le signal de la pause de midi.

Essayant de retrouver une respiration normale, Michèle s'essuya le visage avec son mouchoir et regarda autour d'elle. Elle fut ravie de s'apercevoir que les autres danseurs étaient aussi essoufflés et fatigués qu'elle. Au moins, elle avait tenu le rythme.

S'enveloppant dans son châle, elle vit les autres élèves se précipiter vers le vestiaire où ils avaient déposé leurs paniers de déjeuner. Eh bien, tant pis pour les présentations !

Michèle se sentait contrariée et déprimée. Elle avait l'habitude que l'on recherche sa compagnie, qu'on la traite avec des égards, là-bas, en Virginie. L'attitude des autres danseurs était à la fois vexante et cruelle. Etaient-ils si préoccupés par leur situation professionnelle, leurs ambitions, qu'ils ne pouvaient se risquer à dire un mot gentil à une nouvelle venue ?

Un peu déprimée, Michèle attendit qu'il n'y ait plus personne dans le vestiaire pour aller chercher son panier, préparé par la cuisinière de Mme Dubois.

Elle s'en saisit — il était bien rempli et sentait délicieusement bon —, et se retourna, prête à quitter la petite pièce. Elle s'arrêta court. Sur le seuil se tenait l'un des danseurs, un jeune homme de taille moyenne mais bien proportionné, avec des cheveux noirs en désordre et d'étranges yeux vert clair.

Il s'inclina profondément.

— Mademoiselle, puis-je me présenter ? Louis Lascaut, votre serviteur.

Michèle, émue, lui fit une révérence.

— Je vous remercie d'être venu à moi. Vous êtes le premier à le faire.

Il perçut son amertume. Il sourit et son visage plutôt sévère s'éclaira, le faisant paraître soudain plus jeune.

— Rassurez-vous, les autres suivront. Ils croient seulement qu'il ne convient pas d'avoir l'air trop empressé ou trop poli. (Il se pencha vers elle d'un air de conspirateur.) En réalité, ils meurent de curiosité. Ils voudraient tout savoir à votre sujet. Mais je vais les battre !

Elle le regarda en souriant.

— Et comment cela, monsieur ?

— En déjeunant avec vous et en vous posant toutes sortes de questions impertinentes. Si cela ne vous déplaît pas trop, bien sûr !

— Au contraire, j'en serais ravie. (Elle soupesa le lourd panier d'osier.) Je crois que la cuisinière a préparé de quoi nourrir un régiment.

En riant, il la débarrassa de son fardeau.

— Venez, cherchons un coin tranquille, loin des autres. Ils vont mourir de curiosité, persuadés que nous nous racontons de terribles secrets.

Michèle, brusquement réconfortée, suivit Louis dans la pièce voisine qui comprenait plusieurs petites alcôves garnies de rideaux. Il choisit un coin éloigné et ils s'installèrent. Le panier fut bientôt ouvert et Michèle découvrit qu'elle était affamée.

— C'est merveilleux ! s'exclama Louis, tandis qu'elle sortait les provisions.

La cuisinière de Mme Dubois n'avait pas lésiné : un demi-poulet rôti, une bouteille de vin blanc, des fruits, une tarte, du pain croustillant, des fromages et plusieurs morceaux de massepain.

— Nous allons partager, dit-elle en lui tendant une part de poulet et un généreux morceau de fromage. Je meurs de faim, c'est vrai, mais il y en a beaucoup trop pour moi.

Louis sourit.

— Avec joie. Mon repas était plutôt frugal aujour-d'hui et je ne fais jamais la fine bouche lorsqu'on m'invite.

Ils se jetèrent avec appétit sur la nourriture et, bientôt, il ne resta plus qu'une gorgée de vin dans la bouteille. Michèle insista pour la laisser à Louis.

— Maintenant, dit-elle d'un air grave, en se tournant vers lui, j'ai une faveur à vous demander.

Il se tapota l'estomac.

— Tout ce que vous voudrez, ma chère. Je vous suis redevable d'un délicieux repas bien que, par sa faute, je risque de fort mal danser cet après-midi.

— Parlez-moi des autres, dites-moi leur nom et ce qu'ils font. Je veux dire, la place qu'ils occupent dans la troupe.

Il se prélassa contre la banquette.

— Ce que vous me demandez là est simple. Je commencerai par moi. Je suis Louis Lascaut, premier danseur.

Michèle se redressa sur son siège.

— Vraiment ? Vous êtes premier danseur ?

Louis rit doucement.

— Eh bien, presque, dirons-nous. En réalité, notre premier danseur, c'est ce personnage arrogant, appuyé contre le mur, là-bas. Il s'appelle Roland Maraise.

Michèle aperçut un grand jeune homme blond et musclé. Son expression, sa posture même exprimaient sa vanité et il se déplaçait, avait-elle remarqué, avec l'assurance de quelqu'un qui sait que sa place dans le monde est non seulement assurée, mais enviable.

— C'est un beau salaud, si vous voulez bien me pardonner cette grossièreté, et je vous conseille de l'éviter car il est extrêmement jaloux de toute personne qui a du talent.

Michèle continua d'examiner le jeune homme en

question. Il était très beau, certes, mais son regard était glacé. Il semblait enfermé en lui-même. Et puis, avec un peu de retard, la signification de ce que Louis venait de dire lui apparut.

— Vous pensez que j'ai du talent ?

Il sourit malicieusement.

— Est-ce ce que j'ai dit ? Cela a dû m'échapper. Comme je suis étourdi ! (Il parcourut des yeux le groupe des danseurs.) La jeune fille qui est près de Roland, c'est Denise de Coucy. C'est l'un de nos meilleurs sujets, tout de suite derrière notre danseuse étoile, Cybella, absente aujourd'hui. Malheureusement, Denise n'a pas plus de cœur qu'une poupée. Elle s'entend bien avec Maraise. Cela vous en dit long sur eux.

La danseuse dont parlait Louis était petite, fine et très blonde ; c'était une jeune fille de seize ans environ, dont la grâce délicate était démentie par des yeux d'un gris glacial et une bouche aux lèvres minces. Michèle se dit que Louis avait raison : Denise de Coucy avait l'air froide et inflexible.

— Nous avons deux autres excellents danseurs dans la troupe, dont moi bien entendu, et Maurice Decole, surnommé « Café au lait », pour des raisons évidentes.

Michèle découvrit un très grand jeune homme au teint très mat. Ses cheveux aux boucles serrées et ses lèvres épaisses évoquaient le sang-mêlé. Elle regarda Louis d'un air interrogateur.

— Son père est un noble, un familier du roi. Sa mère est une belle danseuse métisse. Son père subvient largement à ses besoins mais ne veut pas le reconnaître comme son fils.

Michèle allait le questionner encore sur une jolie brune lorsque la voix de Dampierre retentit dans la pièce.

— C'est l'heure ! A la barre !

Tandis que les danseurs retournaient dans la salle d'exercices, la jeune fille brune s'avança en souriant vers Michèle.

— Je voudrais me présenter. Je suis Marie Renaud, chuchota-t-elle en posant la main sur le bras de Michèle.

Son sourire était franc et amical et Michèle ne put s'empêcher d'y répondre.

— Je suis heureuse de faire votre connaissance, dit-elle.

— J'aimerais parler avec vous des colonies, peut-être à l'heure du déjeuner, un autre jour. C'est un sujet qui m'intéresse beaucoup.

— J'en serais ravie, répondit Michèle.

Pendant les deux semaines suivantes, la vie de Michèle ne fut plus qu'exercices et répétitions. La troupe préparait *les Indes galantes* que Dampierre comptait présenter dans un avenir proche et il faisait durement travailler son petit monde.

Michèle ferait partie du corps de ballet ; et comme les autres avaient déjà beaucoup travaillé cette chorégraphie, le maître la pressait de rattraper son retard.

Elle regardait la danseuse étoile, Cybella Manet, avec désespoir et envie. Celle-ci, du même âge environ que Michèle, avait une excellente maîtrise de son corps et une grâce infinie. Plutôt grande pour une ballerine, elle avait de longues jambes minces et parfaitement modelées, un buste harmonieux et des bras d'une souplesse étonnante. Ses cheveux bruns et plats, partagés par une raie au milieu, étaient tirés en chignon, ce qui dégageait ses traits réguliers. Avec mélancolie, Michèle se demandait si elle atteindrait un jour cette perfection classique.

Puisque Roland Maraise dansait dans deux des ballets en cours, Dampierre avait donné à Louis le rôle principal des *Indes galantes*. Cybella était sa partenaire. En les regardant tous deux, Michèle se rendit compte que Louis était un danseur exceptionnel... gracieux et athlétique. Cybella et lui dansaient harmonieusement ensemble et elle rêva plus d'une fois d'être à la place de la jeune fille. Elle remarqua qu'elle n'était pas la seule à caresser ce rêve. La petite blonde, Denise de Coucy, contemplait Cybella d'un air hostile et envieux.

En dépit d'horaires exténuants, de la sévérité exigeante de Dampierre, Michèle prenait plaisir aux exercices, tout autant qu'aux répétitions. Elle s'était lentement intégrée à la troupe et connaissait maintenant les autres danseurs qui commençaient à l'accepter. La plupart se comportaient amicalement, surtout Marie Renaud dont la curiosité sur les colonies et la vie qu'on y menait semblait inépuisable.

Michèle sentait que tout se passait aussi bien que possible. Elle faisait des progrès et apprenait les ballets que la compagnie donnait en ce moment. Elle espérait que bientôt Dampierre lui dirait qu'elle était prête à paraître sur scène avec le reste de la troupe.

Jusqu'à maintenant, elle avait été trop occupée pour visiter la ville ou avoir des contacts intéressants. Mme Dubois venait justement de l'informer, la veille au soir, qu'il était temps pour elle de se faire connaître. Dimanche prochain, elle donnerait une réception en l'honneur d'André et de sa jeune élève. Mme Dubois avait invité beaucoup d'anciens amis d'André et celui-ci attendait ce jour avec impatience, comme Michèle d'ailleurs. Maintenant qu'elle s'était, pour ainsi dire, adaptée à la troupe, elle voulait découvrir les Parisiens et, pour ce faire, il semblait bien que le salon de Mme Dubois fût le lieu idéal.

Ce dimanche-là, le temps était maussade, mais les vêtements chatoyants des invités, les bijoux que les femmes arboraient faisaient oublier le ciel gris.

Michèle, qui se sentait élégante mais habillée avec un peu trop de recherche, apportait sa note délicate au bouquet de couleurs. Lorsqu'elle avait montré à Mme Dubois la robe vert amande qu'elle voulait porter, elle s'était attendue à un commentaire favorable, mais la Parisienne avait fait la moue.

— Elle est d'une jolie teinte, ma chère, et le tissu est de qualité, mais il va falloir que ma couturière effectue quelques retouches.

Michèle s'étonna car cette robe avait été faite juste avant son départ par la couturière la plus en vogue de Williamsburg.

— Que voulez-vous dire ?

— Tout d'abord, elle n'ira pas avec les nouveaux cerceaux. Il faudrait que la jupe soit plus large.

— Mais la couturière m'a assuré qu'elle était à la dernière mode de Paris.

Mme Dubois sourit avec quelque condescendance.

— Bien sûr, ma chère, et je suis sûre qu'elle l'est, « à l'américaine ». Mais dites-vous bien que nos modes mettent plusieurs mois à atteindre les colonies, et qu'il faut ensuite le temps de les copier. Les cerceaux sont plus larges, maintenant, et il y a aussi d'autres changements, minimes bien sûr, que ma couturière va effectuer promptement, et qui feront toute la différence. Faites-moi confiance, Michèle. Et Jeanne, ma femme de chambre, va vous trouver une perruque et vous maquiller. Elle est très experte. Vous êtes une belle jeune fille et je veux que vous soyez à votre avantage.

Bien que Michèle appréciât tant de gentillesse, elle se rebella contre la perruque, qu'elle jugea lourde et peu seyante. Elle demanda simplement qu'on la coiffe joliment. Jeanne insista pour la poudrer.

Maintenant Michèle, les cheveux presque neigeux et le visage légèrement maquillé, agrémenté de mouches, se mêlait aux invités dans le grand salon. Elle les observait avec curiosité.

Ils lui parurent d'abord aussi brillants et bruyants que des oiseaux exotiques. Les hommes, avec leurs perruques, leurs gilets de satin, les basques de leurs vestes qui s'évasaient au-dessus de leurs mollets moulés de soie, étaient aussi décoratifs que les femmes. Manchettes et jabots de dentelle tourbillonnaient au moindre geste...

Michèle remarqua qu'André avait apporté un soin particulier à sa toilette ; il était vêtu d'une veste de velours cramoisi et de culottes assorties. Des fleurs brodées ornaient son gilet de soie blanche. Il avait maintenant une allure plus franchement efféminée, ses gestes étaient plus maniérés mais bien d'autres gentilshommes présents affichaient un semblable comportement. André était visiblement dans son élément. Son visage rayonnait du plaisir d'être de nouveau parmi les siens.

De leur côté, les femmes étaient somptueusement habillées, parées de bijoux et coiffées de perruques. Toutefois, la robe de Mme Dubois éclipsait toutes les autres. Elle était de satin blanc richement brodé et Michèle se demanda combien il avait fallu d'heures pour réaliser ce chef-d'œuvre.

La jupe de dessous proposait un décor de collines recouvertes de végétation ; et sur chaque panneau de la jupe à paniers était représenté un arbre qui s'élevait presque jusqu'à sa taille. Autour des troncs s'enroulaient des capucines, du chèvrefeuille et des volubilis aux mille nuances.

Sur les manches et le corsage, on retrouvait les mêmes motifs floraux. Des fils d'or soulignaient chaque pétale, chaque feuille.

Mme Dubois était très maquillée et portait beaucoup de mouches ; en la regardant, Michèle se sentit gênée, comme si la femme qu'elle connaissait avait mystérieusement disparu derrière cette façade d'apparat et d'artifice.

En cet instant, elle divertissait la compagnie avec une histoire plutôt leste que tous écoutaient avec délices. Michèle fut choquée : l'anecdote concernait le roi Louis XV et ses prouesses amoureuses bien connues.

Elle se surprit à rougir et déploya son éventail pour apaiser le feu de ses joues.

— Je vois que l'histoire que raconte Mme Dubois vous met mal à l'aise.

Elle se retourna et vit un homme svelte et élégant, en habit de satin bleu. Son visage était maigre et marqué ; on lisait l'ironie dans ses yeux gris.

Michèle, le trouvant plutôt sympathique, résolut de répondre avec franchise.

— J'ai bien peur de ne pas avoir l'habitude de ce genre d'anecdotes... (Puis, avec un sourire, afin qu'il ne s'imagine pas qu'elle voulait être blessante, elle lui demanda :) Est-ce que les Français parlent souvent de leur roi en ces termes ?

L'homme éclata de rire ; d'un grand rire qui surprenait chez un homme d'apparence si délicate.

— Indéniablement, chère demoiselle. En fait, c'est l'un des grands plaisirs du peuple. Les faits et gestes du roi, ses affaires galantes sont connus de tous et donnent lieu à bien des commentaires. Il en a toujours été ainsi. C'est même l'un des devoirs d'un roi, que de fournir ce genre de distractions à ses sujets, et notre bon Louis l'accomplit à merveille.

Michèle éclata de rire. Cet inconnu était spirituel et avait un certain charme.

— A qui, monsieur, ai-je le plaisir de parler ?

— Albion Villiers, votre serviteur, mademoiselle. Et vous, chère ravissante, vous êtes Michèle Verner, l'invitée de Mme Dubois et l'élève de mon vieil ami, André Leclaire.

— Vous êtes un ami d'André ! C'est merveilleux ! Peut-être pourrais-je vous demander de me parler de lui. Il vivait déjà dans ma famille avant ma naissance mais je sais peu de chose de son passé. Racontez-moi ce qu'il faisait lorsqu'il était jeune danseur, à Paris.

Albion s'assit sur une chaise dorée et sortit de sa poche une tabatière en or, sertie de pierres précieuses. Il ne répondit pas tout de suite mais versa un petit tas de tabac odorant sur le dessus de sa main gauche et l'aspira par la narine droite. Un grand éternuement s'ensuivit. Albion se tapota le nez de son mouchoir de dentelle.

— Il y aurait tant de choses à dire, ma chère, que je ne sais par où commencer.

— Le connaissez-vous depuis longtemps ?

— Depuis notre enfance.

Michèle pensa qu'elle allait enfin apprendre pourquoi André avait quitté Paris. Elle avait toujours eu envie de savoir la raison de cet exil. Elle jeta un coup d'œil vers son vieil ami, craignant qu'il ne les rejoigne. Dieu merci, il semblait captivé par l'histoire de Mme Dubois.

— Quand l'avez-vous vu pour la dernière fois ? demanda-t-elle.

Albion la regarda pensivement.

— La veille du jour où il a quitté Paris pour les colonies. Tant d'années ! C'était une bien triste affaire mais il l'avait cherchée. Je m'entends encore lui dire : « André, ne touche pas à ce garçon. Il y en a tant d'autres tout disposés à se laisser aimer de toi. Pourquoi t'exposer à un tel danger ? » Mais non, il ne m'écoutait pas : est-ce qu'un homme amoureux a jamais écouté les conseils d'un ami ? C'est le père du garçon, un ministre très collet monté, qui a fait en sorte qu'André soit exilé. Quelle pitié ! Il était premier danseur, au sommet de sa carrière, et il...

Michèle pensa qu'elle avait mal compris. Albion avait parlé d'un garçon ? Non, non... Elle revint à André.

— Vous dites qu'il était premier danseur ?

— Il ne vous l'a jamais raconté ? Quelle négligence de sa part ! Vous ne vous êtes jamais demandé comment il avait acquis toute cette science qu'il vous transmettait si bien ?

— Non. Je l'acceptais tel qu'il était. C'est ce que nous faisions tous.

Albion lui lança un regard sournois et Michèle eut l'impression désagréable qu'il allait chercher à la choquer. Cette conversation commençait à l'inquiéter mais elle s'était trop engagée pour reculer.

Le petit homme se pencha vers elle.

— Vous savez sûrement qu'André est un « arracheur de palissades » ?

Michèle, perplexe, chercha le sens de cette expression. Elle comprenait les mots en tant que tels mais devinait qu'ils n'étaient pas utilisés ici dans leur sens littéral.

— J'ai bien peur de ne pas connaître cette expression, dit-elle avec prudence.

— Elle date de la jeunesse de notre roi. On le surprit, dans le parc de Versailles, avec plusieurs de ses camarades, en train de... d'expérimenter, de s'adonner à certains jeux, dirons-nous pour sauvegarder la décence. Ce fut un beau scandale. (Albion gloussa en mettant la main devant sa bouche.) On éloigna discrètement ces garçons de la Cour et le chef de la petite bande, le marquis de Rambures, fut enfermé à la Bastille. Lorsque Louis demanda ce qu'étaient devenus ses compagnons, on lui répondit qu'ils avaient été punis pour avoir arraché des piquets de palissades ; d'où l'expression « arracheur de palissades », un euphémisme ou une métaphore, si vous préférez, pour désigner un homme qui fait l'amour avec un autre homme. Vous étiez sûrement au courant, pour André ?

André, un homme qui faisait l'amour avec un autre homme ? Cela existait donc ? Elle était choquée et fort irritée contre ce vilain colporteur de ragots. Et dire qu'elle l'avait trouvé amusant ! Un ami d'André ? Avec de tels amis, on n'avait pas besoin d'ennemis. Elle était peinée, mais tout était sa faute. C'était elle qui l'avait poussé à parler.

Se maîtrisant, elle dit d'une voix ferme :

— Bien sûr que nous étions au courant ! Comme je vous l'ai déjà dit, nous acceptons André tel qu'il est, et nous l'aimons comme s'il faisait partie de la famille.

— Oh ! je n'en doute pas ! répliqua-t-il d'un ton sec. Et maintenant, il faut que je vous quitte, mademoiselle, j'aperçois un ami à qui je dois parler. Pardonnez-moi, je vous prie.

Il se leva, lui fit un grand salut et s'empressa d'aller rejoindre les invités qui entouraient Mme Dubois. Michèle se laissa aller dans son fauteuil, en poussant un soupir. La curiosité était sans doute un péché. Elle aurait voulu n'avoir jamais interrogé Albion Villiers. Elle n'eut guère le temps cependant de s'attarder à ce regret car son hôtesse fonçait vers elle, entraînant dans son sillage deux femmes dont l'une ne sembla pas inconnue à Michèle.

7

Ce ne fut que lorsque les trois femmes furent très proches que Michèle reconnut Denise de Coucy, bien différente ce soir de celle qu'elle voyait chaque jour dans la salle d'exercices.

Comme toutes les autres invitées, Denise portait une perruque poudrée et des mouches. Sa robe de brocart rose lui allait très bien, mais l'excès de maquillage la vieillissait.

— Michèle, ma chérie, dit Mme Dubois, voici votre amie Denise.

Michèle se força à sourire. En réalité, elle avait tout de suite éprouvé une antipathie instinctive pour cette jeune fille hautaine.

Elle sourit donc et fit une révérence à la femme plus âgée qui, si l'on en jugeait d'après la ressemblance, devait être la mère de Denise ; une supposition qui se révéla exacte lorsque Mme Dubois acheva les présentations.

Mme de Coucy paraissait aussi froide et peu amicale que sa fille. Elle ne sourit pas à Michèle, de crainte peut-être d'endommager son épais maquillage.

— Je vous laisse bavarder ensemble, dit Mme Dubois en tapotant l'épaule de Michèle.

La jeune fille la regarda s'éloigner, consternée. De quoi allait-elle parler avec ces deux femmes ?

Mme de Coucy engagea la conversation.

— Mme Dubois vient de m'apprendre que vous arrivez des colonies anglaises, dit-elle d'un ton presque accusateur.

Elle remuait à peine les lèvres en parlant.

— Oui, c'est exact. (Michèle répondit aussi aimablement que possible.) Je viens de Virginie.

Mme de Coucy hocha de nouveau la tête, toujours sans sourire et Denise garda le silence.

— Vous avez de la chance qu'Arnaut Dampierre vous ait acceptée dans sa troupe.

— Oui. J'ai eu beaucoup de chance, c'est vrai.

Mme de Coucy haussa les sourcils.

— Denise est entrée dans la troupe à l'âge de douze ans et, un an plus tard, elle dansait en solo.

Le regard de cette femme était chargé de défi mais Michèle était bien décidée à ne pas se laisser entraîner sur ce terrain dangereux.

— C'est vraiment admirable, dit-elle.

— Sans le favoritisme du maître de ballet, elle serait danseuse étoile.

— Le favoritisme ?

Que voulait dire cette femme ? Mme de Coucy hocha la tête avec vigueur, ce qui fit osciller dangereusement sa perruque.

— Cybella, bien sûr. Elle est la maîtresse de Dampierre. Tout le monde le sait. Mais il finira par s'en lasser et alors, Denise aura enfin la place qu'elle mérite.

Pourquoi ai-je l'impression que c'est un avertissement qu'elle vient de me lancer ? se demanda Michèle.

Denise se taisait toujours. Michèle décida de s'adresser à elle.

— Avez-vous toujours eu le désir de danser, Denise ?

Le regard de la jeune fille demeura glacial.

— Oui, répondit-elle d'une voix haute et enfantine. Depuis toujours. J'ai l'intention de devenir la danseuse la plus célèbre du monde. Je serai aussi connue que la Camargo !

— Allons ! s'exclama dédaigneusement sa mère. La Camargo est une acrobate, rien de plus. Tout le monde le sait. Denise lui est bien supérieure et l'on va bientôt s'en apercevoir.

Son regard défiait Michèle de la contredire et celle-ci ne savait que répondre. Elle ne pouvait qu'admirer la résolution de Denise. Elle l'avait observée et elle reconnaissait que cette jeune fille possédait une technique magistrale, alliée à une implacable volonté. Si elle n'avait pas obtenu la première place, sa froideur en était la cause ; sa manière de danser avait quelque chose de mécanique. Elle était jeune cependant et peut-être, avec le temps, s'adoucirait-elle ; l'expérience de la vie lui donnerait sans doute un peu de cœur. Mais il y avait vraiment trop d'arrogance dans les paroles de Mme de Coucy et Michèle résolut d'y répliquer.

— Je suppose que c'est le rêve de toute jeune danseuse de devenir une étoile !

Mme de Coucy lui lança un regard hautain.

— C'est peut-être vrai, mais Denise n'est pas une jeune danseuse comme les autres, comme vous. Ma fille est un sujet exceptionnel.

Michèle, sentant que la colère montait, serra les lèvres. Si elle répondait, la discussion s'envenimerait, et elle ne voulait pas gâcher la réception de Mme Dubois. Elle accueillit donc comme un don du ciel l'arrivée d'André.

Il adressa son plus charmant sourire à Mme de Coucy.

— Veuillez me pardonner, madame, cette intrusion. Il faut que je présente Michèle à un ami.

Michèle se leva vivement et prit le bras qu'André lui tendait.

— Merci, mon cher ami, murmura-t-elle tandis qu'ils s'éloignaient. Vous ne savez pas de quelle situation vous m'avez tirée.

Les yeux d'André pétillaient de malice.

— Si, si, ma chérie. Je vous observais de loin. J'ai vu l'expression de votre visage.

— Quelle expression ?

— Celle que vous prenez lorsque vous allez vous rebeller contre quelque chose que je viens de dire. J'ai pensé qu'il valait mieux que je vienne au secours des de Coucy.

— Au secours des de Coucy ! Vraiment ! Lorsque j'ai vu Denise pour la première fois, j'ai cru que c'était la femme la plus froide que j'eusse jamais rencontrée, mais maintenant que je connais sa mère...

— Je reconnais que ce sont deux égoïstes. J'ai connu Madelaine autrefois, avant qu'elle épouse de Coucy, et elle était déjà comme cela. Je dirais même qu'elle a le cœur encore plus sec maintenant. (Son visage se fit grave.) Mais ne les sous-estimez pas et, surtout, ne vous les mettez pas à dos, quoi qu'il vous en coûte. Madelaine de Coucy a beaucoup d'influence et peut devenir une dangereuse ennemie.

Michèle fit la moue.

— Elles se montrent si hostiles envers moi. Comment puis-je garder mon calme ?

— Ayez de la patience, ma chérie, beaucoup de patience. Maintenant, changeons de sujet. Est-ce que vous vous amusez ?

Michèle haussa les épaules.

— Les seules personnes auxquelles j'ai parlé, ce sont ces femmes odieuses et un affreux petit bonhomme appelé Albion Villiers qui se dit votre ami.

— Ah, vous avez rencontré l'Aspic ! (André rit en

voyant son air étonné.) C'est ainsi qu'on l'appelait autrefois, à cause de sa langue empoisonnée.

— Un nom tout à fait approprié, et qui lui va toujours fort bien, semble-t-il. Il se prétend votre ami mais il a dit sur vous des choses abominables.

Le sourire d'André s'effaça.

— Oui, j'imagine ce qu'il a pu vous dire, et je vous connais depuis trop longtemps, Michèle, pour ne pas deviner que cela a dû vous bouleverser. Nous en parlerons plus tard, lorsque nous serons seuls, mais pour le moment je voudrais que vous fassiez la connaissance de gens aimables et spirituels qui vous feront oublier ces fâcheuses rencontres.

Ensuite, Michèle fut présentée, dans un tourbillon, au reste des invités dont beaucoup, en effet, l'amusèrent. Les hommes lui firent des compliments fort vifs auxquels elle prit plaisir tout en sachant qu'il ne fallait les croire qu'à demi ; les femmes se répandirent en anecdotes piquantes.

Cependant, le temps passant, Michèle commença de se sentir lasse de tant de mondanités et de paroles superficielles.

Elle bavardait avec un trop beau jeune homme, qui lui disait qu'il allait bientôt être présenté à la Cour, lorsqu'elle eut le sentiment que quelqu'un la surveillait.

Tout en feignant d'écouter l'intarissable jeune homme, elle se retourna lentement et vit fixés sur elle les yeux sombres d'Arnaut Dampierre qui se tenait appuyé contre le mur recouvert de damas.

Son sobre costume de velours gris foncé tranchait sur les vêtements trop chatoyants des autres invités ; les cheveux de sa perruque discrète étaient noués sur la nuque par un ruban de même couleur. Lorsque leurs regards se croisèrent, il eut un sourire ironique et inclina la tête.

Michèle était ravie de le voir. Elle le trouvait très beau et distingué, même sans son étonnante chevelure, dissimulée sous la perruque.

Lorsqu'elle se tourna de nouveau vers le jeune homme, elle vit, du coin de l'œil, que le maître de ballet venait la rejoindre.

Elle se sentit soudain tout émue. Au début, Dampierre l'avait intimidée, mais maintenant, elle le connaissait mieux ; ses dons pédagogiques et sa science de la danse avaient fait grande impression sur elle ; de plus, elle le trouvait très séduisant. Pourtant, durant les cours ou les répétitions, il n'avait guère échangé plus de quelques mots avec elle, et toujours pour formuler une remarque critique. Jamais un compliment ! Elle commençait à douter qu'il fût capable d'en faire.

Michèle savait que la plupart des jeunes danseuses étaient suspendues à ses lèvres, attendant de lui un encouragement personnel, et bien qu'elle n'ait jamais voulu l'admettre, il en était de même pour elle. Et voilà qu'ils se trouvaient face à face, en situation d'égalité ou presque. Ils étaient tous deux des invités de Mme Dubois.

Il était maintenant tout près d'elle, paraissant ignorer totalement la présence du jeune homme dont le flot de paroles venait de se tarir, brusquement.

— Mademoiselle Verner, dit-il avec un petit salut, je suis ravi de vous voir ici.

Michèle essaya d'avoir l'air aussi calme que lui.

— Moi aussi, monsieur.

— Cette réception vous amuse-t-elle ?

— C'est très... intéressant. Tellement différent de ce à quoi je suis accoutumée.

— Je m'en doute, dit-il en souriant.

Le jeune homme, auquel ni l'un ni l'autre ne prêtait attention, s'éloigna. Au grand étonnement de Michèle, Dampierre lui offrit son bras.

— Venez. Il fait bien chaud ici et tous ces parfums finissent par m'incommoder. Allons faire un petit tour au jardin.

Il l'entraînait déjà et, durant un instant, Michèle lui en voulut de décider ainsi pour elle, sans même la consulter. Pourtant quelle occasion inespérée de bavarder avec lui !

Dehors, l'air était très frais, mais Michèle eut le sentiment de mieux respirer. Le petit jardin à la française, situé derrière la maison, était tout en haies et plates-bandes tirées au cordeau. Ils empruntèrent une allée, et Michèle se sentit troublée par la proximité de Dampierre.

Les nuages commençaient à se disperser vers l'ouest et la douce lumière dorée de l'après-midi baignait les buis taillés et les fleurs d'automne. En les regardant, Michèle ressentit la nostalgie des herbes folles et des taillis sauvages de Malvern. Dampierre respira profondément.

— Ah ! On est mieux ici ! J'étouffais dans ces salons... Cet air chargé de poudre et de parfums m'était insupportable ! Il paraît que l'on pourrait nourrir tous les pauvres de Paris avec la farine dont ces aristocrates se saupoudrent la tête !

Il parlait avec dureté et Michèle comprit qu'il méprisait les gens de cour. Cela l'intrigua.

— On dirait que la vie mondaine ne trouve pas grâce à vos yeux, monsieur.

Il éclata d'un rire bref.

— Oui, c'est vrai. Surtout la vie que l'on mène dans des salons tels que celui-ci.

— Pourquoi donc êtes-vous ici ?

— Parce que l'opportunisme fait de moi un lâche, répondit-il en fronçant les sourcils. J'ai besoin de Mme Dubois et de quelques autres qui, comme elle, apportent leur soutien à ma compagnie et à mon école. Je ne suis pas fier de ma conduite, je le

102

reconnais, mais la troupe compte beaucoup pour moi et je ferai tout ce qui est nécessaire pour la protéger.

Brusquement, un sourire enjoué éclaira son visage.

— Vous voyez, mademoiselle, que j'ai le malheur d'aimer la danse plus que tout. Je suis l'esclave de mon art !

Michèle se dit que cet homme était aussi fascinant que déroutant. Ses sautes d'humeur la déconcertaient.

— Allons, dit-il en lui prenant le bras, je ne devrais pas vous parler ainsi, à vous qui faites vos premiers pas dans notre ronde mondaine. Il faut me pardonner, je deviens vieux et acariâtre.

— Vous n'êtes pas si vieux, lâcha étourdiment Michèle qui, gênée, essaya aussitôt de se rattraper. Je veux dire que vous êtes encore vigoureux et énergique. C'est-à-dire...

Riant de bon cœur, il la conduisit jusqu'à un banc de pierre.

— Merci, ma chère Michèle, mais parfois je me sens, hélas, très vieux. Vous avez quel âge ? Dix-sept ans ? Rendez-vous compte, je pourrais être votre père ! Assez ! Parlons de choses plus agréables. Dites-moi ce que vous pensez de notre belle ville. Franchement.

Michèle se sentit rougir sous son regard scrutateur.

— Allons, parlez, je sais que vous n'êtes pas timide.

— Paris est une ville très intéressante, dit-elle pensivement, intéressante mais, à mes yeux, très étrange. La manière dont vous vivez, dont les Parisiens vivent, est beaucoup trop... luxueuse. Les gens que j'ai rencontrés m'ont paru moins sérieux que mes compatriotes ; ils ne pensent qu'aux plaisirs.

Il hocha gravement la tête.

— C'est parce que vous n'avez rencontré que des

mondains, que des aristocrates. Ce n'est là ni le vrai Paris ni la vraie France.

— C'est sans doute exact, dit-elle, mais la plupart des gens que je connais, en Virginie, appartiennent à ce qu'on appelle l'élite, et pourtant, ils travaillent. Là-bas, en Amérique, tout le monde travaille. Je veux dire que ceux que je connais dirigent des plantations ou font des affaires. Nous n'avons ni roi ni nobles. Il n'y a pas d'oisifs parmi nous.

— Ah! dit-il, nous y voilà. Vous avez vu le problème. Et je suis sûr que c'est pour cette raison que votre pays est plus riche. Nous avons perdu toute énergie, tout esprit d'initiative depuis que Louis est monté sur le trône. Son arrière-grand-père savait faire son métier de roi mais notre actuel souverain ne pense qu'aux femmes et aux divertissements.

— Pourtant, j'ai entendu certaines personnes dire que c'était un bon roi.

Dampierre haussa les épaules.

— C'étaient des flatteurs ou des gens qui avaient quelque intérêt à parler ainsi.

— L'avez-vous rencontré?

Dampierre hocha la tête.

— Je suis allé à la Cour et j'ai dansé devant le roi, à Versailles et à Fontainebleau. Je l'ai observé, ainsi que ses courtisans. Un troupeau de fantoches et de parasites! Des oisifs, des cervelles creuses qui ne cherchent que les bonnes grâces du roi!

— A quoi ressemble-t-il, votre roi?

— Il est beau, si l'on veut, dit Dampierre du même ton méprisant. Les yeux noirs, un noble profil, mais une bouche molle. Pourtant, ce n'est pas son visage qui me déplaît, c'est son caractère: il y a quelque chose de morbide, de cruel en lui et il manque totalement de courage.

— En quoi est-il cruel?

— Il prend plaisir à faire souffrir les autres. Il aime

tourmenter ses courtisans, leur jouer de méchants tours et il éprouve un intérêt morbide pour tout ce qui touche à la mort. Si seulement il consacrait un peu moins de son temps à ses maîtresses et un peu plus aux affaires du pays ! Mais assez parlé de cela. Vous allez prendre froid. Rentrons et tâchons de nous montrer aimables.

Il la regarda d'un air étrange.

— Je ne sais pas pourquoi je vous ai parlé de toutes ces choses. Je n'avais pas l'intention de gâcher votre premier contact avec la vie mondaine de Paris.

Michèle, reconnaissante qu'il lui ait parlé avec une telle liberté, lui adressa un grand sourire.

— J'ai pris beaucoup de plaisir à votre conversation.

— Peut-être me permettrez-vous de prendre place à côté de vous, à table ?

Cette requête la surprit et elle ne chercha pas à dissimuler le plaisir qu'elle ressentait.

— J'en serais ravie, monsieur !

Le lendemain, en se rendant au cours, Michèle sentit son cœur battre plus fort à la pensée qu'elle allait revoir Arnaut.

Ils avaient fait mieux connaissance encore pendant le dîner. Dampierre s'était montré charmant et plein d'esprit. Nul trait cynique ou méchant dans ses propos.

Le dîner fut somptueux et raffiné, à la mesure des invités et du lieu. Parmi les nombreux plats, il y eut de la langue de porc aux épices, du faisan farci et le dessert se présenta sous la forme d'un petit arbre : le tronc était figuré en caramel, les branches étaient de massepain et les fleurs de sucre candi. Il était l'œuvre, dit Mme Dubois, d'un confiseur qui appartenait au service de bouche du roi.

A la fin du dîner, Dampierre prit congé ; bien que

Michèle regrettât de le voir partir, elle se sentait le cœur en fête. De toutes les femmes présentes, c'était elle qu'il avait élue, c'était avec elle qu'il avait choisi de s'entretenir.

Elle entra dans la salle d'exercices en se demandant comment il allait l'accueillir. Elle le chercha des yeux. Il conversait avec Denise de Coucy et Roland Maraise.

Michèle alla déposer son panier dans le vestiaire et revint dans la salle; elle s'assit sur le banc pour mettre ses chaussons de danse.

Ses interlocuteurs l'ayant quitté, Dampierre parcourut la salle des yeux, mais son regard glissa sur Michèle comme sur les autres élèves.

— Bon! dit-il en claquant des mains. Tous à la barre!

Michèle se leva, un peu désappointée. Elle avait espéré un geste, un sourire, au moins un petit signe de tête... Après les attentions qu'il lui avait prodiguées chez Mme Dubois, Michèle avait pensé... Qu'avait-elle donc pensé? Qu'il l'aimait bien? Qu'il se plaisait en sa compagnie? Mais alors, pourquoi était-il si distant aujourd'hui?

Elle prit place à la barre. Peut-être ne voulait-il marquer aucune distinction entre les élèves pendant les cours. Oui, ce devait être là la raison de son comportement.

Songeant soudain à ce que Madelaine de Coucy lui avait dit au sujet de Dampierre et de Cybella, Michèle sentit sa gorge se nouer. Cette femme avait peut-être dit la vérité. Peut-être n'avait-elle été pour lui, hier soir, qu'un pis-aller...

La voix sévère du professeur retentit.

— Michèle, faites attention! Le dos droit, je vous prie!

Le rouge aux joues, elle se redressa et pointa le menton en avant. Pourquoi se conduisait-elle ainsi?

106

Elle s'était trompée sur les sentiments de Dampierre ; elle faisait partie de sa troupe, mais il ne s'intéressait pas à elle personnellement. Après tout, l'important, pour elle, c'était la danse. Elle ne devait penser qu'à son art, et à rien d'autre.

Pourtant, elle continua à attendre un signe de lui ; en vain. Et, à la fin du cours, lorsqu'elle le vit parler à Cybella, leurs deux visages étaient si proches que cela laissait supposer une certaine intimité. Michèle quitta la salle, le cœur lourd.

8

A Malvern, les capsules de coton commençaient à s'ouvrir et dans quelques semaines, ce serait la récolte. Le travail s'accélérait à la plantation. Hannah était satisfaite de Nathaniel Bealls ; il s'était montré à la hauteur de ses espérances.

Et Court, après trois semaines d'absence, avait repris ses visites hebdomadaires. Il n'avait formulé ni excuses ni explications. Secrètement heureuse de le revoir, Hannah n'avait posé aucune question. Il se montrait courtois, attentif, mais d'une extrême réserve et, curieusement, cette attitude la déçut. Elle se refusa à analyser les raisons de son désappointement. Un seul détail l'irritait : Nathaniel semblait toujours faire en sorte d'être proche de la maison lorsque la voiture de Court arrivait. Cependant, elle ne le surprit plus jamais à les épier durant leurs promenades à cheval.

Jules Dade ne s'était pas manifesté, ce qui l'étonnait un peu. Il ne semblait guère s'inquiéter de son prêt ni de la situation de la plantation. Ce silence et les signes annonciateurs d'une récolte exceptionnelle apaisèrent l'anxiété d'Hannah. Si bien que, les semaines passant, elle finit par ne plus songer à lui.

Elle fut donc surprise, et un peu troublée, lorsqu'un après-midi, Dade arriva dans une voiture découverte qu'il conduisait lui-même. Hannah revenait des écuries lorsqu'elle aperçut, de loin, un véhicule qui remontait l'allée.

Elle s'arrêta et leva la main pour se protéger les yeux du soleil. Elle crut d'abord que c'était Court. Lorsqu'elle vit qu'il s'agissait d'une voiture découverte, elle comprit qu'elle s'était trompée. Puis, elle aperçut le grand cheval gris de Nathaniel galopant derrière le véhicule, et elle en éprouva du mécontentement. Le régisseur n'avait-il donc rien de mieux à faire que d'épier ses visiteurs ?

Elle reconnut enfin le conducteur. C'était Jules Dade. Elle attendit, avec un peu d'appréhension, sur les marches de la véranda, tandis que le véhicule ralentissait et finissait par s'arrêter devant la maison.

Le petit homme ôta son tricorne pour la saluer.

— Bonjour, madame Verner.

Puis il descendit de son siège.

— Bonjour, monsieur, répondit-elle.

Calme, en apparence, Hannah attendit un instant avant de reprendre la parole.

— A quoi dois-je le plaisir de votre visite ?

Nathaniel, qui avait suivi l'attelage, se dressait là, non loin du perron, la regardant fixement.

Dade, un peu essoufflé, arriva en haut des marches. Il n'avait pas changé : même tenue d'un brun austère, même sourire artificiel et sans chaleur...

— J'avais des affaires à traiter dans le voisinage et j'ai pensé que je pourrais vous rendre une petite visite.

— Des affaires de prêts, j'imagine ? demanda-t-elle d'un ton ironique.

Elle regretta aussitôt sa remarque car une lueur menaçante traversa le regard de Dade. C'était de la folie de provoquer cet homme ; il ne fallait pas qu'elle s'en fasse un ennemi, surtout pas !

— Voulez-vous une tasse de thé, monsieur Dade, ou quelque rafraîchissement ?

— C'est avec plaisir, madame, que j'accepte votre invitation, dit-il d'une voix doucereuse.

Elle marcha jusqu'à la porte et tira d'un coup sec sur la cloche. Elle n'avait nulle envie de l'inviter à entrer.

— Il fait beau. Peut-être pourrions-nous prendre le thé sur la véranda ?

Il inclina légèrement la tête mais elle devina que cette proposition le contrariait.

— Comme vous voudrez, madame.

C'était un homme intuitif, bien plus qu'elle ne l'avait supposé... il avait deviné qu'elle ne souhaitait pas le faire entrer. Mais pourquoi se soucier de sa susceptibilité ? Ils avaient des rapports d'affaires et non d'amitié.

La porte s'ouvrit et l'une des servantes apparut.

— Oui, madame.

— Mary, voulez-vous nous servir le thé ici, dehors ?

Hannah emmena Dade à l'extrémité de la véranda. Une table et des chaises s'y trouvaient disposées. Il s'assit, enleva son tricorne et elle s'installa en face de lui.

— Comme vous avez dû le voir, dit Hannah en maîtrisant son inquiétude, la récolte de coton promet d'être belle et je crois que je n'aurai aucune difficulté à vous rembourser.

— Oui, je m'en suis aperçu, dit-il avec un pâle sourire. Et j'en suis ravi pour vous. Prêteur sur gages, je sais que j'ai méchante réputation, mais, croyez-moi, cela ne me fait pas plaisir lorsqu'un de mes clients est contraint de manquer à ses engagements. Ce n'est pas dans ma nature, madame. A mon avis, notre profession remplit une fonction utile, et cela me réjouit le cœur lorsqu'un prêt est remboursé dans les délais prévus.

Dans son for intérieur, Hannah n'était pas certaine de sa bienveillance, mais elle répondit par un sourire à cet aimable discours. Elle remarqua qu'il regardait fixement quelque chose, derrière elle. Elle se retourna et vit que Nathaniel montait toujours la garde près de la voiture de Dade. Irritée, elle allait l'interpeller, mais comme s'il l'avait devinée, le régisseur toucha son chapeau, fit faire volte-face à son cheval et partit au trot.

— Qui est ce garçon? demanda Dade. Il semble s'intéresser un peu trop à ma présence ici.

— C'est Nathaniel Bealls, mon nouveau régisseur. C'est à lui que je dois, en grande partie, cette récolte exceptionnelle. Il se fait un devoir de veiller sur moi et vous êtes un étranger pour lui.

— Toute seule ici et sans époux, vous avez de la chance, madame, qu'un homme aussi vigoureux veille sur vous, dit Dade, d'une voix sèche.

L'arrivée de la servante lui épargna l'obligation de répondre. Lorsque Mary eut versé le thé et disposé les assiettes de petits gâteaux, elle se retira. Dade donna aussitôt libre cours à sa gourmandise, une gourmandise fort peu raffinée en ses manières : il buvait son thé à grand bruit, mangeait goulûment, semblait ignorer l'usage de la petite serviette posée près de sa tasse.

Quand son assiette fut vide, il rota sans discrétion et se laissa aller en arrière sur sa chaise.

— C'était très bon, madame. Oui, vraiment très bon.

Hannah avait hâte de le voir partir. L'antipathie qu'elle éprouvait pour lui l'amena à poser une question imprudente.

— On m'a dit que vous avez fait fortune dans le commerce maritime?

Il la regarda en plissant les yeux.

— C'est exact, madame. A Norfolk. J'ai encore quelques intérêts dans la compagnie que j'ai fondée, mais je ne m'en occupe plus en personne, je l'ai confiée à quelqu'un de plus jeune. La navigation est un métier hasardeux, chargé de périls.

Elle céda au plaisir de le harceler.

— Votre compagnie pratiquait la traite des Noirs, m'a-t-on dit.

— On vous a dit cela ! (Il se pencha vers elle, en proie à une soudaine colère.) Qui a formulé cette calomnie ?

— Une calomnie ? Vous rejetez cette accusation ?

— Je n'ai pas à me défendre, madame Verner ! Le commerce des esclaves est ouvertement pratiqué tout le long des côtes des Etats du Sud. (Ses lèvres minces esquissèrent un petit sourire sarcastique. Il montra les terres d'un geste du bras.) Après tout, ce sont des esclaves qui travaillent sur votre plantation !

— Ce n'est pas vrai, monsieur ! répliqua-t-elle avec fougue. Il n'y a à Malvern que des hommes et des femmes libres. Vous ne le saviez pas ?

— Non, madame. J'ignorais cela. A mon avis, c'est plutôt imprudent.

— J'ai toujours été contre l'esclavage.

— C'est votre droit... Ah oui ! (Il se pencha de nouveau vers elle.) Vous n'avez pas répondu à ma question. Qui vous a dit que j'étais un négrier ? Je pense que c'est ce gredin de Courtney Wayne ? Est-ce que je me trompe ?

Elle le regarda en fronçant les sourcils.

— Que savez-vous de Courtney Wayne ?

— Que c'est un scélérat et une fripouille. Et je sais que votre défunt mari lui avait emprunté une somme considérable. Je répète ma question : est-ce de lui que vous tenez cette information ?

— Cela ne vous regarde pas, monsieur Dade !

Il haussa les épaules.

— Vous venez de répondre à ma question, madame ! En tout cas, je vous conseille d'avoir le moins possible affaire à cet homme.

Elle se leva.

— Vous n'avez pas à vous mêler de ma vie personnelle, monsieur !

Il rit âprement.

— Votre vie personnelle, vraiment ?

Hannah sentit qu'elle rougissait.

— Monsieur, je ne tolérerai pas... Il vaudrait mieux que vous partiez, croyez-moi.

— Si tel est votre désir... (Il se leva et s'inclina devant elle.) Je vous souhaite une bonne journée, madame.

Hannah resta impassible, luttant pour contrôler sa colère. Elle ne se détendit que lorsqu'il fut remonté dans sa voiture. Tandis qu'il s'éloignait, la peur assaillit Hannah. Elle savait qu'elle avait commis une grave erreur en offensant Jules Dade.

Jules Dade était tout à sa rage. Dans ses relations d'affaires, il avait appris, au fil des années, à se contrôler ; face à un adversaire, maîtriser sa colère était un atout. Mais maintenant qu'il s'éloignait de Malvern, il laissait libre cours à sa fureur, à ses rêves de vengeance. Oui, il ferait tout pour nuire à Hannah Verner et à Courtney Wayne, surtout à ce dernier. Il avait, dans le passé, eu plusieurs fois maille à partir avec lui, et à chaque fois, ou presque, cet homme avait eu le dessus.

Il s'était juré de prendre sa revanche, un jour. Il mettrait tout en œuvre pour discréditer Wayne aux yeux d'Hannah et de tous les habitants de Williamsburg, pour l'obliger à fuir, couvert de honte.

Mais, avant tout, il lui fallait s'approprier Malvern. Depuis qu'il avait renoncé à la traite des Noirs, il recherchait la respectabilité, et le meilleur moyen de l'obtenir, c'était de devenir propriétaire d'une plantation. Il y avait longtemps qu'il convoitait Malvern ; et lorsque cette femme avait accepté son prêt, Dade s'était dit qu'il touchait pour ainsi dire au but. Femme seule et sans doute inexpérimentée, jamais elle ne réussirait à diriger cette immense plantation, et encore moins à le rembourser. Malvern serait à lui !

Mais les choses ne paraissaient plus aussi faciles. Il n'avait pas envisagé qu'elle engagerait un régisseur professionnel et compétent. Il devait donc aviser, agir vite.

A environ deux kilomètres de la grande demeure, Dade aperçut le régisseur dans un champ proche de la route. Il surveillait un petit groupe d'ouvriers agricoles en train de désherber.

Dade arrêta sa voiture et le héla.

— Monsieur ! Pourrais-je vous dire quelques mots ?

Nathaniel Bealls tourna vers lui un visage maussade et ne répondit pas.

— Je ne vous demande que quelques minutes de votre temps, et vous ne le regretterez pas, je vous le promets.

Le cavalier fit faire volte-face à son cheval et le dirigea vers la voiture.

— Je suis beaucoup trop occupé, monsieur, pour perdre mon temps inutilement.

Dade sourit, l'air patelin.

— Pas inutilement, je vous l'assure. Je crois que vous êtes le régisseur de Mme Verner ?

— C'est exact.

— Je m'appelle Jules Dade. Je suis en affaires avec Mme Verner. Un emprunt, en fait.

Bealls fouetta sa botte avec sa cravache.

— Je ne vois pas en quoi cela me concerne, monsieur.

— Eh bien, je vous dirai, sans mâcher mes mots, que j'aimerais que Mme Verner ne soit pas en mesure de me rembourser.

Bealls le regarda fixement, en plissant les yeux.

Sortant un petit cigare tout tordu de sa poche, il l'alluma.

— Je n'ai rien à faire là-dedans.

— Que si ! La récolte dépend de vous, n'est-ce pas ? Vous pourriez donc intervenir aisément... Et vous seriez généreusement récompensé, je vous le promets.

— Je suis payé par Mme Verner.

— Mais vous ne toucherez rien avant la vente de la récolte, n'est-ce pas ?

Bealls haussa les épaules.

— C'est une pratique qui n'a rien d'inhabituel.

— Mais si vous me rendez le service dont je parle, vous serez rétribué très vite et très généreusement.

— Je suis loyal vis-à-vis de Mme Verner, dit Bealls d'un ton catégorique.

— Loyal ? Ne faites pas l'imbécile, mon ami. La loyauté est une vertu qui ne vaut pas grand-chose en ce monde. Il n'est pas de loyauté qui ne soit à vendre. Simple question de prix.

— Il en est peut-être ainsi pour certains, mais moi, je ne suis pas à vendre.

Bealls fit faire demi-tour à sa monture.

— Admirable, monsieur, vraiment admirable ! Attendez, monsieur Bealls ! Tout ce que je vous demande, c'est de réfléchir à ma proposition, de l'étudier soigneusement et puis de décider au mieux de vos intérêts.

Le régisseur sourit.

— Je me demande ce que Mme Verner dirait si j'allais lui rapporter votre proposition.

— Ah oui ! (Dade lui rendit son sourire.) C'est à vous que vous feriez du tort. Pas à moi, car Mme Verner me tient, je crois, en piètre estime. Et, de toute façon, je nierais. Elle ne me croira peut-être pas, mais cela fera naître en elle quelque doute à votre sujet, monsieur Bealls. Beaucoup de gens pensent, à tort ou à raison, que si l'on fait une proposition malhonnête à quelqu'un, ce n'est pas par hasard. Pensez-y, et pensez encore à mon offre. Tout bien pesé, cela vous tentera peut-être.

Dade fit claquer sa langue et son cheval repartit. Il sentit le regard de Bealls peser sur lui tandis que sa voiture s'éloignait.

Nathaniel Bealls resta longtemps immobile après que la voiture de Jules Dade eut disparu.

Il n'était pas en colère et ne se sentait même pas offensé par la proposition qui lui avait été faite. En d'autres circonstances, il l'aurait peut-être trouvée alléchante. Nathaniel ne s'était jamais encombré de scrupules. Il avait toujours guetté sa chance et il n'y avait pas tant de bonnes occasions pour un homme comme lui.

Cependant, quelque chose, à Malvern, présentait actuellement plus d'intérêt à ses yeux que l'argent ou une situation sociale, et c'était Hannah Verner. Bien qu'un peu plus âgée que lui, c'était une belle femme et il la convoitait. Dès le premier coup d'œil, il l'avait désirée et c'était pour cette raison qu'il avait accepté de devenir son régisseur. Lorsqu'il avait appris que les Noirs de Malvern étaient affranchis, sa première réaction avait été de refuser le poste proposé. Nathaniel avait grandi dans une plantation où on lui avait enseigné qu'accorder la liberté à un Noir était non seulement stupide, mais dangereux. Tant qu'il était esclave, il n'osait pas se rebeller, mais une fois libre, il se retournait, un jour ou l'autre, contre les Blancs.

Mais le désir de Nathaniel pour Hannah avait été plus puissant que tout ; et il était resté, attendant sa chance. Longtemps, il avait cru avoir un rival en la personne de ce dandy de Courtney Wayne. Mais il avait fini par se convaincre qu'Hannah se contentait de badiner avec lui, simplement pour passer le temps, en attendant l'homme véritable dont elle avait besoin. Puis, un peu plus tard, il les avait surpris au bord du ruisseau, et son espoir avait faibli. Mais lors de la longue absence de Wayne durant les semaines qui suivirent, il avait repris confiance... Hannah avait sûrement repoussé ses avances.

En regardant la voiture de Dade disparaître dans le lointain, Nathaniel décida qu'il était temps de passer à l'action, et aujourd'hui même.

Dès qu'il eut pris cette décision, la fièvre s'empara de lui. Pour la première fois depuis qu'il travaillait à Malvern, il laissa les ouvriers sans surveillance pour le reste de l'après-midi et galopa vers la demeure. Il mit son cheval à l'étable, rejoignit ses quartiers, situés derrière la maison, et ordonna à l'une des domestiques de lui apporter un baquet d'eau chaude. Il se déshabilla, se lava soigneusement puis mit des vêtements propres. Il se coiffa avec un soin particulier, fixant son catogan avec un ruban de couleur.

Allait-il prendre sa cravache ? Au dernier moment, il décida que oui... elle faisait partie de lui, de sa présence. Il marcha à grands pas vers la porte principale en la faisant siffler. L'après-midi tirait à sa fin, les ombres s'allongeaient.

La servante l'informa que sa maîtresse travaillait dans son bureau.

— Pas besoin de m'annoncer. Je connais le chemin, dit-il d'une voix autoritaire.

Il traversa le vestibule et frappa à la porte du bureau.

A ce moment, Hannah, un peu lasse, s'était rejetée au fond de son fauteuil. Sachant qu'elle avait irrité Jules Dade cet après-midi, elle avait voulu revoir ses registres et faire le point au sujet de l'argent qu'elle lui devait. Elle refit ses comptes et s'inquiéta... l'argent qu'elle avait emprunté à Dade avait rapidement fondu dans les dépenses quotidiennes de la gestion du domaine. Elle achetait le plus de provisions possible à crédit, mais il y avait certaines choses qu'il fallait régler sur-le-champ. Plus qu'un mois, six semaines au plus, et elle recueillerait les bénéfices d'une récolte exceptionnelle.

Si rien n'arrivait d'ici là, elle réussirait de justesse à...

On frappa à la porte et elle se réjouit de cette diversion inattendue. Elle s'accorderait un instant de détente.

— Entrez !

La porte s'ouvrit et Nathaniel Bealls entra. A nouveau, elle s'inquiéta. Quelque mauvaise nouvelle ?

— Que se passe-t-il, Nathaniel ? Quelque chose est arrivé ?

Il ralentit le pas et parut un peu surpris.

— Non, tout va bien, madame.

Elle soupira et passa sa main sur son front.

— Voyez-vous, la visite de cet homme m'a bouleversée et je... (Elle eut un rire bref.) Il y a, en lui, quelque chose de si pénible, de si menaçant...

— Vous voulez parler de... Jules Dade ?

— Oui... (Elle s'interrompit de nouveau et le regarda fixement.) Comment savez-vous son nom ?

— Il m'a interrompu dans mon travail tout à l'heure et s'est présenté à moi...

— C'est tout ? Il vous a simplement dit son nom ?

— Il m'a aussi interrogé sur la récolte...

Elle devina qu'il ne lui disait pas tout, mais décida de ne pas le questionner davantage sur ce sujet.

— Que désirez-vous, Nathaniel ?

Il fit quelques pas et s'arrêta tout près du fauteuil d'Hannah. Il n'avait pas baissé les yeux vers elle. Son regard errait dans la pièce, comme absent.

— Je travaille pour vous depuis plusieurs mois.

Que pensez-vous de... Etes-vous satisfaite de mon travail ?

Il s'était penché sur elle, à présent. Elle lui trouva une expression étrange et remarqua que son front était humide de sueur. Brusquement, elle prit conscience de son odeur d'homme, une odeur forte qui l'étourdit un bref instant.

— Est-ce votre paie qui vous préoccupe, Nathaniel ? s'empressa-t-elle de dire. Avez-vous besoin d'argent ? Ma situation financière n'est pas brillante, mais si une avance vous paraît...

— Non, non, ce n'est pas cela, dit-il brusquement. Hannah, savez-vous qu'il est difficile pour un homme de vous côtoyer chaque jour sans vous désirer ?

Elle le regarda, abasourdie. Elle n'avait jamais songé qu'il pût avoir envie d'elle. Et pourtant, parfois, la nuit, quand elle ne pouvait trouver le sommeil, elle avait évoqué l'image de Nathaniel. C'était un homme vigoureux, viril, un peu plus jeune qu'elle toutefois... Simple rêverie de sa part, vite effacée, vite oubliée...

Nathaniel poursuivit :

— Vous êtes une belle femme, une femme saine, Hannah. Depuis trop longtemps, aucun homme... Vous me désirez, vous le savez bien !

— Vous allez trop loin, monsieur ! (Elle se redressa, indignée.) Ne préjugez pas de ce que je puis ressentir !

— J'ai l'expérience des femmes, Hannah, certains signes ne me trompent pas. Oui, vous y avez pensé, j'en suis sûr.

Il jeta sa cravache sur le bureau et la prit par les épaules. Il l'attira à lui avant qu'elle ait pu résister et posa brutalement ses lèvres sur les siennes. Sa bouche était chaude, son corps tendu contre le sien.

Une onde de chaleur l'envahit. Comme il aurait été facile de s'abandonner à lui, de céder au désir presque animal qu'elle ressentait. Non, cela aurait été une grave erreur. Cet homme avait envie d'elle, il ne l'aimait pas. Elle ne voulait pas d'une dépendance simplement physique entre eux...

Elle commença à se débattre. Nathaniel resserra son étreinte. Elle devina qu'il était prêt à la prendre de force.

Elle rejeta la tête en arrière.

— Arrêtez, Nathaniel ! Cessez !

Il n'entendait rien, cherchait à reprendre sa bouche.

Dans un sursaut désespéré, Hannah lui donna, de toutes ses forces, un grand coup de genou dans le bas-ventre. Il poussa un hurlement de douleur et la lâcha, plié en deux par la souffrance. Tremblante, Hannah recula, puis se glissa derrière le bureau.

— Je regrette de vous avoir fait mal, Nathaniel, dit-elle froidement. Mais vous l'avez mérité. Vous vous êtes conduit comme un rustre.

Il se redressa lentement, le visage pâle et tordu de douleur.

— Comme un rustre, vraiment ? gronda-t-il. Ou comme Courtney Wayne ?

— Ce n'est pas vrai !

— N'oubliez pas que je vous ai vus, ce jour-là, près du ruisseau.

— Vous n'avez rien vu du tout. J'ai trébuché et Court m'a rattrapée pour m'empêcher de tomber.

— Oui ! Pour mieux tomber, rouler à terre avec vous, après mon départ ! J'en suis sûr !

Furieuse, elle contourna vivement le bureau et le gifla avec force. Il s'empara de sa cravache.

— Nathaniel, si vous me frappez avec votre cravache, vous n'aurez plus qu'à partir, et sans un sou ! Si vous vous contentez de quitter cette pièce, j'oublierai cet instant de folie, et nous continuerons comme avant.

Il resta immobile un long moment, la cravache

levée, en proie à des émotions contradictoires. Enfin, lentement, son bras retomba.

— Je vous apprécie beaucoup dans vos fonctions, Nathaniel, et je voudrais que vous restiez à Malvern. Je reconnais que j'ai besoin de vous, en tant que régisseur. Je ne suis pas amoureuse de vous et je veux que vous le sachiez. Je suis prête à oublier cette scène pénible, à n'y jamais faire allusion. Est-ce compris ?

Son visage était maintenant redevenu impassible.

— C'est compris, madame, dit-il.

Il se détourna et quitta la pièce.

Hannah poussa un soupir de soulagement. Pourtant, elle se demandait si elle n'avait pas commis une erreur. Il aurait peut-être mieux valu le renvoyer pour le punir de son impudence. Il est vrai qu'elle dépendait maintenant de lui et il lui serait difficile, sinon impossible, de diriger seule la plantation, du moins jusqu'à la récolte. Cela l'humiliait d'avoir à le reconnaître et, sans sa dette, elle aurait couru le risque. Elle décida de congédier Nathaniel Bealls dès qu'elle aurait remboursé Jules Dade.

Le lendemain, c'était le jour de la visite de Court et, comme à l'ordinaire, Hannah attendait son arrivée avec impatience.

Le matin, il avait fait beau, mais le ciel s'était couvert peu après midi et, à l'heure où Court devait arriver, il pleuvait abondamment. Viendrait-il ?

Au travers des rideaux, Hannah guettait. Elle vit la voiture s'engager dans l'allée. Son cœur se mit à battre plus fort. Elle s'éloigna de la fenêtre, elle ne voulait pas qu'il la surprenne à l'attendre. Elle traversa le vestibule pour se rendre dans son bureau et aperçut une jeune servante près de la porte d'entrée. Que faisait-elle là ? Surprise, la fille détala. Hannah poursuivit sereinement son chemin. Elle savait que les visites de Court alimentaient les bavardages des domestiques. Qu'y pouvait-elle ? Et d'ailleurs que lui importait ?

Elle était à peine installée à son bureau que l'on frappa à la porte. Les trois petits coups de Mary.

— Oui. Qu'y a-t-il, Mary ?

— M. Wayne, madame.

— Faites-le entrer dans le salon et demandez-lui s'il souhaite un verre de sherry.

Elle s'attarda quelques minutes, face au grand miroir du bureau. Ce matin, elle avait revêtu son amazone puis changé de vêtements lorsque la pluie s'était mise à tomber. Elle avait choisi l'une de ses plus jolies robes, s'était légèrement poudrée et avait posé une mouche sur sa joue. Point trop mécontente de son apparence, elle se dirigea vers le salon.

Court se leva en la voyant.

— Bonjour, Hannah. Quel vilain temps, n'est-ce pas ? Ne serait-il pas sage de renoncer à notre promenade à cheval ?

Elle hocha la tête.

— Oui, vous le voyez, j'ai déjà ôté mon amazone.

— Il faisait beau lorsque j'ai quitté Williamsburg. Si j'avais su que le temps se gâterait ainsi, j'aurais remis ma visite.

— Je suis contente que vous soyez venu malgré la pluie, Court. (Elle s'avança vers lui.) Vous m'auriez manqué.

— Vous aussi, vous m'auriez manqué, chère Hannah. (Il la contempla.) Je vous ai rarement vue ainsi, je vous trouve ravissante.

Elle se rapprocha encore de lui.

— C'est gentil de me dire cela.

— C'est tout simplement la vérité.

Le souvenir de l'incident de la veille, avec Nathaniel, lui revint à la mémoire et, curieusement, face à Court, elle se sentit troublée. Son désir renaissait...

Elle le regarda droit dans les yeux et ils étaient si

proches qu'elle sentit son souffle chaud sur sa joue. Elle vacilla légèrement.

— Court, mon chéri.

Et, soudain, elle se retrouva dans ses bras, la bouche de Court sur la sienne en un baiser tendre, très doux. Elle voulut davantage, tout son corps y aspirait. Elle l'étreignit et lui caressa le dos.

— Hannah, dit-il d'une voix rauque. Il ne faut pas provoquer un homme ainsi...

— Rassure-toi, Court, dit-elle tendrement, tout est différent aujourd'hui.

Elle le prit par la main et l'entraîna vers le bureau. Elle n'osait monter à sa chambre. Les domestiques s'affairaient à l'étage.

Elle ferma la porte au verrou et lui fit face.

— Court, je n'ai cessé de penser à ce qui s'est passé, l'autre jour, et j'ai regretté mon attitude.

— Regretté, Hannah ?

— Oui, regretté ! Et tant pis si je passe pour une dévergondée ! ajouta-t-elle en souriant.

Il posa les mains sur ses épaules.

— Il me semble que tu vas faire une bien délicieuse dévergondée.

Sa bouche se posa sur la sienne et le désir embrasa de nouveau Hannah. Elle n'avait pas mis de corset et Court se mit à caresser ses seins au travers de l'étoffe légère. Elle se dégagea doucement et se dirigea vers la fenêtre. Il pleuvait toujours. Elle tira les rideaux. Lorsqu'elle se retourna, elle vit Court, assis sur le divan, en train d'ôter ses bottes.

Tout en enlevant sa robe et ses jupons, elle le regarda se déshabiller. Son corps était mince, des muscles longs et puissants frémissaient sous sa peau. Il était souple et harmonieux dans sa nudité. Nue, elle aussi, elle s'avança lentement vers lui, vers son désir. Elle frissonna sous son regard qui la parcourait tout entière.

— Hannah chérie, tu es encore plus belle que je ne le pensais, dit-il d'une voix rauque. Depuis notre première rencontre, j'ai rêvé à cet instant.

Il la prit dans ses bras et ses mains glissèrent le long de son dos. Il l'embrassa puis ses lèvres descendirent vers sa gorge. Elle gémit lorsque sa bouche atteignit ses seins. Il les effleura de la langue.

Puis il l'entraîna vers le divan. Elle se sentait prête pour son étreinte mais il semblait vouloir encore retarder cet instant. Il goûtait la volupté de cette attente. Il la caressa, des lèvres et des doigts, avec une habileté qui émerveilla Hannah. Jamais, lui sembla-t-il, elle n'avait rencontré tant de délicatesse.

Bientôt, Hannah n'entendit, ne vit plus rien, tout aux vagues d'un plaisir sans cesse renaissant. Elle l'implora des mains et des lèvres.

— Je t'en prie, Court, viens !

— Oui, Hannah. Oui, ma chérie, murmura-t-il, haletant, et il se souleva pour la prendre.

Leurs corps se répondirent aussitôt, se reconnurent. Un même rythme les animait, une même extase les submergea. Puis, en silence, ils partagèrent le même épuisement heureux.

Lorsque Hannah nicha sa tête sur son épaule, elle prit conscience qu'ils n'avaient, ni l'un ni l'autre, parlé d'amour. Elle savait que Court n'était pas homme à s'engager à la légère. Elle-même d'ailleurs s'interrogeait encore sur ses propres sentiments ; elle savait seulement que l'homme qui la tenait dans ses bras lui était très cher, qu'il la comblait.

— Tu sais, Court ?

— Quoi donc, ma chérie ?

— Je suis contente qu'il ait plu, qu'il pleuve toujours...

Elle éclata d'un grand rire heureux.

De l'autre côté de la fenêtre, la pluie ruisselait sur

la tête nue de Nathaniel Bealls. Il y avait un faible écart entre les rideaux tirés, il avait tout vu, tout observé, en proie à la colère et à l'humiliation. Elle l'avait repoussé avec mépris et, de plus, elle lui avait menti. Ce Wayne était bien son amant !

Elle allait s'en repentir amèrement, il y veillerait. Sa vengeance serait sans pitié. Un jour, elle se traînerait à ses pieds !

Sans quitter le couple des yeux, Nathaniel cravachait sa botte à grands coups réguliers. C'était le corps d'Hannah qu'il fouettait...

9

Durant les semaines qui suivirent, Michèle remarqua quelque chose de singulier. Elle manquait de confiance, d'entrain, et cependant, de leçon en leçon, elle progressait. Tous s'accordaient à le dire. Même Dampierre lui avait adressé un compliment, sans se départir de sa brusquerie habituelle, il est vrai.

En dehors des cours, elle avait été aussi très occupée. André et Mme Dubois avaient décidé qu'il fallait qu'elle découvre Paris. Souvent le samedi ou le dimanche, son hôtesse mettait sa voiture et son cocher à sa disposition afin qu'elle puisse visiter la ville.

André l'avait emmenée au Louvre et elle avait été fort impressionnée par ce vaste ensemble architectural. Il lui avait montré les jardins des Tuileries, Notre-Dame, le Pont-Neuf, l'île de la Cité.

Puis ce fut le Marais, ses rues aux noms pittoresques, ses somptueux hôtels particuliers, ses vieilles églises. Ils allèrent aussi à Versailles. André se révéla un guide passionnant, tour à tour érudit et drôle. Sa gentillesse était exquise, sa culture étourdissante... et pourtant Michèle ne pouvait oublier la révélation d'Albion Villiers. André était... un homme qui aimait les autres hommes ! Michèle était déconcertée, intriguée. Décidément, elle savait encore bien peu de choses des désirs et des sentiments humains !

Et dans son propre cœur, y voyait-elle plus clair ? Que ressentait-elle exactement pour Arnaut Dampierre ? Et lui-même que pensait-il d'elle ?

Un après-midi, elle bavardait avec Louis durant une pause, quand le maître de ballet s'avança vers elle. Son visage était grave et Michèle crut qu'il allait la réprimander.

Au lieu de cela, il prononça les paroles qu'elle avait tant désiré entendre.

— Michèle, je vous ai attentivement observée depuis quelques semaines et je crois que, maintenant, vous pouvez prendre place dans le corps de ballet. Préparez-vous à paraître sur scène, jeudi.

Sur ces mots, il s'éloigna, laissant Michèle sans voix. Louis éclata de rire.

— Michèle, je voudrais que vous voyiez votre tête ! Allons, réjouissez-vous, souriez ! Et d'ailleurs, il faut fêter cela ! Je vais descendre acheter quelques bouteilles de vin et nous allons inviter les autres à boire avec nous. Etes-vous d'accord ?

Michèle acquiesça, sans conviction toutefois. Que se passait-il en elle ? Les paroles de Dampierre auraient dû la plonger dans l'allégresse et il n'en était rien...

Pourtant, elle prit plaisir à voir les danseurs et les danseuses s'assembler autour d'elle et porter des toasts à son nouveau statut dans la compagnie. Même Denise de Coucy et Roland Maraise se joignirent à eux, encore qu'un peu à contrecœur. L'atmosphère générale n'en était pas moins chaleureuse et, pour la première fois, Michèle sentit qu'elle faisait vraiment partie de la troupe.

Lorsque les répétitions se terminèrent, elle pensa qu'il lui fallait sans doute remercier Dampierre de tout ce qu'il avait fait pour elle. N'était-ce pas la moindre des courtoisies ?

Les danseurs s'en allèrent, tandis que Michèle s'attardait au vestiaire. Dans la salle, Dampierre était seul à présent, assis à son bureau.

Le cœur battant, Michèle s'approcha lentement de lui. Il étudiait un document posé devant lui et ne leva pas la tête. L'ignorait-il volontairement ?

Elle se détourna, prête à s'éloigner. Elle renonçait à son projet.

— Oui ? Vous souhaitez me parler ?

Le sang aux joues, elle baissa la tête.

— Je... je voulais vous remercier. Pour tout ce que vous avez fait pour moi...

Elle ne put en dire davantage et se tordit les mains. Son désarroi était total. Il avait été si amical chez Mme Dubois. Pourquoi tant de froideur maintenant ?

Il se détendit un peu et sourit.

— Ce n'était pas nécessaire, vous savez. Vous avez bien travaillé. Vous méritez tout à fait votre place dans la troupe.

— Merci, murmura-t-elle. (Et puis, elle éclata.) Pourquoi m'évitez-vous ainsi ? Durant cette soirée, j'avais cru que... Eh bien, j'avais pensé que nous étions amis !

Elle rougit de nouveau en s'apercevant qu'elle avait l'air de plaider sa cause. Il allait penser... Qu'allait-il penser ? Elle n'aurait pas dû s'attarder ce soir. Si elle voulait le remercier, elle n'avait qu'à lui envoyer un petit mot. Il allait la prendre pour une sotte !

Il la regarda avec surprise, puis avec tendresse.

— Ma chère Michèle, dit-il gentiment. Ma douce enfant. Je n'aurais pas cru que... je n'avais pas l'intention de...

Il se leva et s'avança vers elle.

Il prit tendrement son visage entre ses mains

fortes et chaudes et la regarda droit dans les yeux.

— Je suis votre ami, Michèle, et c'est parce que je suis votre ami que je vous évite le plus possible. Ce serait facile, si facile de... (Il s'interrompit, puis reprit sans la regarder.) Michèle, je vais vous parler franchement. En tant que maître de ballet, je me refuse à toute relation affective avec l'une ou l'autre de mes danseuses. Je veux présenter la meilleure troupe de France, et même du monde entier, et pour réaliser ce rêve, je dois faire des sacrifices personnels. J'ai travaillé dans d'autres compagnies et j'ai vu ce qui arrivait lorsque le chorégraphe et l'une de ses danseuses tombaient amoureux l'un de l'autre. C'est presque toujours la danseuse qui est perdante, qui voit sa carrière brisée car, lorsque leur liaison s'achève, c'est le maître de ballet qui reste, bien sûr. J'avoue que j'ai peut-être été imprudent en vous parlant comme je l'ai fait chez Mme Dubois, mais nous nous rencontrions là en dehors de la compagnie et j'ai cru pouvoir me comporter plus librement. Je le regrette.

Il s'interrompit de nouveau, et sa voix se fit presque suppliante.

— Si je me conduis ainsi, c'est pour votre bien, Michèle. Croyez-moi.

Il tenait toujours son visage entre ses mains, ce contact était d'une grande tendresse et, spontanément, elle se rapprocha d'Arnaut jusqu'à ce que leurs visages et leurs corps se touchent. Il l'embrassa longuement sur les lèvres ; ce fut la sensation la plus douce que Michèle eût jamais connue. Puis il la repoussa, mais seulement pour enfouir sa bouche dans ses cheveux et chuchoter à son oreille :

— Ah, chérie, ma douce Michèle, comme j'ai désiré ce baiser !

De nouveau, sa bouche retrouva la sienne, plus exigeante, plus passionnée. Une onde de plaisir envahit Michèle et elle se cambra, pressant tout son corps contre lui. Elle découvrit sa tension virile. Il haletait maintenant.

Soudain, il la souleva dans ses bras et la porta jusqu'au vestiaire.

Il l'étendit doucement sur le petit lit de camp et la déshabilla sans qu'elle songeât une seconde à protester. Elle se retrouva nue, heureuse de l'être, heureuse de sentir que des mains caressantes partaient à la découverte de son corps, faisant naître en elle des sensations inconnues.

Nu à son tour, Arnaut roula sur elle et la pénétra. Une douleur la traversa brièvement, vite oubliée, submergée par la volupté qui la gagnait tout entière. Il n'y avait plus que cette présence en elle, active, intense, délicieusement sauvage.

Ils atteignirent ensemble la jouissance totale, unis dans un même cri. Durant un long moment, il resta couché sur elle, puis il roula sur le côté, haletant.

Michèle se sentit soudain étrangement dépossédée. Elle avait aimé qu'il pèse ainsi sur elle de tout son poids. Elle vit qu'il avait mis un bras sur ses yeux et détournait son visage du sien. Pourquoi ce geste ? Pourquoi ce silence ?

Après un long moment, n'y tenant plus, elle lui toucha timidement l'épaule.

— Arnaut ? (Sa voix était tremblante.) Arnaut, parlez-moi. Vous me faites peur !

Lentement, il laissa tomber son bras et se tourna vers elle. Son expression était indéchiffrable.

— Je suis désolé, dit-il, je ne voulais pas...

La gorge de Michèle se serra.

— Ne me repoussez pas, chuchota-t-elle. Nous étions si proches et maintenant... maintenant... (Sa voix se brisa.) Je me sens si seule !

— Ma chérie ! (Il l'attira à lui.) Je n'avais pas l'intention de vous faire souffrir. Pardonnez-moi ! Mais je veux que vous le sachiez : cet instant a été merveilleux et je ne l'oublierai jamais.

Pourquoi parlait-il ainsi ? On eût dit des mots d'adieu !

Il soupira.

— J'espère que vous comprendrez, chérie, bien que j'en doute. (Il soupira de nouveau et lui caressa la joue du bout du doigt.) Vous êtes tellement jeune.

Michèle s'agrippa à lui et cacha son visage contre sa poitrine. Elle se mit à pleurer.

Il lui caressa les cheveux.

— Michèle, ce que j'essaie de vous dire, c'est que... Cela ne se reproduira plus. Malgré tout mon désir, malgré tout le plaisir que vous m'avez donné, cela ne se reproduira plus.

— Pourquoi ? Pourquoi ?

— Parce que cela n'aurait jamais dû arriver, ma chérie. Pas seulement parce que vous êtes sous la protection d'un ami très cher ou à cause de votre si jeune âge. Vous faites partie de ma troupe et, je vous l'ai dit, je me suis toujours gardé de tomber amoureux d'une de mes danseuses. Aujourd'hui, ce fut une faiblesse, je n'ai pu me maîtriser. Ma seule excuse est que je suis un être humain, faillible, et que vous êtes très belle et très désirable.

Michèle sanglotait. Une faiblesse, disait-il, alors qu'ils avaient connu ensemble une telle plénitude. Comment osait-il parler ainsi ?

— Pourquoi ? Cela importe-t-il donc tant que je fasse partie de votre troupe ?

— Je vous l'ai déjà dit, Michèle. Je ne veux pas de dissensions dans ma compagnie. Si, par exemple, je vous donnais un solo à danser, tout le monde dirait que c'est parce que nous sommes amants, nous serions pris dans un tourbillon de médisances, de jalousies. Vous ne souhaitez pas cela, n'est-ce pas ?

— Je m'en moque !

Il se dégagea et la regarda gravement.

— Vous ne le pensez pas vraiment, mon enfant. Vous dites cela parce que vous êtes bouleversée.

Michèle hoqueta. Elle se sentait trahie, abandonnée.

— De toute façon, les gens parlent ! Mme de Coucy prétend que Cybella est votre maîtresse.

Dampierre soupira.

— Personne ne se soucie de ce que dit Mme de Coucy et je puis vous affirmer qu'il s'agit d'une calomnie. Mme de Coucy ne peut admettre que Cybella soit devenue notre première danseuse par son seul talent. Elle refuse la vérité, qui est toute simple : Denise est une bonne danseuse, mais Cybella est meilleure qu'elle. Comment avez-vous pu croire une telle sottise ?

» Maintenant, reprenez-vous. Il faut vous rafraîchir le visage, vous habiller et rentrer à la maison où André et Mme Dubois vont s'inquiéter. Allons. Cessez de pleurer, Michèle !

Elle ne parvenait pas à maîtriser ses larmes.

— Vous voulez dire que ce qui vient de se passer ne va rien changer à nos... nos relations ? Que nous devons tout oublier ?

— C'est exactement ce que je veux dire. Il ne faut même pas que nous en reparlions. Vous ne devez voir en moi que le maître de ballet. Cela vous sera peut-être difficile au début, mais ce sera mieux pour tous deux, vous verrez. Je vous connais, Michèle. La danse est pour vous, comme pour moi, l'essentiel, la vie même. Ne l'oubliez jamais. Maintenant, faites ce que je vous ai dit. Je vais aller vous chercher de l'eau et une serviette.

Plus tard, Michèle se rappela peu de chose des moments qui suivirent et de son retour à la maison. Une fois là, elle dit machinalement bonsoir à André et à Mme Dubois, et elle devait avoir l'air normal car ni l'un ni l'autre ne fit de remarque – sur son retard ou sur sa mine.

Prétextant qu'elle n'avait pas faim et se sentait très fatiguée, à cause d'une répétition très longue, elle monta tout droit dans sa chambre. Après avoir ôté ses vêtements et mis sa chemise de nuit, elle se jeta sur son lit, enfouit sa tête dans l'oreiller et chercha le sommeil, l'oubli.

Pendant quelques semaines, Michèle fut aussi malheureuse qu'elle l'avait été après la mort soudaine de son père.

Elle éprouvait d'ailleurs, d'une certaine manière, la même chose. L'impression d'avoir été abandonnée par quelqu'un qu'elle aimait.

Pourtant la vie continuait. Elle suivait régulièrement cours et répétitions et passait les soirées et les dimanches avec André, Mme Dubois et leurs amis, comme si rien ne l'affligeait. C'est étrange, pensait-elle, j'ai tellement changé, je souffre tant et pourtant personne ne s'en aperçoit ! Elle avait connu physiquement l'amour d'un homme et pourtant, dans le miroir, son visage paraissait le même.

Etrangement, ses qualités de danseuse ne fléchirent pas mais, au contraire, parurent s'améliorer. Elle était trop fière pour laisser voir à Dampierre combien il l'avait blessée ; aussi travaillait-elle plus que jamais. Toutefois, en son for intérieur, elle s'en voulait beaucoup. Elle s'était juré de ne jamais tomber dans le piège de l'amour ; de ne jamais s'attacher à un homme afin de ne pas mettre sa carrière en danger. Et pourtant elle continuait de penser à Dampierre, de rêver à lui. Que lui arrivait-il donc ? Pourquoi ne pouvait-elle contrôler ses sentiments, mener sa vie à sa guise ?

Ainsi passèrent les jours, puis arriva le moment de paraître sur scène, dans le corps de ballet.

Plus ce jour fatidique approchait, plus son humeur s'améliorait en dépit d'elle-même. André et Mme Dubois rassemblèrent un grand nombre d'amis qui devaient assister à la représentation, et il lui était impossible de ne pas partager la fièvre qui les animait.

Le soir de la représentation, dans la loge qu'elle partageait avec d'autres danseuses, Michèle découvrit qu'elle n'avait pas pensé à Dampierre depuis des heures.

Cela la fit sourire et Marie Renaud, qui s'habillait à côté d'elle, le remarqua.

— Michèle, que c'est bon de vous voir sourire ! Vous avez été si mélancolique, ces derniers temps. Mais c'est excitant, n'est-ce pas ? J'aime cette atmosphère, l'odeur du théâtre, les sonorités des instruments qui s'accordent, et les spectateurs qui attendent, là-bas, de l'autre côté de la rampe !

— Oui, c'est excitant, bien qu'il me faille reconnaître que j'ai le trac. C'est la première fois que je vais danser devant un vrai public. J'espère ne pas commettre de maladresse !

Marie, qui passait son costume, éclata de rire.

— Nous avons toutes le trac, Michèle, mais je pense que vous devriez être moins inquiète. Vous êtes déjà plus assurée que la plupart d'entre nous. Vous méritez de danser seule et cela vous arrivera avant longtemps, j'en suis sûre.

Michèle sentit ses joues s'empourprer. Elle passa son costume puis se tourna vers sa compagne pour qu'elle l'aide à l'attacher.

— Marie, ne parlez pas ainsi. Si les autres vous entendaient ? Vous savez que ce soir, c'est ma première apparition sur scène !

— Peu m'importe, dit catégoriquement Marie. Vous dansez depuis longtemps et, maintenant, vous avez assimilé tout ce que vous ne saviez pas. Vous êtes très, très forte. Pourquoi croyez-vous que Denise vous déteste tant ?

Michèle soupira et retint sa respiration tandis que son amie laçait sa taille.

— Je pense que Denise déteste tout le monde, du moins toutes les autres danseuses !

— Non. (Le ton de Marie était catégorique.) Elle ne perd pas son temps à détester celles qu'elle tient pour incapables de rivaliser avec elle. Sa haine est proportionnelle au talent de l'autre et on dirait qu'elle vous déteste vraiment très fort, Michèle.

— Alors, il faut prendre cette haine comme un compliment.

Marie, ayant terminé le laçage du costume de Michèle, la fit tourner pour la regarder en face.

— C'est un peu vrai, mais Denise peut être une ennemie dangereuse, ne l'oubliez jamais. Elle n'a pas de cœur, personne ne l'intéresse, sauf elle. Prenez garde !

— On me l'a déjà dit, mais je ne comprends pas pourquoi. Après tout, que pourrait-elle faire ? A-t-elle causé du tort à quelqu'un, dans le passé ?

Lentement, Marie hocha la tête.

— Ce serait difficile à prouver devant un tribunal, mais quelque chose de bizarre est arrivé. Il y avait une jeune fille, Renée, une très bonne danseuse du corps de ballet. Denise en faisait partie aussi, à l'époque, et toutes deux étaient de la même force. Il se présenta un rôle, un petit rôle pour une danseuse, et M. Dampierre hésitait entre elles. Durant la représentation précédant l'annonce de sa décision, Renée trébucha sur quelque chose au moment d'entrer en scène et se cassa la cheville. Denise eut le rôle. C'était peut-être une coïncidence qu'elle se soit trouvée devant Renée au moment où elles entraient sur scène. On n'a rien pu prouver, mais on a fait pas mal de conjectures.

— Vous venez de le dire, c'était peut-être une coïncidence.

— Une fois, oui, ce peut être une coïncidence, mais c'est arrivé plusieurs fois encore, et toujours à des danseuses qui étaient de la même force que Denise. C'est pourquoi je me suis sentie obligée de vous avertir.

Michèle, inquiète, hocha lentement la tête.

— Merci. Je ferai attention, soyez-en sûre. Je surveillerai Denise.

Un coup frappé à la porte les avertit qu'elles n'avaient plus que quelques minutes avant le lever de rideau, et Michèle se tourna vers le miroir, le cœur battant, pour faire une brève retouche à son maquillage.

Il était arrivé, le jour pour lequel elle avait tant travaillé. Brusquement, bonheur et gratitude l'envahirent, puis ce fut le moment d'entrer en scène et d'affronter le public. L'heure était venue d'accueillir hardiment cet avenir dont elle rêvait depuis si longtemps.

10

Michèle, gracieuse dans sa robe à paniers, attendait dans les coulisses, avec tout le corps de ballet, le signal de leur entrée; elle regardait attentivement autour d'elle pour se rappeler à jamais les moindres détails de ce moment. Ici, il faisait sombre, mais la scène n'en paraissait que plus vivement éclairée. A la lueur des centaines de bougies dont la lumière était réfléchie par des plaques de cuivre, les décors semblaient animés d'une vie magique et les danseurs du pas de deux, plus grands que nature.

Enfin les membres du corps de ballet entrèrent en scène, un par un, au rythme de la musique, et Michèle éprouva un élan de bonheur presque insupportable.

L'avertissement de Marie lui revint à la mémoire, mais comme elle évoluait assez loin de Denise, elle le chassa de son esprit et se concentra sur ce qu'elle devait faire.

Le ballet prit fin beaucoup trop vite, lui sembla-t-il, et tous et toutes s'inclinèrent sous un tonnerre d'applaudissements. A cause des lumières, elle ne pouvait distinguer les visages des spectateurs, mais elle entendit la voix d'André, criant « Bravo! Bravo! » plus fort que tout le monde.

Dans la petite loge, Michèle, en sueur et presque

pâmée d'émotion, joua des coudes pour se faire de la place, afin de pouvoir se changer. Les jeunes filles bavardaient et riaient et elle fit de même. Puis elle leva les yeux et croisa le regard froid de Denise de Coucy.

Michèle se détourna et entendit la voix de Marie Renaud qui s'adressait à elle.

— Cela s'est bien passé, n'est-ce pas ? Louis n'a-t-il pas merveilleusement dansé ? Il faisait un beau couple avec Cybella.

Michèle hocha la tête.

— Louis a été extraordinaire ! Et Cybella aussi, bien sûr, comme d'habitude.

A ce moment, on frappa à la porte. Une danseuse à demi rhabillée entrouvrit, en se dissimulant derrière le panneau.

A cause de la cohue, Michèle ne put voir qui se tenait sur le seuil, mais elle entendit des exclamations, puis son nom.

Il fallut un moment à la jeune danseuse qui avait ouvert la porte pour arriver jusqu'à elle, portant un énorme bouquet de roses ; leur parfum envahit aussitôt la petite pièce.

— C'est pour vous, Michèle. Un commissionnaire vient de les apporter.

Toutes les danseuses se pressèrent autour d'elle et Michèle se sentit rougir d'embarras. Il arrivait que la danseuse étoile reçoive quelque bouquet après un spectacle, mais c'était un événement extraordinaire pour une jeune fille du corps de ballet.

Ce doit être André, se dit Michèle ; il n'aurait pas dû. Les autres vont penser que je me crois supérieure à elles.

— Qui est-ce ? demanda Marie en s'emparant de la carte de visite cachée parmi les fleurs. Voyons !

Michèle la regarda lire, avec appréhension. Pourquoi faire toute cette histoire ?

Marie sourit.

— Voilà ce qu'il y a d'écrit. *A une très jolie jeune fille qui est aussi une merveilleuse danseuse. Accepteriez-vous de souper avec moi ce soir ?*

— Mais de qui est-ce, espèce de serine ? cria une autre danseuse. Est-ce que c'est un secret ?

Les yeux de Marie exprimaient la surprise.

— C'est d'un Anglais, lord Bayington.

Michèle, s'attendant à entendre le nom d'André, fut aussi étonnée qu'elle.

— Lord Bayington ? Qui est-ce ?

On lui répondit par une tempête de rires. Marie secoua la tête, en souriant tendrement.

— Oh ! Michèle, vous êtes impossible ! C'est l'un des hommes les plus beaux et les plus riches de toute l'Angleterre, et il réside depuis plusieurs mois à Paris, chez sa tante. Vous êtes d'une candeur ! Ne prêtez-vous jamais attention aux potins ?

Elle tendit les roses à Michèle qui les prit avec précaution.

— Vous ferez bien de prendre garde, Michèle, dit Félice, une petite brune au sourire piquant. On dit que c'est un terrible roué, mais un roué généreux. Allez-vous accepter son invitation ?

Michèle, gênée, secoua la tête.

— André et Mme Dubois ont prévu un petit souper pour moi ; et puis, je ne connais pas ce monsieur.

— Il n'est pas nécessaire de connaître un monsieur pour aller souper avec lui. (C'était Céleste, une danseuse un peu plus âgée que les autres.) J'aurais aimé qu'il me le demande, à moi. J'aurais bien besoin d'un soupirant riche et généreux ! Bien besoin !

Les autres jeunes filles éclatèrent de rire et Michèle enfouit son visage dans les fleurs pour dissimuler sa confusion. Elle sentit une main se poser sur son épaule. C'était Marie.

— Il faudrait au moins lui répondre, Michèle. Le commissionnaire attend.

— Mais je ne sais pas quoi dire !

Marie sourit.

— Je vais vous aider. Vous ne voulez pas le mettre en colère, j'en suis sûre, même si vous pensez qu'il faut refuser son invitation. Dites au commissionnaire que vous êtes désolée, que vous avez déjà une autre invitation. Mais que peut-être, une autre fois, s'il était assez bon pour vous inviter de nouveau...

Michèle la regarda, horrifiée.

— Mais ce n'est pas vrai ! Je veux dire, je ne suis pas du tout désolée et je ne souhaite pas l'encourager !

Marie soupira.

— Oh, Michèle... vous êtes tellement... tellement américaine ! Ce n'est qu'un jeu, voyez-vous, et ce serait bon pour votre réputation que l'on sache que lord Bayington vous courtise.

Michèle secoua la tête avec obstination.

— Non, je ne mentirai pas. Dites à cet homme de transmettre à lord Bayington mes remerciements les plus sincères pour les fleurs et son mot aimable, mais que je suis déjà engagée ailleurs. C'est tout.

Marie dut s'avouer vaincue et haussa les épaules.

— Très bien, si c'est ce que vous voulez, mais ce n'est pas ainsi que l'on agit habituellement.

Michèle la regarda se diriger vers la porte.

Pourquoi les relations entre les hommes et les femmes devaient-elles ressembler à un jeu ? Pourquoi un homme et une femme ne pouvaient-ils être francs et directs l'un avec l'autre ? Etait-ce si difficile, si bizarre qu'il en soit ainsi ?

Pour la première fois de la soirée, elle pensa à Arnaut Dampierre et s'aperçut, avec surprise, qu'elle pouvait le faire sans avoir aussitôt envie de pleurer.

140

Les roses étaient si belles que Michèle ne put se décider à les abandonner. Aussi les portait-elle à la main lorsqu'elle sortit de la loge pour rejoindre André et Mme Dubois.

Le visage illuminé de plaisir, son professeur la serra dans ses bras.

— Vous avez été merveilleuse, Michèle ! s'exclama-t-il. Vous étiez si belle, n'est-ce pas, Renée ?

Mme Dubois hocha la tête en souriant.

— Michèle, vous avez été parfaite ! Si vous aviez entendu les commentaires du public !

Ravie mais gênée par leur enthousiasme, elle les embrassa sur les deux joues.

— Chut ! Ne dites pas des choses comme ça. Je ne suis qu'une danseuse du corps de ballet. Pourquoi m'aurait-on remarquée ?

Mme Dubois rit en lui tapotant l'épaule de son éventail.

— Pourtant, quelqu'un l'a fait, ou bien auriez-vous cueilli ces roses dans votre loge ?

Michèle rougit.

— Un monsieur me les a envoyées... Il voulait souper avec moi.

— Comme c'est gentil à lui ! s'écria Mme Dubois. Qui était-ce ?

— Un Anglais. Lord Bayington.

André et Mme Dubois éclatèrent de rire.

— Vous voyez, dit André en s'essuyant les yeux avec son mouchoir de dentelle. Nous vous disions que l'on vous avait remarquée. Vous avez retenu l'attention de l'un des hommes les plus riches d'Angleterre. Et il n'était pas le seul. J'ai entendu des commentaires dont le moins flatteur, c'était que vous tranchiez sur le corps de ballet comme une rose au milieu d'un carré de choux !

Michèle secoua la tête, peinée.

— Comment pouvez-vous dire des choses pareilles ? Il y a tant d'excellentes danseuses dans la troupe. Pourquoi m'aurait-on particulièrement remarquée ?

André devint grave.

— Je ne vous taquine pas, Michèle, et je ne vous flatte pas non plus, quoi que vous pensiez. Ce que nous disons est vrai. Vous avez un talent personnel et original. Même si vous essayiez de vous conformer aux autres, de vous fondre dans le groupe, vous ressortiriez. Ce n'est peut-être pas à souhaiter pour une danseuse du corps de ballet, mais c'est excellent pour une première danseuse.

Michèle baissa les yeux.

— Mais je ne suis pas une première danseuse, je n'ai même pas de petit rôle. Il ne faut pas que l'on me distingue. M. Dampierre va être furieux contre moi, ajouta-t-elle d'un ton découragé. Il a souvent dit que, dans le corps de ballet, il nous fallait jouer et danser comme si nous ne formions qu'un seul être.

André lui présenta le bras.

— Ne vous inquiétez pas, Michèle. Vous serez peut-être obligée de faire des efforts pour que l'on ne vous remarque pas, mais vous ne danserez pas longtemps ainsi. Vous serez bientôt soliste, vous verrez !

Les remarques d'André avaient contrarié Michèle ce soir-là, mais ces prédictions se réalisèrent.

Tout d'abord, Dampierre lui fit la morale, formulant exactement les remarques qu'elle lui avait prêtées ; et sachant qu'il avait raison, elle essaya de modeler le plus possible ses mouvements sur ceux des autres. D'une certaine façon, elle y réussit ; cependant on la remarquait toujours, on parlait toujours d'elle, on lui envoyait des billets et des bouquets de fleurs qui la culpabilisaient.

Lorsqu'elle en parla à Mme Dubois, celle-ci éclata de rire.

— Oh, mon Dieu! Ne vous mettez pas martel en tête pour une semblable raison. Il n'y a rien là d'extraordinaire. Le public a ses favorites, cela fait partie du plaisir que l'on prend au spectacle. Comment croyez-vous que la Camargo a débuté sa brillante carrière? Elle dansait dans le corps de ballet. Ce sont ses qualités personnelles qui l'ont fait distinguer par le public et c'est cette popularité qui a fait d'elle une première danseuse! Alors, ne vous désolez pas. Au contraire, réjouissez-vous, car cela veut dire que, bientôt, vous danserez de petits solos, et puis des premiers rôles, et votre carrière sera assurée.

Ces paroles la réconfortèrent un peu, mais elle avait encore à compter avec la jalousie des autres danseurs. Certains, comme Marie et Louis, se réjouissaient de son succès, d'autres s'y résignaient, sachant qu'on ne pouvait changer le cours des choses. Mais d'autres encore, et surtout Denise de Coucy et Roland Maraise, se montraient ouvertement hostiles et Michèle songeait souvent à l'avertissement de Marie. Elle essayait d'éviter Denise le plus possible. Jusqu'à présent, il n'y avait eu aucun « accident ».

Dampierre lui faisait maintenant travailler de petits rôles de caractère, ainsi qu'à Denise, et Michèle était heureuse, plus qu'elle ne l'avait été depuis bien longtemps.

Elle s'était résignée au refus de Dampierre. Il lui laissait voir qu'il avait une tendre affection pour elle tout en gardant un comportement sévère, et cela lui suffisait, en quelque sorte. Car elle se consacrait corps et âme à son art. Elle savait qu'elle était devenue une bonne danseuse. Elle avait maintenant trouvé sa voie.

Un jour, Dampierre annonça qu'il avait écrit un

nouveau ballet, inspiré du conte de fées *la Belle et la Bête.*

Cette nouvelle provoqua une grande excitation et quelque tension parmi les danseurs qui se demandaient à qui seraient distribués les rôles importants. Presque tous supposaient que Cybella et Roland auraient les deux principaux rôles, mais il restait ceux de second plan et chacun nourrissait quelque espoir de s'en voir attribuer un.

Dampierre mit bientôt fin à cette incertitude.

— J'ai beaucoup réfléchi aux rôles de ce ballet. Cybella jouera la Belle et Louis la Bête, car il est aussi bon acteur que bon danseur. Il faut que la Bête soit sympathique. Maintenant, passons aux autres rôles. Roland, vous serez le père car vous êtes grand et bien découplé, ce qui ajoutera de l'autorité au rôle. Et vous, Michèle, vous danserez la sœur de la Belle. Ce n'est pas un grand rôle, mais cela vous donnera une chance de voir comment vous vous débrouillez seule. Maintenant, tous à la barre ! Demain, nous commencerons à travailler le nouveau ballet !

Michèle n'en croyait pas ses oreilles. Elle avait un rôle de caractère ! Elle était folle d'excitation et jeta un coup d'œil à Louis afin de partager sa joie avec lui. Ce faisant, son regard croisa celui de Denise dont les yeux exprimaient la haine à l'état pur ; Michèle faillit reculer face à cette pulsion de fureur que la jeune fille n'avait pu dissimuler. Puis, elle se raidit et la fixa froidement dans les yeux. Pourquoi se laisserait-elle intimider ? Si Denise avait manigancé des « accidents » pour nuire à ses rivales, elle, au moins, était avertie et prendrait ses précautions. Denise ne trouverait pas en elle une victime facile, elle était décidée à lui résister.

Il y eut d'autres regards d'envie, bien sûr, mais la plupart des danseurs et des danseuses félicitèrent Michèle et lui souhaitèrent bonne chance.

Dès ce moment, elle fut plus occupée que jamais, car il y avait des séances supplémentaires pour le nouveau ballet. Michèle n'eut plus le temps de faire autre chose, mais cela lui était égal.

Le solo que Dampierre avait créé pour la sœur de la Belle était vif et gracieux, et elle prenait grand plaisir à le travailler. En fait, tout lui plaisait dans ce ballet et elle s'éveillait, chaque matin, heureuse et pleine de courage.

Elle écrivit à sa mère pour lui faire part de la chance qui lui était donnée et lui dire combien elle serait heureuse qu'elle soit là pour la première. Hannah lui écrivait régulièrement, mais le temps que les lettres traversent l'Océan, les nouvelles qu'elles apportaient étaient déjà vieilles de plusieurs mois. Seule l'affection qu'elles transmettaient résistait au long voyage et Michèle savait qu'elle manquait autant à sa mère que celle-ci lui manquait.

Elle avait presque oublié l'avertissement de Marie, lorsque survint un fâcheux incident. Michèle avait l'habitude de partager ses déjeuners avec l'un ou l'autre de ses amis, habituellement Louis, Marie ou Café au Lait.

Ce jour-là, elle déjeunait avec Louis et Marie lorsque cette dernière, arrivée au milieu du repas, fut prise d'un malaise soudain. Son visage blêmit et des gouttes de sueur perlèrent à son front ; elle se plia en deux, se tenant le ventre et gémissant. Ses amis s'efforcèrent de la réconforter. Pour finir, Michèle dut l'emmener dans le vestiaire où elle fut prise de terribles vomissements.

Après qu'elle eut installé son amie sur l'une des paillasses, Michèle revint auprès de Louis.

— Que peut-elle avoir ? Elle allait parfaitement bien avant de commencer à manger.

Louis, l'air grave, se pencha vers elle.

— Vous avez donné la réponse vous-même. « Elle

allait parfaitement bien avant de commencer à manger. » Regardez. (Il lui montra le reste du gâteau de riz auquel Marie avait touché.) Sentez-le, Michèle.

Elle se pencha et sentit une odeur étrange, un peu âcre. Elle leva les yeux sur Louis, d'un air interrogateur.

— Je pense qu'on a ajouté quelque chose à ce gâteau, dit-il. Quelque chose qui devait vous rendre malade.

Michèle eut un frisson de colère, de peur et de dégoût.

— Me rendre malade ? Mais qui... ? Oh ! s'exclama-t-elle à voix basse mais avec force, et ses regards se tournèrent vers le coin où Denise et Roland étaient installés. Ils se parlaient à voix basse, tête contre tête.

— Vous voulez dire, Denise ? demanda-t-elle à Louis.

— C'est probable...

— Et cela m'était destiné ?

— J'en suis sûr. Pas vous ? Vous avez seulement eu la chance de manger plus lentement.

— Pauvre Marie ! Si c'est vrai, comment Denise a-t-elle pu faire une chose aussi horrible ? Marie m'avait avertie que les danseuses qu'elle considérait comme ses rivales avaient eu d'étranges accidents, mais de là à empoisonner quelqu'un !

Louis haussa les épaules.

— Ce ne doit pas être du poison. Probablement quelque chose qui vous aurait simplement rendue malade, de sorte que vous n'auriez pas pu danser pendant plusieurs jours, et alors Denise se serait trouvée là au bon moment. Elle en est tout à fait capable, croyez-moi.

Michèle regarda les divers plats d'un air consterné.

— Je me demande si seul le gâteau de riz a été...

— On ne peut être sûr de rien, sauf à l'odeur. J'ai un très bon odorat et j'ai tout senti. Il n'y a qu'une autre chose de suspecte, c'est le chocolat. Je crois que le reste est bon. Vous n'avez presque rien mangé, Michèle. Prenez un peu de poulet, il est délicieux.

Mais Michèle refusa d'un geste. Elle avait soudain perdu tout appétit. Comment pouvait-on être assez abject pour faire une chose pareille ? C'était affligeant et effrayant. Il fallait démasquer Denise, mais comment ? Si elle en parlait à Dampierre, on la traiterait de mauvaise langue ; et puis, elle n'avait aucune preuve, ce n'était qu'une supposition. Elle ne pouvait que rester sur ses gardes ; et c'était une idée si déprimante que d'avoir à se protéger de l'une de ses camarades.

Trois jours plus tard, Michèle trouva un éclat de verre dans son chausson de danse ; un morceau pointu qui lui aurait fait une vilaine coupure, si elle ne l'avait remarqué avant de le mettre.

Elle le montra à Louis, qui secoua la tête avec colère.

— Vous savez, j'ai presque envie de lui rendre la pareille. Il faut mettre fin à ses méfaits avant qu'elle ne blesse grièvement quelqu'un.

Michèle posa la main sur son bras.

— Non, Louis. Si vous faisiez cela, vous seriez aussi méchant qu'elle. Il doit exister un autre moyen.

Mais en pensant à Marie qui gardait toujours le lit, Michèle faillit changer d'avis. Peut-être que des gens comme Denise ne comprenaient pas d'autre langage... répondre à leur violence par la violence, les blesser autant qu'ils blessaient les autres. Mais son bon sens lui souffla d'attendre. Elle n'avait toujours pas de véritable preuve. Si on prenait Denise sur le fait, ce serait mieux. Oui, il fallait attendre.

Michèle continua donc à travailler de tout son cœur, faisant comme si de rien n'était, mais surveillant plus que jamais Denise.

Vint le temps d'essayer les costumes du nouveau ballet. Celui de Louis était splendide. Taillé dans un tissu fauve, de la couleur d'une peau de lion, et surmonté d'une coiffure en forme de crinière, il rendait Louis tout à la fois effrayant et pathétique, et c'était là ce que souhaitait Dampierre.

Les costumes des jeunes filles — ceux de la Belle et de sa sœur — étaient très simples, presque dans le style grec, et les danseuses s'exclamèrent en les voyant, tant ils étaient différents des robes à paniers qu'elles portaient habituellement.

— Eh bien, ils dévoilent terriblement les formes ! dit Marie à voix basse. Ce tissu léger va coller au corps.

— Oui, répliqua Dampierre qui avait surpris sa remarque. Il va « coller », comme vous dites, mais aussi flotter et ondoyer selon les mouvements du corps. Il y a longtemps que j'ai envie de me débarrasser du costume traditionnel, et ce ballet m'en offre l'occasion. Après tout, ce ne sera pas la première fois. La Sallé l'a déjà fait.

— Et cela a provoqué un scandale, dit Denise à voix haute. Eh bien, je suis contente de ne pas avoir à danser dans des vêtements aussi indécents !

Michèle et Marie échangèrent un regard entendu.

— Elle en meurt plutôt d'envie, de danser ainsi, chuchota Marie.

J'espère, pensa Michèle, que moi, je ne vais pas mourir en dansant ainsi !

Cette pensée la ramena à Denise. Il y avait sûrement un moyen de l'empêcher de poser ses petits pièges. Après y avoir beaucoup réfléchi, Michèle décida que Louis avait raison. Il fallait lutter avec les mêmes armes, si écœurant que ce fût.

Ce soir-là, elle se confia à André.

— Je pense que vous avez raison, lui dit-il après réflexion. La seule façon de contrecarrer ses projets, c'est de lui montrer que vous pouvez jouer au même vilain petit jeu. Venez. Je vais vous donner quelque chose qui ne lui fera pas de mal mais qui lui ôtera le goût de vivre et de danser pendant un petit bout de temps.

Le lendemain, armée du petit flacon contenant la préparation d'André, Michèle attendit que les autres soient tous dans la salle d'exercices, puis elle s'approcha du panier de Denise. Suivant les instructions d'André, elle déboucha la bouteille de vin rouge et y versa le contenu du flacon. Elle secoua vigoureusement afin de bien mélanger les deux liquides.

Elle arriva en retard à la barre mais supporta de bonne grâce la réprimande de Dampierre. Elle s'en consolerait, pensa-t-elle, en voyant la tête de Denise, à l'heure du déjeuner.

Lorsque tout le monde se fut installé pour la collation, elle chuchota à Marie et à Louis :

— Observez bien Denise, mais ne le laissez pas voir. Je lui ai préparé quelque chose qui lui servira de leçon.

Louis sourit largement et Marie étouffa un petit rire.

— Enfin ! Qu'avez-vous fait, Michèle ?

— Regardez. Vous verrez.

L'heure de la pause passa trop rapidement, comme d'habitude, et Denise ne parut pas remarquer les trois paires d'yeux fixées sur elle. Elle mangea de bon appétit et but abondamment, et chaque fois qu'elle le fit, Michèle éprouva un petit élan de satisfaction. Si la potion voulait bien agir, comme André l'avait promis...

— Regardez ! dit brusquement Louis. Regardez Denise !

Michèle vit pour la première fois une expression de peur se peindre sur le visage de la jeune fille. Elle devint pâle, fronça les sourcils et se prit le ventre à deux mains ; avec un gémissement, elle se leva d'un bond et courut, sans aucune grâce, se réfugier dans le vestiaire.

Louis tourna un visage radieux vers Michèle.

— C'est merveilleux ! Comment avez-vous fait ?

— J'ai seulement versé dans son vin une potion qu'André m'a donnée, répondit-elle en souriant. Un médicament très puissant qui va faire effet tout l'après-midi, et peut-être une bonne partie de la nuit. Cela devrait l'assagir un peu, et demain, je lui dirai qu'elle n'est pas la seule à pouvoir jouer à de méchants petits jeux et que si elle me promet qu'aucun autre incident ne se produira, je me tiendrai aussi tranquille qu'elle.

— C'est formidable ! Je vous disais qu'il fallait combattre le feu par le feu. N'avais-je pas raison ?

Michèle hocha la tête.

— Oui, vaurien, mais je veux que vous sachiez que je ne suis pas vraiment d'accord. Pourtant, avec Denise, il n'y avait pas d'autre solution.

— Ce n'est que justice, dit Marie d'un air doux en mordillant dans une pomme. Je suis ravie que les forces s'équilibrent. C'est rassurant !

Ce fut ce même soir — lorsque Michèle rendit compte à André du succès de sa potion — que tous deux eurent finalement la conversation qu'il lui avait promise, lors de la première réception de Mme Dubois.

Ils étaient en train de rire en évoquant Denise courant sans cesse aux toilettes, lorsque Michèle posa la main sur le bras d'André.

— C'est notre premier tête-à-tête depuis des semaines. Vous vous rappelez que vous m'avez promis de m'éclairer sur votre « horrible » passé.

Elle sourit en disant ces mots, pour en adoucir le mordant. Celui d'André s'évanouit.

— Naturellement, je ne m'en souviens que trop et

150

je voudrais bien ne vous avoir jamais fait cette promesse.

— Pourquoi, André ? Nous sommes assez bons amis tous les deux pour pouvoir en parler. Et puis, c'est vous qui avez proposé de le faire. Je ne vous avais rien demandé.

Il lui prit la main.

— Vous avez raison, Michèle, mais j'ai parlé trop vite, et peut-être sottement. C'est... c'est un sujet qu'il m'est très difficile d'aborder. Et très douloureux.

Michèle pressa sa main entre les siennes.

— André, vous savez combien j'ai d'affection pour vous. Vous avez été à la fois un oncle et un frère aîné pour moi, et maintenant que papa a disparu, vous avez pris sa place. Je ne veux pas vous rendre malheureux, vous le savez, mais je ne peux plus supporter de ne pas en savoir davantage. Cela me déconcerte et me tourmente.

Il soupira.

— Très bien, ma chère enfant. Nous allons en parler mais ce sera la dernière fois que j'aborderai ce sujet. J'espère seulement que vous n'allez pas me mépriser ou me détester après que je vous aurai conté mon histoire.

— Rien ne pourra changer mes sentiments pour vous.

Elle se pencha pour l'embrasser sur la joue. Il soupira de nouveau.

— Je voudrais bien qu'il en soit ainsi, mais il y a tant de choses, en ce monde, que vous ne soupçonnez pas, Michèle, et vous aurez peut-être du mal à les comprendre.

Elle lui tapota la main.

— André, vous voulez dire que je suis naïve ? Si oui, je prendrais cela pour une insulte !

— Non, vous n'êtes pas vraiment naïve, Michèle, mais vous avez mené une existence disons « protégée ». Williamsburg est une petite ville plutôt collet monté, selon les critères européens, et vous avez passé la plus grande partie de votre vie à Malvern, une vie d'une élégance raffinée, à l'écart du monde. Il y a certaines choses dont vous n'avez jamais entendu parler.

— Comme « les arracheurs de palissades » ?

Il prit un air peiné.

— Oui, comme « les arracheurs de palissades ». La première chose que je dois faire, c'est vous dire ce que cela signifie.

— Oh ! Albion Villiers l'a déjà fait. Il m'a raconté une histoire sur le jeune roi et ses amis, mais je n'ai pas très bien compris.

André la regarda droit dans les yeux.

— C'est très simple. Certains hommes, et aussi certaines femmes, sont incapables d'aimer vraiment une personne du sexe opposé. Ils ne peuvent aimer que quelqu'un de leur propre sexe.

Michèle s'efforça de saisir le sens de ces paroles.

— Vous voulez dire qu'ils aiment vraiment... c'est-à-dire que, physiquement, ils...

André sourit tristement.

— Oui, ma chère Michèle. Physiquement aussi. Ils s'aiment comme le feraient un homme et une femme.

Michèle réfléchit un moment puis rougit de gêne.

— Mais comment ? demanda-t-elle enfin à voix basse.

André la regarda d'un air sévère.

— Non, pas cela... C'est déjà beaucoup que j'aie été obligé d'aborder ce sujet.

— Et vous êtes ainsi ? L'un de ces hommes qui aiment les autres hommes ?

— Oui, Michèle. Je n'en suis pas heureux pour autant, mais il en est ainsi. Aussi loin que je remonte dans mes souvenirs, j'ai su que j'étais « différent ».

— Même lorsque vous étiez petit garçon ?

— Oui, même alors. Souvent, je me disais qu'il s'était produit une erreur, que j'étais une petite fille dans un corps de garçon. Cela m'a rendu très malheureux, mais je ne peux rien y changer, quelles que soient les souffrances que cela m'a apportées.

Michèle éprouvait des sentiments divers, contradictoires, mais son affection pour André l'emporta.

— M. Villiers m'a parlé de l'incident qui vous a obligé à quitter Paris, dit-elle lentement. J'en suis très peinée pour vous, André.

Il haussa les épaules.

— Très souvent, les choses tournent beaucoup mieux qu'on ne s'y attendait. Si j'étais resté à Paris, je n'aurais pas rencontré votre mère, je ne vous aurais pas connue, et vous avez eu, toutes les deux, beaucoup plus d'importance dans ma vie qu'une éphémère histoire d'amour. Il est parfois difficile, pour un homme comme moi, de nouer une relation amoureuse durable, mais votre mère et vous m'avez donné ce qu'il y a de mieux, une famille.

— Mais, en Virginie, ne vous sentiez-vous pas... isolé ? dit Michèle en essayant de poser sa question avec le plus de délicatesse possible.

Son sourire se teinta de mélancolie.

— J'ai trouvé un peu de réconfort, ici ou là, bien que je me sois toujours montré très discret. Même dans les colonies, il y a des gens comme moi ; il faut seulement être plus prudent. Ici, c'est, sinon accepté, du moins souvent toléré. J'avais eu le malheur de choisir un amant dont le père était intolérant. Dans certaines civilisations, comme la Grèce antique, c'était tout à fait normal. Beaucoup de Grecs n'approchaient les femmes que pour avoir des enfants et réservaient leur amour aux autres hommes. Voilà mon histoire, Michèle, aussi sordide qu'elle puisse vous paraître. J'espère seulement que vous ne me détesterez pas trop, maintenant que vous savez.

Michèle, qui avait trouvé ces confidences bizarres mais fascinantes, s'empressa de secouer négativement la tête.

— Je vous avoue que je n'ai pas compris tout ce que vous avez dit. Je ne peux imaginer, par exemple, comment je pourrais faire l'amour à une autre femme, mais cela ne change rien à mes sentiments envers vous, mon cher André. Vous êtes toujours mon ami et mon professeur bien-aimé ; ce que vous faites en privé ne me concerne en rien. Comme vous l'avez dit, nous n'en parlerons plus, mais je vous remercie de vous être confié à moi et de m'avoir tranquillisé l'esprit.

Le lendemain, la confrontation avec Denise se révéla plus difficile qu'elle ne l'aurait cru. Comme André l'avait prévu, la jeune fille revint, moins dynamique que d'habitude et le visage encore très pâle.

Michèle s'approcha d'elle pendant la pause du déjeuner.

— On m'a dit que vous avez été prise hier d'un malaise, lors du repas. Je trouve cela un peu bizarre, pas vous ?

Denise la regarda, d'un air surpris et hostile.

— La même chose est arrivée à Marie, la semaine dernière, poursuivit Michèle, et elle a été obligée de rester chez elle plusieurs jours. J'espère que cela ne se reproduira pas. Mais je suppose que ce qui arrive à quelqu'un peut facilement arriver à quelqu'un d'autre. Si vous voyez ce que je veux dire...

Les yeux gris de Denise étaient devenus durs, ses lèvres se pincèrent. Elle ne répondit pas, mais Michèle était sûre qu'elle avait compris le sous-entendu.

— Je pense, continua-t-elle, que si une autre « maladie » ou un autre « accident » survenait subitement, cela toucherait quelqu'un en retour. C'est pourquoi j'espère qu'il n'arrivera plus rien aux membres de notre troupe. Vous êtes d'accord avec moi, Denise ? Bien d'accord ?

Denise finit par répondre, d'une voix maussade, les yeux baissés :

— Oui, je suis d'accord.

Michèle alla rejoindre Louis et Marie ; elle se sentait soulagée. Au moins, maintenant, Denise savait que d'autres étaient au courant de ses vilenies et que, si elle continuait, il y aurait des représailles. Le problème était donc résolu.

C'était le soir de la première de *la Belle et la Bête*. Dans la loge, Michèle éprouvait le trac qui lui était maintenant familier. Tous les gens qu'elle connaissait à Paris étaient dans la salle, ou dans les coulisses, et ils la regarderaient tous faire ses vrais débuts.

S'en tirerait-elle bien ? Ne commettrait-elle pas quelque faute ?

Sur le moment, elle eut l'impression de ne même plus se souvenir des premiers pas de son entrée en scène. Son esprit était empli de peur et de doute et elle craignit de s'évanouir.

Elle jeta un coup d'œil sur son costume. Il était joli mais le public n'était pas habitué à ce style. Bien sûr, elle n'entrerait pas seule sur scène, Cybella serait avec elle et son costume était semblable au sien. Pourtant Michèle se sentait particulièrement exposée aux regards sous cette étoffe trop légère. Il est vrai que la Sallé était apparue dans un vêtement similaire, quelques années auparavant, mais les spectateurs avaient été choqués, et ils allaient sans doute l'être maintenant. Quoi qu'il en fût, il était trop tard pour reculer.

Elle entendit les premières mesures de l'ouverture. Elle termina son maquillage et tapota ses cheveux de ses mains tremblantes. Le moment était arrivé de prendre place dans les coulisses avec Cybella qui lui sourit et lui caressa la main ; puis elles entrèrent en scène et Michèle oublia tout, sauf la musique et la danse.

Les applaudissements étaient assourdissants et l'on criait « Bravo ! bravo ! ». *La Belle et la Bête* de Dampierre avait obtenu un succès retentissant.

Il y avait eu quelques exclamations indignées lorsque Cybella et Michèle étaient apparues dans leurs tuniques vaporeuses, mais il ne s'agissait que de spectateurs isolés. Le reste de la salle parut ravi et sut apprécier la liberté que ces costumes laissaient aux danseuses.

Michèle avait été gênée par l'attention qu'elle avait suscitée, dans le corps de ballet ; mais maintenant, elle était au comble de la joie. Elle n'avait jamais vu autant de fleurs. Et les billets ! Certains suppliaient pour obtenir un rendez-vous, d'autres l'invitaient à souper ; tous lui déclaraient une passion éternelle.

Elle avait à la fois envie de pleurer et de rire.

La seule chose qui lui manquait ce soir, c'était la présence de sa mère. Si seulement Hannah était là pour partager sa joie et son triomphe ! Michèle se demanda ce que sa mère faisait en cet instant, là-bas, à Malvern.

11

A Malvern, le temps de la cueillette était arrivé, et selon toute apparence, la récolte serait exceptionnelle. Tout le monde, sauf les domestiques, travaillait dans les champs du lever du jour jusqu'à son coucher ; même les enfants s'y mettaient. Les ouvriers tiraient un grand sac derrière eux, attaché à leurs épaules par une sangle ; lorsqu'il était plein, ou devenait trop lourd pour être traîné par les enfants ou les femmes, on le vidait dans une carriole arrêtée à l'extrémité des rangées de cotonniers.

Hannah aussi était debout dès l'aube et restait dans les champs jusqu'à la fin de la journée de travail. Nathaniel Bealls, sur son grand cheval gris, se multipliait. Hannah n'avait plus eu d'ennuis avec lui.

Ils ne se parlaient que lorsque c'était nécessaire et le régisseur était toujours très poli ; mais une fois ou deux, elle l'avait regardé à l'improviste et avait surpris la colère qui couvait dans ses yeux. Elle savait qu'il lui en voulait de l'avoir humilié ce jour-là, dans son bureau ; elle le surveilla de près pendant quelque temps, de peur qu'il ne tente d'endommager la récolte de coton. Mais il continua à accomplir assidûment ses devoirs et elle relâcha peu à peu sa vigilance. Elle était cependant toujours décidée à le congédier après la récolte.

Jules Dade ne s'était plus manifesté ; elle n'avait reçu aucune nouvelle de lui. Elle attendait avec impatience le jour où, la récolte vendue, elle pourrait le rembourser. Afin de hâter ce moment, dès que les deux tiers du coton furent cueillis et transportés dans la remise, Hannah mit la moitié de ses ouvriers à la lente besogne qui consiste à séparer le duvet du coton des graines. Elle prenait un gros risque et Nathaniel Bealls ne manqua pas de le lui faire remarquer.

— Je vous déconseille de faire cela, madame Verner, dit-il d'un air sévère. Nous avons eu beaucoup de chance avec le temps qu'il fait, mais cela peut changer d'un jour à l'autre. Maintenant que les capsules sont ouvertes, une averse de grêle, ou même une forte pluie, pourrait les arracher des tiges. Je vous conseille de finir la cueillette avant de commencer la séparation.

— Vous êtes mon régisseur, Nathaniel, dit-elle avec hauteur. Mais je suis la propriétaire de Malvern et c'est moi qui donne les ordres.

— Très bien, madame. (De sa cravache, il fouetta sa botte.) Si tel est votre désir, qu'il en soit ainsi. Mais je veux que vous sachiez que je ne suis pas d'accord.

Hannah hocha froidement la tête en se redressant de toute sa taille.

— J'ai bien entendu, monsieur Bealls.

Elle était loin de se sentir aussi sûre d'elle qu'elle voulait le faire croire. Il avait raison : le reste de la récolte pouvait être détruit en une demi-heure par le mauvais temps. Peut-être se montrait-elle obstinée et imprudente ; mais il fallait qu'elle se dégage vite de sa dette vis-à-vis de Dade, et cela ne serait possible qu'une fois la récolte vendue. En un sens, elle avait de la chance — le prix du coton n'avait jamais été aussi élevé.

Durant les deux semaines que prit la cueillette,

Hannah ne vit Court qu'une seule fois. Elle lui avait demandé de ne pas venir car elle allait être très occupée.

La première semaine, il n'était pas venu, mais la deuxième, à son jour habituel, elle vit sa voiture s'engager dans l'allée. Son cœur se mit à battre de plaisir. Elle était cependant un peu agacée de cette intrusion. Elle avait passé plus de la moitié de la journée dans les champs et il avait fait très chaud.

Elle se précipita vers son cheval, attaché à un arbre non loin de là, l'enfourcha et le lança au galop vers la maison. Elle arriva juste au moment où la voiture s'arrêtait devant le perron. Elle se retrouva sur le seuil en même temps que Court. Elle l'accueillit froidement devant le cocher et le précéda dans la maison.

— Court, je t'avais dit que je n'aurais pas le temps de te voir avant que la cueillette soit terminée, lui dit-elle à voix basse.

— Hannah chérie, cela fait dix jours de cela. Tu m'as manqué, terriblement, même si cela m'exaspère d'être obligé de le reconnaître.

— Toi aussi, tu m'as manqué, chéri, mais je n'ai pas le temps.

— Nous pouvons, tout de même, passer un petit moment ensemble. (Ses yeux brillaient de passion.) Je ne te retiendrai pas longtemps, je te le promets.

En dépit de son agacement, Hannah sentit le feu du désir monter en elle.

— Te rends-tu compte que nous nous conduisons comme deux jeunes amants ? C'est indécent à notre âge !

— Près de toi, Hannah, je me sens jeune.

Elle aussi se sentait rajeunir dans les bras de Court, mais vraiment le moment était inopportun. Ils étaient maintenant entrés dans la maison et il se dirigea vers le bureau.

Hannah le retint par le bras.

— Court, j'ai été dans les champs toute la journée. J'aurais besoin d'un bain, et de changer de vêtements.

Il se retourna pour la regarder des pieds à la tête.

— Je te trouve très bien comme cela. Dans ma jeunesse, j'ai souvent travaillé aux champs avec des femmes. Et culbuté plus d'une dans le foin. A l'improviste, pour ainsi dire. Cela donne du piment à la chose.

Elle prit un air dédaigneux.

— Un gentleman ne parle pas des dames avec lesquelles il a couché.

— Comme je te l'ai déjà dit, je n'ai jamais eu la prétention d'être un gentleman. Et l'on ne pourrait qualifier de dames les filles auxquelles je fais allusion.

— Alors, je crois que tu devrais avoir honte d'en parler !

— Dans ma vie, j'ai parfois éprouvé de la honte, après avoir fait certaines choses, mais jamais pour avoir culbuté une femme. (Il la prit par la main.) Maintenant, viens, Hannah. Je te veux comme tu es, sentant les champs, le soleil et le travail.

Comme d'habitude, dès qu'il la toucha, elle s'enflamma de désir et le suivit sans autre objection. Une fois dans le bureau, il poussa les verrous et se retourna pour la prendre dans ses bras. Son baiser était exigeant et Hannah frissonna tout entière.

Le fait de dérober, ainsi, en cachette, quelques moments d'une lourde journée de travail, les rend parfois plus érotiques. Les baisers, les caresses, les tentatives maladroites pour ôter leurs vêtements tout en se dirigeant vers le divan, tout cela augmenta leur désir au point qu'ils ne prirent même pas le temps de se déshabiller complètement.

Court releva les jupes d'Hannah, lui arracha ses sous-vêtements et la pénétra aussitôt.

160

Tout en feu, elle souleva ses hanches pour répondre à son premier élan. Elle noua ses jambes autour des reins de Court, s'agrippant des deux mains à son dos, et leur étreinte devint frénétique, intense. Hannah cria de jouissance, Court gémit et se raidit.

Tandis qu'ils s'abandonnaient sur la couche, les vêtements froissés, Hannah se sentit prise d'une chaude lassitude et perdit tout intérêt pour ce qui se passait dans les champs. Nathaniel était assez compétent pour s'occuper de tout.

Ce moment de plaisir, s'ajoutant à dix jours d'un dur travail, fit comprendre à Hannah combien elle était épuisée. Elle nicha sa tête au creux de l'épaule de Court ; il lui caressa les cheveux en lui murmurant à l'oreille d'absurdes petits mots d'amour. Elle s'endormit.

Elle reprit conscience lorsque les mains de son amant recommencèrent à lui caresser les cuisses ; il était prêt pour un deuxième assaut avant qu'elle soit vraiment réveillée.

— Encore ? Déjà ? murmura-t-elle.

— Ce n'est pas trop tôt, mon amour. Le soleil se couche. (Il hocha la tête en direction de la fenêtre.) Tu as dormi longtemps. Tu devais être épuisée, ma pauvre chérie.

— Oh, mon Dieu ! s'exclama-t-elle, inquiète. Je devrais être dans les champs.

Elle fit mine de se lever mais il l'en empêcha.

— Pourquoi ? Il fera nuit avant que tu n'y arrives. C'est beaucoup plus agréable d'être ici. (Sa caresse se fit inquisitrice.) Eh bien, tu es d'accord...

— Court chéri !

Elle céda, s'abandonnant avec bonheur. Rapidement, ils se retrouvèrent tous deux prêts à faire une fois encore l'amour, en une étreinte plus tendre et moins hâtive.

Court la prolongea, cette fois, procédant avec une

lenteur savante, maintenant Hannah immobile sur le divan jusqu'à ce qu'elle perde presque la tête à force de désirer la dernière explosion de jouissance.

Et puis, ils atteignirent ensemble le summum du plaisir. En cet instant, Court murmura :

— Hannah, ma chérie, je t'aime.

C'était la première fois qu'il le lui disait, mais le corps d'Hannah était encore en proie à une telle fièvre qu'elle ne prit pas tout de suite conscience de cet aveu.

Ce n'est que quelques minutes plus tard, lorsque tous deux reposaient, encore haletants, qu'elle s'en souvint.

— Court, tu viens de dire que tu...

Un coup frappé à la porte l'interrompit.

Elle se redressa, essayant de rabattre ses jupes, puis se rappela que le verrou était tiré.

— Qui est là ?

— C'est Nathaniel Bealls, madame. Je voulais vous dire que nous avons terminé le travail de la journée.

— Alors, que voulez-vous ? Je suis... je suis un peu souffrante. Trop de soleil, je pense.

Un court silence.

— Je me demandais seulement si vous n'aviez pas d'ordre à me donner.

— Non. Aucun. Je vous verrai dans la matinée, monsieur Bealls.

Elle écouta, retenant son souffle, l'imaginant en train de fouetter sans cesse sa cuisse de sa cravache. Puis elle entendit ses pas lourds s'éloigner dans le vestibule. Elle poussa un soupir de soulagement et se tourna vers Court.

— Il ne m'a pas crue. Il sait que tu es ici avec moi. Comment pourrait-il l'ignorer, alors que ta voiture et ton cocher t'attendent toujours ?

Court haussa les épaules d'un air indifférent.

— Qu'importe qu'il le sache ? Il n'a rien à y voir. Il

162

est ton régisseur, Hannah, et tu es la maîtresse de Malvern.

— Tu ne le connais pas...

Elle s'interrompit, regrettant aussitôt ces paroles imprudentes.

Il lui saisit le poignet d'une main ferme.

— Je ne le connais pas ? Que veux-tu dire ? T'a-t-il fait ou dit quelque chose ? Si oui, il va le regretter !

— C'est seulement qu'il... (Elle hésita, se demandant si elle devait le lui dire, mais elle était allée trop loin pour se taire.) Tu sais, il nous a vus, la première fois que nous nous sommes embrassés, là-bas, au bord du ruisseau.

Court tressaillit.

— Oh ! le sale cafard ! Attends que je...

— Non, non ! (Elle mit son doigt sur les lèvres de Court.) Je suis sûre que c'est par hasard qu'il est passé par là, mais cela lui a donné l'audace de me faire des propositions. Ne t'inquiète pas : je l'ai remis tout de suite à sa place.

— Mais il a tout de même besoin d'une bonne raclée, Hannah, et je vais m'en occuper.

Elle poussa un soupir.

— Non, Court. Je ne veux pas de cela. Pas maintenant. C'est pour cela que je ne t'en avais pas parlé, par peur que tu réagisses ainsi. Si tu fais ou dis quelque chose, il s'en ira. Et je ne veux pas de cela, maintenant ; pas avant que le coton soit engrangé. Je le congédierai ensuite, j'en ai déjà pris la décision. Quels que soient ses défauts, c'est un très bon régisseur et j'ai besoin de lui. Promets-moi de ne pas agir à la légère.

Le visage de Court s'était empourpré, mais peu à peu, sa colère reflua.

— D'accord, Hannah, puisque tu insistes. Mais tu le regretteras peut-être. On ne peut faire confiance à un tel homme.

— Je sais comment m'y prendre avec lui, dit-elle, l'air plus sûre d'elle qu'elle ne l'était réellement.

Si Hannah avait pu lire, à ce moment, dans les pensées de Nathaniel, elle aurait été bouleversée.

Il était fou de rage. Au diable, cette femme ! Pensait-elle pouvoir le berner aussi grossièrement ? Il savait bien que ce dandy de Wayne était en train de la culbuter, dans le bureau.

C'était la dernière fois qu'il se laissait ainsi humilier. Il avait longtemps réfléchi à la proposition de Dade mais n'avait pas encore pris de décision. Maintenant, c'était chose faite.

Au lieu d'aller dîner, il se rendit directement dans sa chambre et changea de vêtements. Il faisait presque nuit lorsqu'il se glissa dans l'écurie, sella son cheval et partit au galop vers Williamsburg. Cet aller et retour abrégerait de beaucoup son sommeil, mais il pourrait tout de même faire son travail, demain, sans difficulté. Si par hasard, Mme Verner s'apercevait de son absence, il dirait qu'il avait eu envie d'aller voir les filles. C'était là une chose qu'elle devait pouvoir comprendre !

Il ne connaissait pas l'adresse de Dade, mais l'apprit en posant la question dans une taverne. Il fut surpris en voyant la demeure du prêteur sur gages. C'était une petite maison minable, en brique, aux confins de la ville, au milieu d'une cour envahie par les mauvaises herbes. Il était près de minuit lorsqu'il arriva et aucune fenêtre n'était éclairée.

Bealls descendit de cheval, marcha vers la porte à laquelle il frappa à grands coups. Ne recevant pas de réponse immédiate, il heurta de nouveau et continua jusqu'à ce qu'il voie la lumière vacillante d'une bougie derrière une vitre sale, et entende une voix irritée :

— J'arrive ! J'arrive, bon sang !

Nathaniel attendit avec impatience, en fouettant sa jambe avec sa cravache. La porte s'entrouvrit et le visage de Dade apparut, éclairé par la flamme.

— Qui vient, à cette heure de la nuit, troubler le sommeil d'un chrétien ? ronchonna-t-il.

— C'est Nathaniel Bealls.

— Monsieur Bealls !

Dade recula en ouvrant tout grand la porte. Il était vêtu d'une longue chemise de nuit, d'une fraîcheur douteuse, et d'un bonnet dont le pompon lui retombait sur l'œil.

— Que se passe-t-il de si grave que vous n'ayez pu attendre une heure décente ? demanda-t-il tandis que Nathaniel entrait.

— On fait la cueillette à Malvern, et je suis occupé du matin au soir. Je vais perdre la moitié d'une nuit de sommeil et vous, une heure ou deux seulement. Mais si vous ne voulez pas être dérangé, je peux facilement faire demi-tour et retourner à la plantation.

— Non, non, puisque vous êtes ici. Ce ne serait pas chrétien de refuser sa porte à un homme qui a fait une si longue route.

Nathaniel ne s'y trompa pas, car il avait vu s'allumer l'œil de Dade. Le prêteur sur gages brûlait de curiosité.

Dade lui fit traverser un salon en désordre et le conduisit à l'arrière de la maison, dans une pièce inconfortable où il n'y avait qu'un bureau, une chaise, et des registres qui s'empilaient jusqu'au plafond. Dade passa derrière le bureau, posa le bougeoir devant lui et s'assit. Il n'y avait pas d'autre siège et Nathaniel dut rester debout. Il se campa, les pieds écartés, les bras croisés sur la poitrine.

— Alors, monsieur, occupons-nous de votre affaire si urgente, dit le prêteur.

— Vous savez très bien de quoi il s'agit. (Nathaniel

parlait maintenant avec insolence car il détestait ce petit homme mesquin. C'était Dade qui avait besoin de lui, et non l'inverse.) C'est au sujet de la proposition que vous m'avez faite.

— Ah! Vous y avez réfléchi?

— Oui, et j'ai décidé d'accepter.

— J'en ai parlé il y a plusieurs semaines. Peut-être ai-je changé d'idée depuis.

— Je ne crois pas, Dade. Vous vouliez qu'Hannah Verner ne tire aucun profit de sa récolte de coton et celle-ci n'est pas encore prête pour la vente.

— Mais il ne reste plus beaucoup de temps, monsieur Bealls. (Dade repoussa le gland de son bonnet et regarda Nathaniel d'un air sournois.) Je pense qu'il aurait mieux valu venir me voir plus tôt.

— Pas pour ce que j'ai dans l'idée. Cela vous plairait-il de contrecarrer les plans de cette femme et, en plus, d'effectuer une bonne affaire qui rapporterait gros?

L'avidité brilla dans les yeux de Dade, mais il parla avec circonspection:

— Ce serait bien, certes. Mais qu'avez-vous exactement l'intention de faire?

— Discutons d'abord des termes de notre accord. Je veux ma part de cette entreprise.

— Je vous ai promis que vous gagneriez plus que les gages promis par la Verner.

— Ce n'est pas assez. Comme je vous l'ai dit, ce que j'ai projeté mettra non seulement son destin entre vos mains, mais vous rapportera gros. Et j'en veux la moitié.

— La moitié? (Dade eut un mouvement de recul.) Ne soyez pas trop avide, monsieur!

— Cela vous va bien de parler d'avidité, répliqua calmement Nathaniel.

Dade le regarda d'un air rusé.

— Avant d'établir notre accord, il faut que je

connaisse votre projet. Vous ne croyez pas que je vais acheter chat en poche, j'imagine !

— Si je vous expliquais mon plan d'abord, vous n'auriez plus besoin de moi.

— Vous n'avez pas confiance en moi, monsieur Bealls ? (Dade réussit à prendre un air offensé.) Nous allons bien nous associer, n'est-ce pas ? Une association ne peut prospérer si la confiance ne règne pas.

— Si associés il y a, nous le sommes pour commettre un délit et je n'ai aucune confiance en vous. Non, signons d'abord notre accord.

Dade soupira et tripota des papiers sur son bureau.

— Ce plan, dont vous parlez, provoquera la ruine de la Verner ?

— Je vous en donne ma parole.

Dade soupira de nouveau, puis sortit d'un tiroir une feuille de papier vierge, attira à lui une plume et un encrier et se mit à gribouiller quelques mots. Lorsque Nathaniel eut fini de lire, non sans difficulté car il n'était guère allé à l'école, il réclama quelques modifications. Au bout d'une demi-heure de chicaneries, ils se mirent d'accord et apposèrent leur signature au bas du document. Nathaniel avait obtenu la moitié du profit.

— J'ai fait une longue route, dit-il enfin, et j'ai encore plusieurs heures de cheval devant moi. Ne pourrions-nous boire un verre de porto, ou d'un alcool un peu plus vigoureux, en l'honneur de notre accord ?

Dade répliqua d'un air vertueux :

— Il n'y a pas d'alcool chez moi, monsieur Bealls. Satan s'en sert pour perdre l'esprit des hommes.

Nathaniel s'amusa de cette hypocrisie. Dade était trop avare pour offrir le moindre verre à un invité ; cela n'avait rien à voir avec Satan. Il trouva le petit homme encore plus détestable mais cela ne le détourna pas de son projet.

— Maintenant, votre plan, monsieur Bealls! dit avidement Dade.

Nathaniel esquissa rapidement ce qu'il avait projeté. Longtemps avant qu'il ait fini, Dade hocha la tête d'un air approbateur. Puis, il se frotta les mains d'allégresse.

— Ah, oui! Cela va marcher à merveille! Non seulement nous allons en tirer un profit rondelet, mais encore cela va forcer cette arrogante Verner à capituler, et Malvern sera à moi, à moi!

Lorsque la récolte fut terminée, Hannah mit tout le monde à la séparation des graines et du duvet. Laissant ses gens à la surveillance de Nathaniel, elle se rendit à Williamsburg et rencontra plusieurs acheteurs de coton. Ils parurent tous intéressés par son offre et lui promirent un bon prix. Le coton était encore une culture d'appoint dans le Sud, et la demande en provenance des filatures d'Ecosse et de celles, peu nombreuses, des Etats du Nord, ne faisait que croître. Hannah bénit Michael qui avait eu la prévoyance de consacrer une partie de Malvern à la plantation du coton.

Elle eut alors une idée. Pourquoi ne pas faire comme les producteurs de tabac et organiser une vente aux enchères? Cela marchait avec le tabac, pourquoi pas avec le coton? Dès qu'elle serait de retour à la maison, elle enverrait des lettres à tous les acheteurs, les invitant à se rendre à sa vente aux enchères, dans deux semaines. A ce moment-là, le coton serait prêt.

Il était tard dans l'après-midi lorsqu'elle eut terminé ses visites. Elle n'avait pas envie de revenir tout de suite à Malvern; son euphorie était si grande qu'elle voulait la partager.

Lorsque John l'aida à monter en voiture, elle lui lança :

— Je ne rentre pas tout de suite à la maison. Conduis-moi chez M. Wayne

Le visage du cocher resta impénétrable. Il se contenta d'incliner la tête.

— Bien, maîtresse.

Certes, Court ne l'attendait pas, mais n'était-il pas venu chez elle, à l'improviste, l'autre jour ? Une pensée vint la troubler. Et s'il y avait une femme chez lui ? Elle chassa cette idée, refusant d'envisager une telle éventualité.

Court répondit lui-même à son coup de sonnette.

— Hannah ! Quelle agréable surprise. (Il fronça les sourcils.) J'espère que rien ne cloche ?

— Non, non, tout va très bien.

Il recula pour la laisser entrer. Hannah s'avança dans le vestibule, regardant la porte du fond, celle qui était entrouverte lors de sa dernière visite.

— Il n'y a pas de femme ici, dit-il en souriant.

Hannah rougit.

— Je me demandais seulement pourquoi tu ouvrais toi-même. Où sont tes domestiques ?

Il haussa légèrement les épaules.

— Ils sont partis au marché. (Il eut une lueur de malice dans le regard.) Mais il aurait pu y avoir quelqu'un ici, ma chère. Les gens qui viennent vous rendre visite à l'improviste éprouvent parfois de déplaisantes surprises.

Elle refusa de mordre à l'hameçon.

— J'avais de si bonnes nouvelles à partager avec toi.

Elle se pendit à son bras. L'amusement de Court s'accrut.

— De quelles nouvelles s'agit-il, Hannah ?

Il l'introduisit dans le salon et elle attendit qu'ils soient assis côte à côte sur le divan. Se tournant vers lui, elle lui expliqua rapidement son idée de vente aux enchères.

— Je dois avouer, ma chérie, que tu possèdes un don pour les affaires. (Il avait l'air admiratif.) Même si tu as une défaillance, de temps à autre, comme cet emprunt contracté vis-à-vis de Dade.

— Je reconnais que c'était une erreur, mais cela va m'aider à la réparer. Si je vends ma récolte un bon prix, je pourrai le rembourser. Et la cueillette est faite, donc il ne peut plus rien arriver. Il suffit d'attendre que l'on ait séparé le duvet des graines. Court, quel soulagement !

Elle jeta les bras autour de son cou et l'embrassa. Il lui rendit son baiser avec ardeur et, comme toujours, leurs sens s'enflammèrent. Il la conduisit vers la chambre. Elle s'arrêta sur le seuil, regardant d'un air dubitatif la couche poussée contre le mur.

— La dernière fois que j'ai jeté un coup d'œil dans cette pièce, il y avait là une femme nue. Tu venais de sortir de ses bras.

Il l'attira dans la pièce et ferma soigneusement la porte.

— C'est du passé, ma chérie. C'était avant que je te connaisse, rappelle-toi.

Elle dit, d'un ton un peu acerbe :

— Soit, du moment que c'est du passé.

Sans répondre, il l'entraîna vers le divan et commença à la déshabiller. Elle se laissa faire. Il caressa lentement des doigts, puis des lèvres, sa chair nue. Hannah frissonna d'un vif plaisir. Lorsque ses seins furent libres, il baisa les mamelons dressés et en prit un entre ses dents, l'agaçant doucement.

— Court, Court ! dit-elle tendrement.

Enfouissant ses doigts dans sa chevelure, elle pressa son visage contre sa poitrine.

Ils se retrouvèrent bientôt nus et s'enlacèrent.

— M'aimes-tu, Court ? chuchota-t-elle avec ardeur. Dis-le-moi !

— Oui, oui, mon Hannah chérie, je t'aime ! Je t'aime de tout mon être.

— Et moi, je t'aime, chéri.

La nuit précédant la vente, Hannah se coucha, complètement épuisée. Elle n'avait pas arrêté de travailler depuis le lever du soleil. Tout était terminé. Les balles de coton étaient prêtes pour les acheteurs, tels des monceaux de neige vierge, fraîchement tombée.

Bien qu'elle ne s'attendît à aucun incident particulier, Hannah avait pensé qu'il valait mieux ne pas courir de risque ; elle avait demandé à trois de ses ouvriers de monter la garde toute la nuit devant la remise, avec ordre de ne laisser personne approcher, ni homme ni bête.

Hannah sombra tout de suite dans un sommeil sans rêves ; elle dormait si profondément qu'elle mit longtemps à reprendre ses esprits lorsqu'un coup frappé à la porte de sa chambre la réveilla. Elle leva la tête. Que se passait-il ? La pâle lueur de l'aube filtrait au travers des rideaux. La vente n'aurait lieu que dans l'après-midi. Pourquoi la réveillait-on ?

— Qui est-ce ? cria-t-elle. Qu'y a-t-il ?

— Madame, c'est John. Il faut que vous veniez tout de suite.

— Que se passe-t-il, John ? Quelque chose est arrivé ?

— Le coton, il a disparu !

— Disparu ! (Elle se redressa.) Mais c'est impossible !

— C'est vrai, je vous le jure ! Je vous en prie, venez !

Tout à fait réveillée, maintenant, elle se précipita hors du lit et passa rapidement un vêtement. Ouvrant la porte, elle aperçut le visage, habituellement impassible de John, profondément troublé et malheureux.

— Qu'est-il arrivé au coton ?

— Je n'en sais rien. Venez à la remise, maîtresse, je vous en prie.

Elle descendit l'escalier en courant, trébuchant presque dans sa hâte. Elle se précipita vers la grange et s'arrêta sur le seuil. Tout était vide. Elle courut d'un endroit à l'autre. Rien ! Le coton avait disparu.

Elle resta silencieuse, assommée, regardant autour d'elle sans y croire. C'était comme si un magicien maléfique avait visité la remise pendant la nuit et fait disparaître le coton par enchantement. C'est alors qu'elle vit les corps des trois hommes qu'elle avait chargés de monter la garde. Elle regarda John.

— Non, ils ne sont pas morts, dit-il d'un air grave. Ils dorment d'un sommeil de plomb mais ils sont vivants. Je présume qu'on les a drogués.

Soudain, elle comprit. Elle fit signe à John.

— Viens !

Elle se précipita vers la chambre de Nathaniel. La porte était grande ouverte, confirmant ses soupçons. Elle regarda à l'intérieur de la petite pièce. Personne. Et les vêtements, d'habitude suspendus à des patères, le long d'un des murs, avaient disparu.

Elle se tourna lentement vers John et dit d'une voix blanche :

— C'est Nathaniel. Court m'avait avertie, j'aurais dû l'écouter. Je ne sais pas par quel moyen il a réussi à voler le coton cette nuit. Il a dû préparer cela pendant des semaines et attendre le moment propice. Oh ! John, je suis ruinée ! Sans ce coton, je ne peux rembourser ce que je dois à Jules Dade !

12

L'automne s'était abattu sur Paris avec ses vents froids et ses ciels nuageux.

Tandis que le carrosse traversait la campagne, Michèle s'aperçut que les arbres se teintaient d'or et de rouge.

Pour se protéger de la fraîcheur de l'air, elle portait une robe de velours rose sous une pèlerine à capuche. Dans sa main gauche, elle tenait un masque de velours noir qu'elle venait d'enlever afin de contempler plus à loisir le paysage qui lui rappelait la Virginie.

Assis en face d'elle, André lui sourit.

— A quoi pensez-vous, chère enfant ?

— A Malvern. A la maison. Cette campagne n'est pas très différente.

Il se pencha pour regarder par la portière.

— Les feuilles sont en train de jaunir. On le voit moins en ville. Eh bien, on dirait que l'hiver arrive... (Il soupira.) Il s'est passé tant de choses depuis que nous sommes à Paris. Cela paraît presque incroyable, en si peu de temps. Mon Dieu ! Quand nous sommes arrivés, vous étiez une inconnue, et maintenant, votre nom est sur toutes les lèvres. Et aujourd'hui, nous sommes en route pour Fontainebleau car vous allez danser devant le roi ! Oh ! si seulement votre mère était là ! Tout serait parfait !

Michèle lui rendit son sourire.

— Tout se passera bien, n'est-ce pas ? André, j'ai tellement le trac ! Nous allons être présentés au roi !

Le sourire d'André s'élargit.

— Je le sais, mon enfant, je le sais. Moi aussi, je suis intimidé. Mais n'est-ce pas merveilleux ? Et dire qu'il y a vingt ans, j'ai quitté Paris en disgrâce !

— Et nous allons séjourner trois jours à Fontaine-bleau... J'aurais bien voulu que toute la troupe reste avec nous.

André haussa les épaules avec indifférence.

— Vous êtes trop nombreux, et même dans un château, le nombre des invités que l'on peut accueillir est limité. Il y a toujours tant de monde là-bas. Vous devriez vous réjouir que seuls les princi-paux rôles soient les hôtes du roi. C'est un grand honneur, et l'occasion pour vous de voir ce qu'est la vie à la Cour. Que de choses vous aurez à raconter à votre retour à Malvern ! Le simple fait que vous ayez été invitée par le roi Louis et que vous ayez dansé devant lui, suffira à vous rendre célèbre.

Elle fit la moue.

— Je préférerais, de beaucoup, être célèbre en tant que ballerine !

André rit.

— Vous le serez, j'en suis certain. Mais tout le monde ne s'intéresse pas à la danse, Michèle, alors qu'on désire toujours apprendre comment se com-porte un roi, que ce soit en bien ou en mal. Mainte-nant, reprenons notre préparation. Qu'allez-vous dire lorsqu'on vous présentera au roi ?

Michèle récita sa leçon, mais son esprit était ail-leurs. Elle évoquait cet après-midi de la semaine dernière où Arnaut Dampierre avait annoncé à la troupe que le roi les priait de venir danser leur nouveau ballet à Fontainebleau où il s'adonnait, en cette saison, à la chasse.

Ils savaient tous quel grand honneur c'était là, et la salle d'exercices s'était emplie du bourdonnement de leurs voix.

Puis leur maître leur avait dit que le roi avait invité les premiers rôles à passer les deux jours suivants au palais.

Louis n'avait pu se contenir plus longtemps et s'était mis à bondir de joie. Roland s'était contenté d'un grognement approbatif, mais Cybella, habituellement si posée, avait exécuté quelques joyeux entrechats. Michèle était restée comme pétrifiée. Elle ne s'était pas encore habituée à l'attention que le public lui portait depuis le soir de la première. Et elle allait danser, avec ses camarades, devant le roi de France ! C'était presque trop...

Maintenant, elle était là, dans le carrosse de Mme Dubois, en route vers le fameux château, en compagnie de son « tuteur ». Elle brûlait d'excitation et elle était heureuse qu'André ait pu l'accompagner, car c'était encore plus important pour lui que pour elle.

— Le voilà ! dit André d'une voix où se mêlaient le respect et l'admiration. Droit devant nous ! Non, Michèle ! Ne vous penchez pas ainsi. Voulez-vous donc que l'on vous prenne pour une petite paysanne !

Michèle ne l'écouta pas. La tête à la fenêtre, les yeux écarquillés, elle regardait le château qui lui parut ressembler plus à une ville qu'à une demeure... des rangées de bâtiments unis les uns aux autres, chacun avec ses cheminées et ses fenêtres en saillie. Au centre, il y avait un magnifique escalier à double révolution qui encadrait l'entrée de ses courbes gracieuses ; et ils suivaient maintenant la longue et large allée pavée qui y conduisait. De chaque côté s'étendaient des pelouses ornées d'arbustes soigneusement taillés.

— Cela a beaucoup de grandeur, dit Michèle en se

rejetant en arrière et en s'installant avec autant de dignité qu'il lui était possible d'avoir en de telles circonstances.

— Attendez d'avoir vu l'intérieur, dit André. J'ai entendu dire qu'il y a de véritables trésors ! Le palais regorge de peintures, de tapis, de sculptures et de tapisseries inestimables. C'est la chance de notre vie, ma chère enfant.

Michèle se pencha vers lui et lui prit la main.

— Je suis tellement heureuse que vous puissiez partager cette chance avec moi. J'aurais été terrifiée si j'étais venue seule ici, même avec les autres danseurs. Je me sens beaucoup plus en sûreté avec vous.

André rayonna d'une fierté toute paternelle.

— Je veillerai sur vous, n'ayez crainte. Mais il faudra tout de même rester sur vos gardes. On sait que le roi Louis est amateur de jolies filles et vous feriez mieux de ne pas l'oublier. C'est le roi et il a l'habitude d'obtenir tout ce qu'il désire. Il ne souffre pas qu'on lui dise non.

Michèle frissonna. La vie est vraiment étrange, pensa-t-elle ; même au milieu des plaisirs et du succès, quelque chose de dangereux peut être là, tapi, prêt à sauter sur celle qui n'est pas sur ses gardes. Quelque chose contre quoi il faudra se défendre. C'était peut-être ainsi qu'était le monde, mais cela rendait la vie bien compliquée et, rien que d'y penser, elle se sentit déprimée.

Le carrosse ralentissait ; puis les chevaux s'ébrouèrent en s'arrêtant sur les pavés ronds, juste au pied de l'escalier.

Michèle laissa le valet l'aider à descendre, en essayant d'avoir l'air d'une visiteuse familière des demeures royales ; mais son cœur battait très vite et elle sentit que ses joues s'étaient empourprées.

Dans un geste solennel qui la fit rire nerveusement, André lui présenta le poing et ils montèrent le grand escalier de pierre jusqu'aux portes ouvertes sur un monde que peu de dames des colonies avaient eu le privilège de découvrir.

Lorsque la femme de chambre, après avoir déballé et suspendu ses vêtements dans une vaste armoire, la laissa enfin seule, Michèle resta debout, au centre de la chambre, regardant autour d'elle. Elle avait cru la maison de Mme Dubois somptueusement meublée, mais ce n'était rien comparé à ce qui l'environnait. La pièce était vert et or. Les murs et le plafond étaient décorés de magnifiques fresques représentant des scènes rustiques, entourées de feuilles, de fleurs et de cupidons en stuc.

Le lit n'était pas très vaste, mais surmonté d'un baldaquin d'où retombaient, en plis gracieux, de lourds rideaux ornés de glands.

Michèle caressa le satin rose qui tapissait les fauteuils en bois doré et s'émerveilla de la douceur soyeuse de l'étoffe. Elle n'avait jamais vu un tel déploiement de luxe ; il était presque écrasant. Michèle se sentit brusquement inquiète ; Mme Dubois avait choisi avec soin ses vêtements, mais seraient-ils assez somptueux pour un tel cadre ? Aurait-elle l'air déplacée parmi les nobles et les invités du roi ? C'est avec un mélange d'impatience et de peur qu'elle s'allongea sur le lit pour se reposer avant la représentation. Ce serait sûrement l'une des soirées les plus extraordinaires de son existence !

Michèle tenta de se détendre mais se rendit bientôt compte qu'elle était beaucoup trop énervée pour rester tranquillement étendue. C'est alors que l'on frappa à sa porte. Ravie de l'intermède, elle sauta du lit et, en robe de chambre, alla ouvrir.

Louis, Café au Lait et Marie se tenaient sur le seuil. Ils étaient visiblement très excités — leurs joues étaient rouges et leurs yeux brillaient.

Louis s'avança et serra si fort Michèle dans ses bras qu'elle eut peur qu'il ne lui brise les côtes.

— Michèle! N'est-ce pas merveilleux? Qui aurait jamais cru que nous viendrions ici, à Fontainebleau?

Michèle, riant, s'arracha à son étreinte. A sentir ainsi sa chaleur et sa force, elle venait de prendre conscience que Louis était un homme, et cela l'embarrassa. Mais ses amis s'agitaient dans la pièce avec exubérance, et elle n'eut guère le temps d'analyser ses sentiments.

— Oh, Michèle! Nous avons visité différentes pièces et elles sont toutes immenses! dit Marie, les yeux étincelants. Vous êtes-vous promenée dans le château?

Michèle secoua la tête.

— Nous venons seulement d'arriver et André m'a conseillé de me reposer avant la représentation.

Café au Lait, dont le visage couleur de miel rayonnait de bonheur, lui sourit de toutes ses belles dents blanches.

— Vous aurez tout le temps de vous reposer lorsque vous serez morte, Michèle. C'est exceptionnel d'être invité ici, à Fontainebleau, et quant à moi, j'ai l'intention d'en profiter au maximum. Et puis nous, qui n'avons pas de rôle principal, nous ne resterons pas après souper. Je veux donc en voir le plus possible avant mon départ.

Marie se pelotonna dans l'un des fauteuils dorés.

— Michèle, vous devriez voir la salle de bal où nous allons danser. Elle est grandiose! Il y a de majestueuses colonnes au pourtour et de superbes fresques représentant les dieux de la mythologie. Le plafond est peint et le plancher marqueté; il est si uni que nous allons glisser dessus comme si nous étions des dieux.

— C'est vraiment stupéfiant, dit Louis en prenant, spontanément, la main de Michèle. Au-dessus de l'endroit où se tiendront les musiciens, il y a une merveilleuse peinture représentant un concert, et à l'autre extrémité de la salle, au-dessus de la cheminée, un seigneur en train de tuer un loup.

Michèle, un peu embarrassée par son geste, retira doucement sa main.

— Ce doit être magnifique. Je suis encore en train de me remettre de l'effet que m'a causé cette chambre-ci.

Elle tourna sur elle-même et ses camarades suivirent son geste des yeux.

— Elle est ravissante ! dit Marie. Et dire que c'est pour vous toute seule ! Le corps de ballet n'en a qu'une, pour vestiaire, et elle est loin d'être aussi luxueuse. Même la chambre de Cybella n'est pas plus belle.

— Il y aura un souper après la représentation, dit Louis. On m'a dit que c'était la coutume.

— Et le roi y assistera, dit Marie en battant des mains. Vous rendez-vous compte ! Nous allons dîner avec le roi ! Oh, je suis tellement émue que je ne sais si je vais pouvoir danser !

Michèle, déjà énervée, se sentit gagnée par leur excitation.

— Et la reine, demanda-t-elle, sera-t-elle là aussi ?

Louis éclata de rire.

— La reine ? Non, je ne pense pas, mais la maîtresse du roi sera présente.

Michèle le regarda, stupéfaite.

— La maîtresse du roi ? Vous voulez dire qu'il s'affiche en public avec sa maîtresse ?

Les autres se mirent à rire.

— Michèle ! dit Marie. Parfois, vous avez l'air de venir d'un autre monde.

— Bien sûr que le roi se montre en public avec sa maîtresse, et fréquemment, expliqua Louis. C'est là une chose qui se fait. Voyez-vous, pour des raisons d'Etat, le roi est obligé d'épouser une princesse étrangère qui devra donner un héritier au trône. On dit que lorsque le roi Louis a épousé la reine, Marie Leczinska, il avait quinze ans et elle sept ans de plus. Elle a largement accompli son devoir puisqu'elle lui a donné dix enfants. Il paraît qu'elle était dépourvue de beauté et d'esprit. C'est pourquoi il a cherché ailleurs amour et plaisir.

Michèle secoua la tête, désapprobatrice.

— C'est tout à fait différent, dans mon pays. Nous nous marions par amour !

Louis la regarda avec des yeux pétillants de malice.

— Michèle, que vous êtes sentimentale ! Etes-vous sûre que vos compatriotes ne se marient jamais pour des raisons bassement matérielles ?

Michèle se sentit un peu troublée car son bon sens lui disait que cela devait parfois arriver.

— Je suppose que, de temps en temps, il y a des mariages de raison, dit-elle lentement. Mais, dans ce cas, on n'en parle pas, on ne veut pas l'admettre.

Les autres éclatèrent de rire et elle se joignit à eux, car il était évident que cette attitude paraissait terriblement hypocrite, surtout aux yeux des Français.

Lorsque leurs rires s'éteignirent, Michèle demanda :

— Et la maîtresse du roi ? Comment s'appelle-t-elle ? Est-elle très belle ?

Café au Lait pouffa et les deux autres sourirent.

— Elle s'appelle Mme de Mailly, dit Louis. Quant à dire si elle est jolie ou non, vous en jugerez vous-même ce soir, en la voyant.

Michèle les regarda l'un après l'autre, gênée ; il était évident qu'ils étaient en train de s'amuser à ses dépens, mais même en les cajolant, elle ne put en savoir davantage.

Un coup frappé à la porte interrompit leur conversation. C'était André qui leur ordonna sévèrement d'aller dans leur chambre où un léger repas les attendait.

— Puis vous mettrez vos costumes et vous irez rejoindre M. Dampierre dans la salle de bal où il est en train de discuter de la musique avec l'orchestre.

André posa le plateau sur lequel il y avait des fruits, du fromage et du vin.

— C'est pour vous, Michèle. Maintenant, vous autres, dehors ! (Il fit un grand geste.) Dehors !

Les jeunes gens s'en allèrent et ils restèrent tous deux seuls.

André sourit et montra l'assiette chargée de fruits.

— Vous feriez mieux de manger quelque chose, ma chère enfant. On soupera fort tard et vous avez besoin de prendre des forces.

Elle lui rendit son sourire.

— Je vais essayer, mais je suis si nerveuse...

— C'est normal ! (Il mit la main sur son épaule.) Mais il ne faut pas vous surexciter. Essayez de considérer cela comme une représentation ordinaire. Si vous ne cessez de penser que vous allez danser devant le roi de France et sa Cour, vous allez vous effondrer. Tout ira très bien, vous verrez. Vous avez déjà dansé ce ballet plusieurs fois et vous possédez parfaitement votre rôle. Faites confiance à votre vieil ami.

Michèle fit de son mieux pour suivre les conseils d'André et lorsqu'elle rejoignit les autres dans la salle de bal, elle se sentait plus calme et plus sûre d'elle-même.

Marie n'avait pas exagéré, c'était vraiment une pièce merveilleuse. On avait dressé une scène et un décor très stylisé face à l'estrade des musiciens ; dans la salle elle-même, des rangées de sièges avaient été installées pour le public, avec un grand fauteuil sculpté, au centre du premier rang. Le fauteuil du roi, pensa Michèle.

Les danseurs pouvaient se dissimuler derrière les énormes piliers qui soutenaient le plafond. Il y avait même des bancs où ils pourraient se reposer lorsqu'ils ne seraient pas en scène. L'ensemble formait en quelque sorte des coulisses.

Dampierre les fit évoluer afin qu'ils acquièrent le sens de cet espace qui ne leur était pas habituel, tandis que les musiciens du roi répétaient la musique, qu'ils ne connaissaient pas.

Tout cela paraissait, à Michèle, à la fois étrange et familier. Elle fit un signe amical à Louis qui s'échauffait à l'autre extrémité de la scène car son entrée devait se faire de ce côté-là ; elle chercha des yeux Cybella et Roland.

Elle les aperçut, non loin, en train de faire des exercices d'extension. Cybella avait l'air tout à fait calme, en pleine possession d'elle-même, comme d'habitude. Rien, semblait-il, ne pouvait troubler son sang-froid. Denise était à côté de Roland, son petit visage triangulaire figé et tendu.

Le premier danseur semblait nerveux ; il était un peu pâle mais moins renfrogné que de coutume, ce qui constituait un net progrès. Peut-être était-il trop inquiet pour se montrer aussi odieux que d'habitude. En plus de son solo, Michèle avait un pas de deux avec le Père, après que la Belle fut partie pour le château de la Bête ; et bien qu'elle fût obligée de reconnaître que Roland était un excellent danseur, Michèle n'arrivait pas à oublier son mépris, même lorsqu'ils dansaient ensemble. A cause de l'attitude de son camarade, il lui était difficile d'exprimer la sollicitude qu'elle devait à un père âgé. Elle faisait cependant de son mieux pour chasser ses sentiments vis-à-vis de Roland, pendant qu'elle dansait. Mais elle ne savait que trop qu'elle était à sa merci lorsqu'il la portait. S'il la laissait tomber...

Elle était bien contente d'avoir eu cette conversation avec Denise, car celle-ci avait dû en parler à Roland. Mais ce n'était pas le moment d'y penser. Il fallait qu'elle s'échauffe car l'heure de la représentation approchait.

Elle se mit à faire des pliés et des tendus, pour assouplir ses membres ; elle avait l'impression de faire partie d'un groupe et, en même temps, elle se sentait isolée ; et puis, les musiciens commencèrent à jouer — un morceau majestueux qu'elle ne connaissait pas. Elle se retourna, ainsi que tous ses camarades, pour regarder au fond de la salle : l'entrée du roi n'allait point tarder.

Tout d'abord, venaient des gardes — visages graves sous leurs chapeaux à plumes — et puis un certain nombre de gentilshommes en culottes à la française et pourpoints bleus garnis de broderies d'argent. Marie, qui s'était glissée derrière son amie pour regarder par-dessus son épaule, chuchota à son oreille.

— Ce sont les gardes du roi et les gentilshommes de sa chambre. Ne sont-ils pas magnifiques ?

Michèle hocha la tête, se demandant de qui ou de quoi ils avaient à protéger le roi, ici, dans sa propre demeure.

Ensuite arrivèrent d'élégants personnages, hommes et femmes, tous habillés à la dernière mode. Michèle n'avait jamais vu tant de couleurs, tant de poudre sur les visages et les perruques, tant de bijoux magnifiques, même aux soirées de Mme Dubois.

— On dirait des paons ! murmura-t-elle à Marie qui gloussa. Et regardez leurs visages ! Ils sont maquillés comme des clowns. Même les hommes !

— Chut ! Voilà le roi !

Les nobles s'alignèrent, de chaque côté de la porte, et deux trompettes en livrée bleu et or vinrent prendre place. L'orchestre termina les dernières notes de son morceau et les instruments de cuivre sonnèrent. Au même moment, un homme franchit le seuil.

Il paraissait plutôt petit, mais c'était peut-être à cause des larges basques de sa veste de brocart. Son visage, aux traits réguliers, semblait beau malgré la poudre et le fard, avec de grands yeux noirs, des joues rondes et une petite bouche boudeuse.

Il avait l'air d'un homme comme les autres, pensa Michèle ; et dire qu'il gouvernait un pays et que tout le monde s'inclinait devant lui !

L'orchestre avait recommencé à jouer ; cette fois, c'était l'ouverture du ballet et Dampierre fit signe aux danseurs de se tenir prêts.

Michèle sentit l'émotion la prendre à la gorge, mais elle lutta contre sa tension en évoquant les paroles rassurantes d'André ; puis la musique de son entrée, avec Cybella, se fit entendre et Michèle se contraignit à avancer tandis que « sa sœur » lui souriait et la prenait par le bras.

Tandis qu'elles surgissaient de derrière les piliers, Michèle fut un instant tentée de faire demi-tour. Elle se ressaisit et concentra son attention sur la surface du plancher. N'allait-elle pas glisser ? Et si elle allait tomber et se couvrir de honte ?

Cybella lui pinça le bras, elle entendit la musique amorcer le gracieux motif de la danse des sœurs, et soudain, elle reprit de l'assurance. Le plancher était merveilleux et elle se sentit évoluer plus aisément et plus gracieusement qu'elle ne l'avait jamais fait. Ne gardant à l'esprit que ses mouvements et la musique, elle entra dans cet état de grâce qu'elle ne connaissait que lorsqu'elle dansait bien.

Très vite, son pas avec Cybella prit fin et Roland entra en scène : le père, rentrant de voyage, était accueilli par ses filles.

Le moment vint pour Michèle de sortir. Dampierre attendait derrière un pilier ; il lui tendit un mouchoir afin qu'elle puisse s'éponger le front. Il lui sourit et lui effleura l'épaule ; Michèle comprit qu'elle avait bien dansé, car ce geste était l'un de ses rares compliments. Elle se sentait bien maintenant. Elle était calme et n'avait plus peur.

Elle regarda Cybella et Roland dans la scène où le père dit à sa fille qu'il l'a promise à la Bête, et où la Belle danse pour exprimer sa peur et son chagrin. Michèle, malgré une pointe d'envie, se dit que Cybella était parfaite dans ce rôle.

Ce n'est qu'une fois le solo terminé que Michèle jeta enfin un coup d'œil sur le public, essayant de deviner laquelle de ces femmes trop maquillées et ornées comme des châsses, était Mme de Mailly, la maîtresse du roi. Elle ne voyait pas très bien la salle de l'endroit où elle se tenait, mais elle remarqua un grand jeune homme qui, par son costume, tranchait sur le reste de l'assistance : au lieu de la veste évasée et des culottes que portaient les autres hommes, il était vêtu d'un kilt en tartan et d'une cape, et coiffé d'un béret de velours, sur des cheveux qui n'étaient pas poudrés.

Bien que ces habits fussent très différents des satins et des brocarts des autres hommes, ils étaient raffinés. Michèle observa que sa chemise avait un jabot et des manchettes de dentelle, et que sa ceinture était ornée d'une grosse boucle d'or. C'était certainement un personnage important. Curieusement, elle avait l'impression de le connaître. Mais elle ne put s'attarder à l'étudier car c'était maintenant le pas de deux de la Belle et de la Bête et elle voulait le regarder et l'apprendre car il n'était pas impossible qu'un jour, Cybella ne puisse danser. Et elle espérait que Dampierre la choisirait pour la remplacer.

Comme toujours, Michèle fut bouleversée par cette danse ; c'était un chef-d'œuvre de chorégraphie, montrant à la fois la tendresse croissante de la Belle pour la Bête et l'adoration douce amère de la Bête pour la Belle.

Puis, ce fut le tour du corps de ballet, interprétant les rôles des serviteurs enchantés de la Bête, et le regard de Michèle se posa, d'abord sur Marie, puis sur Denise dont le visage exprimait la colère.

Puis arriva le moment du solo de Michèle, et elle entra et fut seule, en scène, devant la Cour. Elle ne regardait pas le public, elle ne pensait qu'à la musique, aux figures et aux sentiments qu'elle devait exprimer.

Elle quitta la scène sous un tonnerre d'applaudissements, aussi vigoureux que ceux accordés à Cybella et à Louis. Celui-ci, qui l'attendait, la serra dans ses bras ; Marie et plusieurs autres jeunes filles du corps de ballet se précipitèrent pour la féliciter.

Ce fut un instant émouvant, qu'elle chérirait toujours et évoquerait souvent.

Lorsque le ballet fut terminé, les danseurs s'avancèrent pour les rappels, sous les bravos.

Michèle s'était imaginé qu'une assistance aussi blasée qui avait dû voir tant de choses, serait un peu froide, mais ce fut tout le contraire. La Cour, y compris le roi, se leva pour leur faire une ovation. Ils ne semblaient pas applaudir assez fort à leur gré et leurs visages étaient rayonnants de joie. C'étaient les spectateurs les plus enthousiastes que Michèle ait jamais vus.

Lorsque ce fut son tour de venir saluer seule, Michèle se trouva juste devant le roi, et elle ne put s'empêcher d'observer, tandis qu'elle faisait une profonde révérence, que le regard royal s'attardait avec complaisance sur ses formes révélées par la mince étoffe.

Quand elle se redressa, il lui fit un signe de tête et sourit d'un air complice ; elle rougit et faillit perdre l'équilibre en se souvenant de la réputation du roi.

Comme Michèle détournait légèrement la tête, son regard croisa celui du jeune homme en kilt qui lui souriait amicalement. Avec stupéfaction, elle le reconnut enfin, malgré son costume insolite. C'était Ian MacLeven, le garçon qu'elle avait rencontré sur le bateau.

Que pouvait-il bien faire, ici, à Fontainebleau ?

13

— Mais, monsieur, il faut d'abord que nous changions de vêtements !

Cybella avait l'air perplexe et elle regarda Michèle, comme pour lui demander son soutien. Dampierre haussa les épaules.

— C'est ce que j'ai dit au roi, mais il a insisté pour que vous veniez souper habillées comme vous l'êtes. Il a dit que ce serait amusant.

Louis, qui s'essuyait le front avec un morceau de tissu, eut un rire qui ressemblait à un aboiement.

— Amusant, peut-être, mais pas pour moi. Ce serait plutôt malcommode et je vais, sans doute, laisser tomber des poils de ma crinière dans les plats !

Il secoua la tête et des brins de coton se détachèrent, comme il l'avait prévu.

— C'est du costume des filles qu'il parlait, dit Roland en ricanant. Ceux de Cybella et de Michèle. Notre roi Louis les veut à sa table, à demi nues, afin de pouvoir les admirer tout à loisir.

Il leur lança un coup d'œil mauvais, comme si elles étaient responsables et que ce fût leur faute si les autres étaient obligés d'aller dîner sans se changer. Denise approuva d'un signe de tête. En fait, pensa Michèle, elle eût sans doute consenti à aller toute nue à la table du roi, si cela pouvait être utile à sa carrière.

Cybella poussa un soupir.

— Eh bien, je pense que nous n'y pouvons rien.

Dampierre rit.

— Non, ma pauvre Cybella, vous n'y pouvez rien. C'est l'ordre du roi. Ce n'est, sans doute, qu'un caprice, mais ceux des rois ont force de loi. Aussi, prenez vos châles afin de ne pas attraper froid et rendons-nous à la table royale !

Michèle fut saisie d'admiration en découvrant, par-dessus l'épaule de Louis, ce qui lui parut être une immense étendue d'étoffe immaculée, couverte de plats en or, de verrerie de cristal et de porcelaines richement décorées.

On conduisit Cybella, Michèle, Dampierre, Louis, Roland et André vers le haut de l'immense table, aux places de faveur ; ils étaient séparés les uns des autres par plusieurs invités. Le reste de la troupe s'assit à une plus petite table.

Michèle se sentait mal à l'aise, ainsi exposée aux regards, dans ce costume trop léger. Elle s'y était habituée sur scène, elle n'y pensait même plus, mais ici, c'était tout différent. Elle serra son châle autour de ses épaules.

Subrepticement, elle observa les dames et les gentilshommes qui prenaient place à table. Vu de près, l'effet de la poudre et des fards était atterrant, repoussant même ; et elle s'aperçut que beaucoup de maquillages commençaient déjà à se craqueler. Quelle vilaine habitude, pensa-t-elle, et combien incommode.

Un gentilhomme rondelet, aux allures précieuses, vint s'installer à côté d'elle et lui sourit.

— Je dois avouer, ma chère, dit-il d'une voix mélodieuse, que vous dansez tous divinement ! Je n'avais pas pris un tel plaisir à un spectacle depuis des siècles !

— Merci, monsieur, répondit-elle en baissant la tête d'un air modeste. J'ai trouvé que le public était fin connaisseur.

L'homme rit tout en disposant, de façon méticuleuse, les pans de sa veste autour de sa chaise.

— C'est que nous sommes fort privés de divertissements, dit-il en souriant. La vie peut être assez ennuyeuse, ici. Nous sommes toujours à la recherche de quelque chose de neuf. Et c'est épuisant, ma chère, furieusement épuisant.

Cette remarque déconcerta Michèle. Ennuyeuse, la vie ici, à Fontainebleau ? Comment était-ce possible ?

— C'est un peu comme si l'on était à bord d'un grand navire, dit une voix, sur sa droite. On y voit chaque jour les mêmes personnes, et même si elles sont plaisantes, cela devient vite lassant.

Elle reconnut aussitôt cette voix ; elle se retourna et vit les yeux gris et souriants de Ian MacLeven fixés sur elle.

Elle sentit ses joues s'empourprer.

— Je suis très étonnée de vous voir ici, monsieur, dit-elle plus sèchement qu'elle n'en avait l'intention, car en réalité, elle était contente de le voir.

— Oui, mademoiselle, dit-il en la saluant. C'est une étrange coïncidence que nous soyons tous deux ici en même temps. Au fait, le ballet était superbe et vous avez merveilleusement dansé !

Michèle inclina la tête, acceptant le compliment avec grâce.

— Merci, monsieur.

— Vous vous êtes taillé un beau succès en France. Tout le monde parle de vous, de la ravissante danseuse venue des colonies anglaises. Vous êtes célèbre, et cette ascension a été étonnamment rapide. C'est, je pense, un légitime hommage rendu à votre talent, et aussi à votre beauté, bien sûr.

Sous ce déluge de compliments, Michèle commençait à se sentir gênée.

— J'ai eu la chance d'être acceptée par un excellent professeur et de faire partie d'une troupe remarquable. Et vous ? Puis-je vous demander pourquoi vous ?...

Sa voix mourut ; elle ne savait comment formuler sa question sans l'offenser.

Il se mit à rire.

— Essayez-vous de me demander poliment ce que je fais ici ? Comment un jeune Ecossais sans renom peut-il se trouver à la cour du roi de France... Inutile de rougir, c'est tout à fait normal.

Michèle sentait ses joues s'empourprer et comme elle détournait les yeux, son regard croisa celui du roi.

Il lui sourit, ce qui la fit rougir davantage. Qu'avait-elle donc, ce soir ? Pourquoi se comportait-elle aussi sottement face au jeune Ecossais ?

Les doigts tièdes de Ian se posèrent sur son poignet et cela lui rappela leur rencontre sur le pont du bateau.

— J'ai bien peur de ne pas avoir été tout à fait franc avec vous.

La surprise et la curiosité de Michèle l'emportèrent sur sa timidité.

— Que voulez-vous dire ?

— Je ne vous ai pas dit toute la vérité sur moi, avoua-t-il d'un air piteux.

— Je pense qu'aucun de nous ne dit toute la vérité sur lui-même.

Ian hocha la tête.

— C'est vrai, mais j'ai soigneusement évité de vous dire qui j'étais et ce que je faisais. C'est que je devais voyager incognito. Voyez-vous, il est de coutume, dans mon clan, que le fils aîné, l'héritier, fasse un grand voyage autour du monde avant de prendre sa place, à la tête de la famille. Il s'agit pour lui d'apprendre le plus de choses possible sur le monde et de revenir chez lui plus riche de connaissances et de sagesse. Ce que je ne vous ai pas avoué, c'est que ledit jeune homme doit faire ce voyage incognito afin de voir toute chose comme le ferait un homme ordinaire.

Michèle se sentit un peu piquée d'avoir été trompée, bien que la raison de cette duperie fût légitime. Ainsi, Ian MacLeven était un noble, un seigneur. Ce fut de la déception qu'elle éprouva ; elle avait l'impression que le milieu social de Ian risquait de creuser un gouffre entre eux.

Cette contrariété rendit sa langue plus acerbe, comme à l'ordinaire.

— Alors, vous êtes noble ! Vous m'avez bien trompée ! D'autant que vous ne vous êtes guère conduit en gentilhomme avec moi, n'est-ce pas ?

Il tressaillit et une rougeur soudaine, qui ne devait rien au fard, marqua ses fortes pommettes. Ses yeux gris la dévisagèrent gravement.

— Touché, mademoiselle. Je pense que je l'ai bien mérité mais j'aimerais vous rappeler qu'un titre ne protège pas des pièges que tend la beauté. Et je voudrais aussi vous adresser une requête : soyons amis, voulez-vous ? Il me semble que, sur le bateau, nous étions sur le point de le devenir.

Michèle eut honte de sa mesquinerie. C'était un homme bien, elle l'avait deviné durant le voyage et, maintenant, elle en était sûre ; elle l'avait trouvé sympathique et éprouvait toujours le même sentiment. Et puis, elle avait mûri, elle était plus sage que le jour où elle s'était fâchée pour ce baiser volé. Elle savait qu'il avait sans doute éprouvé pour elle le même élan qui l'avait jetée dans les bras de Dampierre. Elle n'avait pas été indifférente à son désir, bien qu'elle n'ait pas voulu l'admettre. Elle s'était mise en colère parce qu'elle refusait de se laisser entraîner dans une histoire d'amour ; et bien sûr, elle demeurait ferme sur ce point. Mais elle pouvait avoir un ami comme Ian et prendre plaisir à sa compagnie.

Du côté de la table où se trouvait le roi, les voix s'étaient élevées et Michèle, jetant un bref coup d'œil dans cette direction, vit le souverain et ceux qui l'entouraient rire de bon cœur.

Elle se retourna vers Ian.

— Je vous prie d'excuser mes paroles désagréables, monsieur. Je serais ravie d'être votre amie.

Il lui adressa un sourire éblouissant.

— Voilà la meilleure nouvelle que j'ai entendue depuis que je suis arrivé dans cette infâme Cour, chuchota-t-il en se penchant vers elle et en levant son verre. Buvons à notre amitié !

Elle leva son verre en le regardant avec curiosité.

— Pourquoi dites-vous que cette Cour est infâme ?

Tandis que tous deux buvaient à petites gorgées, Ian fit une grimace. Il reposa son verre.

— Je vous prie de m'excuser. Je parle trop franchement, peut-être, mais je trouve cette société décadente. Regardez autour de vous. Cet or, ces bijoux, ces peintures... Regardez ces invités, blasés de tout, cherchant constamment quelque chose de neuf, quelque chose qui les délivrera un instant de leur insupportable ennui. Et puis, sortez dans les rues, étudiez les visages des gens et voyez la colère et le désespoir. Tandis que le roi et sa Cour dînent de faisans rôtis et d'œufs de caille servis dans une vaisselle d'or, le peuple meurt de faim. Et sa colère monte de plus en plus. Un jour, la révolte éclatera, j'en suis sûr.

Michèle regarda autour d'elle et reconnut qu'elle était d'accord avec lui. Elle aussi était choquée par ce déploiement écrasant de richesse, par cette vie insipide, mais elle avait cru qu'elle en jugeait ainsi parce qu'elle venait d'un pays où les mœurs étaient différentes. Elle se souvint qu'Arnaut Dampierre avait exprimé les mêmes sentiments. Pourtant, penser à cela la chagrinait et elle n'avait pas envie d'être triste en ce jour où elle avait connu son plus grand succès.

Elle fit la moue.

— Je ne sais pas grand-chose de la politique et ce soir, je l'avoue, je n'ai pas envie d'y songer. Ne pourrions-nous parler de choses plus plaisantes, monsieur ?

Son sourire la rassura.

— Excusez-moi, je me suis laissé emporter. Mais, je vous en supplie, ne m'appelez plus monsieur ! Vous me disiez Ian, sur le navire. Pourriez-vous continuer, je vous prie ?

Elle hocha la tête, heureuse de cette proposition : l'appeler monsieur l'embarrassait.

— Maintenant, dit-elle en se penchant vers lui afin que son autre voisin ne puisse l'entendre, dites-moi où est la maîtresse du roi ? Je meurs d'envie de le savoir.

Il rit de tout son cœur, puis pencha la tête pour lui parler à l'oreille.

— C'est la grosse dame qui est assise à sa droite. Faites vite pendant qu'elle regarde de l'autre côté.

Michèle tourna la tête et sa bouche s'ouvrit de stupéfaction, car cette femme était non seulement grosse mais encore fort vilaine.

Michèle se retourna vers Ian.

— Mais elle est laide ! Très, très laide !

Ian étouffa son rire dans sa serviette.

— Je suis bien obligé de le reconnaître, dit-il enfin. Je suppose que vous ne l'aviez pas encore vue ?

Elle fit une grimace.

— Non. Mes amis m'avaient parlé d'elle, sans rien me dire toutefois de sa laideur. Mais, pourquoi ? Je veux dire, pourquoi le roi a-t-il choisi pour maîtresse, une femme aussi peu séduisante ? Je ne comprends pas ! On m'a dit que la reine n'était pas belle, mais elle ne peut pas être plus vilaine qu'elle ! Je croyais que les maîtresses étaient toujours belles et infiniment désirables. Je suppose que le roi peut obtenir toutes les femmes qu'il veut. Comment peut-il désirer celle-là ?

— Ça, ma chère, c'est quelque chose dont personne n'a jamais compris les raisons car tout le monde dit que c'est la femme la plus laide de la Cour, et son caractère, paraît-il, est à l'unisson. Cependant, personne ne peut expliquer les caprices de Cupidon et l'on ne met pas en question ceux d'un roi, surtout de celui-là.

Michèle regarda de nouveau le roi Louis qui riait à quelque boutade de Mme de Mailly.

— Il n'a pas l'air méchant, dit-elle pensivement. Un peu entêté, peut-être, et sa bouche a un pli dur.

— C'est une description pertinente. Vous êtes très observatrice, mais vous devez comprendre que le mauvais caractère d'un roi ne ressemble pas à celui des autres hommes puisque personne n'ose s'opposer à lui. J'ai entendu raconter des choses, sur lui, qui sont difficiles à croire. Des incidents qu'il appelle des « plaisanteries » et qui n'ont rien de drôle pour ceux qui les endurent.

— Quelle sorte d'incidents ?

— Eh bien, on dit que lorsqu'il avait douze ans, il a torturé à mort trois chatons. Bien sûr, c'était un enfant, mais ce n'est pas une excuse. A présent qu'il est un homme mûr, il s'amuse à des plaisanteries du plus mauvais goût. Par exemple, il demande gentiment à l'un de ses courtisans s'il souffre toujours de la goutte, puis il lui marche sur le pied en demandant : « Est-ce celui-là qui vous incommode ? » Une autre fois, je l'ai vu gifler un gentilhomme, simplement pour voir quelle serait sa réaction.

Michèle fit la grimace.

— J'avoue que je suis quelque peu déçue. Je croyais qu'un roi devait être meilleur, plus noble que les hommes ordinaires ; quelqu'un d'exceptionnel, pour ainsi dire.

— Il n'en est pas ainsi, répondit gentiment Ian. Un roi n'est qu'un homme qui jouit toute sa vie de privilèges extraordinaires et qui, à cause de cela, devient pire que les autres.

Le sourire de Michèle se fit malicieux.

— En est-il de même pour les nobles ?

— Parfois, mais c'est différent. Ils ont une tâche à remplir ; du moins en est-il ainsi dans mon pays. J'ai un domaine à gérer, un château à entretenir, des fermiers et d'autres personnes sur lesquels je dois veiller. Cela m'occupe tout entier. Je n'ai pas de temps à perdre en intrigues, en bavardages malveillants ou en plaisirs superficiels. (Il poussa un soupir.) A vrai dire, j'ai hâte de retourner chez moi. C'était une visite de « politesse », comme dirait mon père. Il a toujours pensé qu'il valait mieux rester en bons termes avec les puissants, même si l'on n'est pas toujours d'accord avec leur politique.

— Partirez-vous bientôt ?

Michèle attendait sa réponse avec inquiétude.

— Bientôt, très bientôt, dit-il.

Un domestique somptueusement vêtu posa un autre mets devant elle : du poisson, à ce qu'il semblait ; et soudain elle s'aperçut qu'elle avait bavardé au lieu de manger.

Elle attaqua ce plat délicat avec plaisir. Puis, elle se souvint de l'homme qui était à sa gauche, et lui fit un sourire ensorcelant, auquel il répondit en levant, silencieusement, son verre de vin blanc.

Le poisson était délicieux et, tandis que Michèle le savourait, elle écouta la conversation qu'entretenaient l'homme et la femme assis juste en face d'elle. La table faisait quelque deux mètres de large mais la voix de la femme résonnait comme un croassement de corbeau...

— Je n'arrive pas à me décider, disait-elle à son voisin dont les yeux vitreux et le verre vide indiquaient assez qu'il n'écoutait guère ce qu'elle racontait, entre le satin « Poussière de Paris » et le brocart « Œil du Roi ». Ma couturière, elle, me soutient que la soie « Caca d'oie » me va mieux au teint, mais je ne suis pas d'accord. Je trouve que cette couleur n'est pas flatteuse.

L'homme, avec le geste hésitant de quelqu'un qui a trop bu, fit signe au sommelier de remplir son verre.

Michèle se retourna vers Ian.

— Vous avez peut-être raison en disant que l'on s'ennuie ici. Si cette conversation à sens unique, qui se déroule en face de nous, est un échantillon des propos que l'on entend à la Cour...

— J'ai bien peur que oui, mais je dois reconnaître qu'ils sont parfois plus amusants. Il y a, par exemple, une histoire qui court sur la reine, que j'ai trouvée drôle, mais un peu gaillarde, je le crains.

Michèle, que le vin avait rendue plus gaie et audacieuse, gloussa derrière sa main.

— Racontez-la-moi tout de même. La reine est une dame, et si elle était là lorsque c'est arrivé, je pense que je peux, moi aussi, être là lorsqu'on la raconte.

Ian hésita un moment, puis rit franchement.

— D'accord ! C'est une histoire assez comique. Un courtisan dit à la reine que les hussards allaient passer à l'attaque, lors de leurs manœuvres annuelles. « Et si je tombais sur eux et que mes gardes ne suffisent pas à me défendre, que se passerait-il ? » demanda la reine. « Madame, suggéra le courtisan, ils pourraient traiter Votre Majesté *à la hussarde*. — Et vous, que feriez-vous, monsieur ? — Madame, j'imiterais le chien de la fable qui, après avoir défendu le repas de son maître, le partage avec les autres. »

Michèle, un peu choquée, rit tout de même. Elle était drôle, cette histoire.

Elle chercha Louis des yeux : il était assis à côté d'une femme mûre aux formes généreuses, vêtue d'une robe de satin d'un bleu éclatant et coiffée d'une énorme perruque ornée de bijoux. Michèle vit que Louis avait les yeux fixés sur Ian et elle, avec une expression étrangement grave qu'elle ne lui avait jamais vue.

Lorsque Louis croisa son regard, il soupira et haussa imperceptiblement les épaules car la femme avait posé sa main grassouillette, chargée de bagues, sur son bras et elle lui parlait de bien près, à l'oreille. Michèle frissonna de dégoût. Pauvre Louis ! Il fallait qu'il supporte les avances de cette femme qui aurait pu être sa mère.

Le valet posa un autre mets devant Michèle qui, toujours affamée, attaqua la volaille. C'était une tranche de cygne rôti. C'était bon, mais pas aussi savoureux que de la dinde.

Les plats se succédèrent, les vins aussi, jusqu'à ce que Michèle en perde le compte. Elle était rassasiée, un peu somnolente, et ne souhaitait plus que de se retirer dans sa chambre !

Cependant, le repas se prolongeait... des fromages, des fruits en pâte d'amandes, merveilleusement imités, des pâtisseries ; et toujours du vin.

Michèle, incapable d'avaler une bouchée de plus, se laissa aller contre le dossier de sa chaise et regarda autour d'elle. Elle prit alors conscience de la cacophonie des voix criardes et des rires qui n'avaient rien de joyeux. Son regard, un peu voilé par la fatigue, se posa sur ces visages où la poudre et les fards avaient coulé, révélant des plaques de peau livide, si bien que cette illustre compagnie ressemblait à une bande de clowns surpris par la pluie. Brusquement, elle comprit que Ian avait raison.

Elle se sentait non seulement lasse mais déprimée. Elle ne pouvait endurer cela plus longtemps. Quand ce souper allait-il prendre fin ?

Elle se tourna vers Ian et découvrit qu'il l'observait.

— Je suis fatiguée. Quand cela va-t-il se terminer ? Devrons-nous rester jusqu'à ce que le roi s'en aille ?

Il hocha la tête.

— Je le crains bien. Personne ne doit sortir avant Sa Majesté. Mais je pense que cela ne va pas tarder. Regardez-le, il dort presque dans son fauteuil.

Michèle jeta un coup d'œil vers le haut de la table où le roi Louis, quelque peu ivre, semblait somnoler. Elle soupira. Et s'il s'endormait, là, à table ? Seraient-ils contraints de rester assis toute la nuit ? Personne n'oserait le réveiller.

C'est alors qu'à son grand soulagement, le roi se leva et adressa un signe de tête à tous les convives ; puis, accroché au bras vigoureux de Mme de Mailly, il sortit à pas quelque peu incertains, suivi par ses proches.

Michèle poussa un énorme soupir.

— Dieu merci ! Si cela avait duré plus longtemps, je me serais couverte de honte en tombant endormie sur ma chaise !

Ian, se levant, lui offrit son bras.

— A cette phase des festivités, je doute que quelqu'un s'en soit aperçu. Puis-je vous reconduire jusqu'à votre chambre, mademoiselle ?

Michèle, ne pensant qu'au lit douillet qui l'attendait, hocha la tête.

— Merci, monsieur, bien volontiers.

Juste au moment où ils quittaient la table, Michèle vit André venir vers eux, l'air inquiet. Elle était beaucoup trop lasse pour s'en soucier et n'éprouva que de l'agacement à l'idée qu'il allait peut-être retarder son coucher.

— Michèle ? Mon enfant, vous allez bien ?

Elle le regarda avec mauvaise humeur.

— Evidemment que je vais bien ! Pourquoi en serait-il autrement ?

André haussa les épaules, la regarda fixement puis étudia le visage de Ian.

— La soirée a été longue et l'on a servi du vin en abondance...

— Monsieur Leclaire, dit Ian, j'ai grand plaisir à vous revoir.

L'expression d'André passa de la perplexité au soulagement.

— Ian MacLeven, n'est-ce pas ? Sur le bateau, bien sûr ! Je ne vous ai pas reconnu tout de suite. Mais par quel hasard êtes-vous ici ?

Michèle leva la main.

— André, je vous en prie ! C'est une longue histoire et je préférerais qu'il vous la conte après que j'aurai rejoint ma chambre. Je suis morte de fatigue.

André lui tapota la joue.

— Bien sûr, mon enfant. Comme je suis étourdi. Je vais vous reconduire tout de suite à votre chambre.

Elle secoua la tête.

— Ian MacLeven m'a déjà proposé de le faire. Je vous verrai demain matin.

Elle ne put retenir un bâillement et André acquiesça d'un signe de tête mais regarda Ian d'un air soupçonneux.

— J'aimerais bien entendre votre histoire, car vous avez piqué ma curiosité. Je vous confie ma pupille, monsieur.

Ian sourit.

— Je conduirai Michèle jusqu'à sa porte et pas plus loin, monsieur ; je vous en donne ma parole.

André rougit, mais Michèle était tellement assoupie qu'elle remarqua à peine l'aparté des deux hommes.

Elle s'appuya au bras de Ian pour monter le grand escalier ; et lorsqu'ils atteignirent la porte de sa chambre, elle se retourna pour lui souhaiter bonne nuit, se rendant à peine compte de ce qu'elle disait.

Comme elle tendait la main pour ouvrir la porte, il lui effleura le bras.

— Puis-je vous voir, demain matin, Michèle ? Je connais bien le château et les alentours et je serais très heureux de vous les montrer.

Elle hocha la tête, souriant d'un air endormi.

— D'accord. Mais pas trop tôt, je vous prie. J'ai l'impression que je pourrais dormir pendant une semaine !

— Bien sûr. A demain, alors.

— A demain, répondit-elle, et elle se glissa dans sa chambre.

Elle se déshabilla et se demanda si elle devait faire sa toilette, mais elle avait trop sommeil. Elle mit sa chemise de nuit, se coucha entre les draps soyeux et, tirant la couverture jusqu'à son menton, se dit qu'elle n'allait pas tarder à s'endormir.

Curieusement, le sommeil semblait la fuir. Son corps, trop fatigué, remuait sans qu'elle le veuille et elle sentit que ses seins étaient sensibles, que tout son corps était brûlant.

Elle fit tout pour se calmer, mais des pensées troublantes l'agitaient ; elle évoquait Ian MacLeven, sa main sur son bras, ses lèvres sur les siennes ; puis elle pensa à la manière dont Louis, comme en badinant, l'avait serrée contre lui, à ses bras vigoureux, à son corps musclé.

Elle évoqua aussi Arnaut Dampierre et ce qui s'était passé dans le vestiaire... Elle revécut la scène dans ses moindres détails et son corps trembla comme il l'avait fait lorsque les mains d'Arnaut l'avaient touchée...

Elle gémit. Qu'avait-elle donc ? Pourquoi éprouvait-elle ces sensations ? Son corps la trahissait. L'esprit sait bien ce qu'il veut mais le corps le trahit toujours. Si seulement on pouvait le faire obéir ! Si seulement on pouvait maîtriser ces détestables désirs ! La vie serait tellement plus simple.

Finalement, après s'être tournée et retournée, Michèle tomba dans un profond sommeil, troublé par des rêves érotiques qu'au réveil, elle essaya d'oublier.

14

Court était d'une humeur massacrante, en revenant de Malvern, cet après-midi-là.

John était arrivé à Williamsburg, tôt ce matin, avec un mot d'Hannah réclamant de toute urgence sa présence. Lorsqu'il était arrivé à la plantation, il avait trouvé son amie au bord de l'hystérie. Dès qu'elle le vit, elle éclata en sanglots ; c'était la première fois qu'il la voyait pleurer.

Elle se jeta dans ses bras.

— Court, je suis ruinée !

— Calme-toi, ma chérie. (Il lui caressa doucement les cheveux.) Je sais que tu as perdu tout ton coton. John m'a dit ce qui était arrivé.

— Il a disparu, toute la récolte a disparu ! Une année de travail anéantie ! (Elle leva vers lui un visage où ruisselaient les larmes.) Que vais-je faire, Court ? Sans le produit de ma récolte, je ne peux rembourser Dade !

— Essayons d'abord de comprendre ce qui s'est passé.

— Viens. Je vais te montrer. (Le prenant par la main, elle le conduisit à la remise.) Tous les acheteurs sont arrivés ce matin, prêts à faire des offres pour mon coton et j'ai dû les renvoyer.

Une fois à l'intérieur, elle fit un grand geste circulaire.

— Tu vois ? Tous les coffres sont vides. Je sais qui a fait cela. C'est Nathaniel. Oh ! pourquoi ne t'ai-je pas écouté !

— Tu es sûre que Bealls est le coupable ?

— Il a filé cette nuit, comme un voleur, et ses vêtements ont disparu. Il est parti sans réclamer ses gages. N'est-ce pas une preuve suffisante ?

Il hocha la tête d'un air mécontent.

— On dirait...

L'un des ouvriers agricoles entra d'un pas hésitant dans la remise. Hannah l'appela.

— Linus, peux-tu venir ici ? (Elle se tourna vers Court.) Ils étaient allongés par terre, ce matin. John pense qu'on leur a donné un somnifère.

Le Noir s'approcha à pas lents, l'air désolé.

— Oui, maîtresse ?

— Répète à M. Wayne ce que tu m'as dit.

— Vers minuit, l'envie de dormir nous a pris. Ben est allé à la cuisine chercher du thé. Nous pensions que cela nous réveillerait. Quand il est revenu, nous avons entendu un boucan terrible, dehors. Là-bas. (Il montra l'extrémité la plus lointaine de la remise.) Nous nous sommes précipités pour voir ce que c'était. Ben avait une torche mais nous n'avons rien vu. Nous sommes revenus à l'intérieur. Et nous avons bu notre thé. Après, tout ce que je sais, c'est que j'ai eu une terrible envie de dormir. J'ai essayé d'aller à la maison pour prévenir quelqu'un, mais je suis tombé en chemin. Et puis, quand je me suis réveillé, John me secouait et il faisait jour. Le coton avait disparu. (Il avait l'air très abattu.) Je suis bien désolé, maîtresse.

— Ce n'est pas ta faute, Linus, dit-elle gentiment. Tu peux partir maintenant. (Lorsque Linus se fut éloigné, elle se tourna vers Court.) Tu vois ? Nathaniel a provoqué un bruit quelconque. Pendant qu'ils couraient voir, il a versé du somnifère dans le thé. C'est ainsi que les choses ont dû se passer, Court !

— On dirait, oui, répondit-il en hochant la tête. Mais Jules Dade est sûrement derrière tout cela.

— Dade ? Je n'y avais pas pensé... Oh ! (Hannah porta la main à sa bouche.) La dernière fois qu'il est venu à Malvern, Nathaniel m'a dit, plus tard, qu'ils avaient eu une conversation. Je n'avais pas fait le rapprochement, mais je suis sûre que tu as raison, Court. Que pouvons-nous faire ? Devons-nous aller à la police de Williamsburg ?

— Non. Je ne pense pas que ce soit la meilleure solution.

— Mais, ils m'ont volé mon coton ! Ce sont des voleurs !

— Pas tant que tu ne pourras pas le prouver. Et as-tu une preuve ? Tu peux être sûre que Dade a fait transporter le coton loin d'ici et qu'il l'a caché dans un endroit où il sera difficile de le trouver.

— Alors, nous ne pouvons rien faire ? dit-elle désespérée.

— Moi, je vais faire quelque chose, sois-en certaine, répliqua-t-il d'un air menaçant. Je vais obliger Dade à te rendre ton coton.

— Tu pourrais faire cela ?

— Je vais au moins essayer. J'ai quelques moyens de pression sur ce monsieur.

Elle le regarda avec curiosité.

— Quels moyens de pression, Court ?

— J'aime mieux ne pas en parler maintenant, Hannah. Il s'agit de quelque chose qui s'est passé entre nous, il y a pas mal de temps déjà ; je préfère que tu ne sois pas au courant.

Les pensées de Court remontèrent dans le passé, au temps lointain où il avait rencontré, non seulement Jules Dade, mais encore Michael Verner.

C'était en l'an 1718. Courtney Wayne, qui venait d'avoir vingt et un ans, servait alors dans la marine royale, à bord du navire commandé par le lieutenant Maynard. Le gouverneur royal de la Virginie, le colonel Alexander Spotswood, leur avait donné l'ordre de mettre fin à la carrière criminelle d'Edward Teach, l'infâme Barbe Noire.

La poursuite avait été longue et ardue car Teach réussissait toujours à leur échapper. A bord des deux sloops du lieutenant Maynard, le bruit courait que le gouverneur avait un espion parmi l'équipage du célèbre pirate. Cela se confirma lorsque leur chef fut prévenu de l'endroit où il pourrait rencontrer l'ennemi. Au matin du 19 novembre, les deux navires rejoignirent *l'Aventure*, celui de Barbe Noire.

Court était à bord du sloop, aux côtés du lieutenant. La bataille s'engagea à neuf heures. Les deux bateaux du roi poursuivirent *l'Aventure* qui fuyait vers la haute mer. Ils avaient sous-estimé la puissance de feu du pirate et le premier sloop, essayant désespérément de lui couper la route, manœuvra à portée de canon du vaisseau en fuite. Barbe Noire fit tirer par le travers. La moitié de l'équipage royal fut tué, y compris le commandant ; le foc et le mât de misaine furent brisés ; le sloop se mit à dériver.

L'autre navire, celui commandé par Maynard, s'était rapproché de *l'Aventure*, mais pas suffisamment. L'équipage de Barbe Noire eut le temps de recharger et de tirer une salve qui tua vingt et un hommes. Maynard, craignant un massacre total, ordonna à ses hommes de descendre sous le pont.

Barbe Noire crut les troupes royales décimées et décida d'aborder, ce qu'il fit à la tête de ses hommes, comme il en avait l'habitude.

Maynard commanda alors aux siens de remonter sur le pont et la bataille devint un corps à corps féroce. Barbe Noire riait et sabrait, sa longue barbe flottant au vent; il avait l'air d'un diable jailli de l'enfer.

Maynard et son ennemi se retrouvèrent face à face. Tous deux tirèrent en même temps. Le coup de Barbe Noire manqua sa cible mais la balle du lieutenant fit mouche. Le pirate vacilla à peine sous le choc et continua d'avancer; les deux hommes poursuivirent le combat au sabre. Barbe Noire porta un coup si puissant qu'il brisa l'arme du lieutenant comme si elle n'avait été qu'un simple morceau de bois. Avec un rire satanique, il s'apprêta à porter le coup fatal.

Court évalua aussitôt le danger. Son pistolet étant vide, il courut à l'ennemi le poignard à la main et le lui plongea dans la gorge. A ce moment, les hommes de Maynard entourèrent le pirate. Plusieurs balles lui traversèrent le corps, de nombreux coups de sabre y firent des plaies béantes; il combattait toujours. Court le regardait avec horreur et admiration, sûr que cet homme était invincible. Barbe Noire tira un autre pistolet de sa ceinture, l'arma... et tomba mort.

Plus tard, on compta qu'il avait reçu vingt-cinq blessures, dont plusieurs étaient assez graves pour tuer un homme ordinaire.

La bataille n'avait duré qu'une dizaine de minutes. La plupart des hommes de Barbe Noire étaient morts sur le pont du sloop et d'autres avaient sauté par-dessus bord; le reste se rendit.

Tout en rechargeant son pistolet, Court entendit le lieutenant Maynard dire, penché sur le cadavre de son ennemi :

— Coupez la tête de ce scélérat et accrochez-la sous le beaupré. Que le monde sache que le prince des bandits n'est plus !

Court, auquel tout ce massacre avait donné la nausée, se fraya un chemin vers la poupe où il s'appuya sur le bastingage, se demandant s'il n'allait pas vomir.

Il n'y avait personne à l'arrière mais il entendait les coups de pistolet que l'on tirait sur les pirates qui se jetaient à la mer. Le bruit d'un corps tombant à l'eau lui fit tourner la tête ; un coup de feu suivit et il vit le crâne d'un homme qui flottait sur les vagues, éclater dans un jet de sang.

Court s'empressa de détourner les yeux, juste à temps pour voir un autre pirate sauter à l'eau. L'homme s'enfonça puis revint à la surface, juste en dessous de lui. Apparemment, Court était seul à l'avoir vu. Il resta les yeux fixés sur le visage épouvanté. Lentement, il leva son pistolet et visa. Il comprit qu'il n'oublierait jamais un seul de ses traits — des cheveux gris coupés ras, un visage plutôt rond et des yeux gris pleins de terreur levés vers lui.

Court s'efforça de tirer mais ne le put. Il baissa lentement son arme. Une expression d'incrédulité se peignit sur le visage de l'homme qui se retourna et commença à nager vigoureusement vers la rive lointaine.

Il suivit le nageur des yeux jusqu'à ce qu'il ne soit plus qu'un point à la surface des eaux. Il s'attendait à ce que quelqu'un l'aperçoive, mais personne ne le vit. Court n'éprouva aucun regret de n'avoir pas tiré. Il y avait eu assez de morts aujourd'hui.

Il quitta la rambarde et retourna au milieu du pont au moment où le lieutenant Maynard revenait de l'*Aventure* halant un homme derrière lui. Celui-ci avait une grande barbe noire et des yeux sombres ; Court trouva qu'il ressemblait tout à fait aux autres pirates.

Souriant largement, Maynard fit signe à l'homme d'avancer et dit, d'une voix forte :

— Voici celui auquel nous devons notre victoire, mes enfants ! C'est l'homme du gouverneur Spotswood qui s'était infiltré dans l'équipage de Barbe Noire : Michael Verner, dit le Danseur. Acclamons-le, garçons !

Des hourras éclatèrent et Michael Verner s'avança en se frictionnant les poignets.

— C'est moi qui vous dois une fière chandelle, mes amis. Teach m'avait démasqué. Il savait que j'étais un espion et j'allais être exécuté avant la fin de la journée, si vous n'étiez pas passés à l'attaque.

Quelques jours plus tard, le navire du lieutenant Maynard entra dans la baie de Bath et l'équipage victorieux reçut la permission de descendre à terre. La nouvelle s'était déjà répandue et les quais étaient couverts de citadins venus voir la tête accrochée au beaupré du sloop.

Deux heures après, Court buvait une bière à la taverne du port lorsque Michael Verner entra. Il demanda une bière et chercha une place. La seule vacante était à la table où Court était assis, seul.

— Puis-je m'asseoir à votre table, monsieur ?

— Avec plaisir, monsieur Verner. Je vous en prie, installez-vous.

— Est-ce que je vous connais, monsieur ?

— Non, mais moi je vous connais. J'étais à bord du sloop lorsque le lieutenant Maynard vous a tiré des entrailles du vaisseau pirate. Je m'appelle Court Wayne.

— Alors, à votre santé, monsieur Wayne. Vous et vos compagnons, soyez assurés de ma reconnaissance éternelle !

Michael Verner leva son verre de bière. Court, gêné, détourna les yeux.

— J'ai fait bien peu pour la mériter. Je n'étais que l'un d'entre eux.

— Non, monsieur. Votre lieutenant m'a dit que vous lui aviez sauvé la vie en vous jetant sur Barbe Noire.

Court fit un geste détaché.

— Je n'ai fait que mon devoir.

Il se demanda s'il fallait lui parler du pirate qu'il avait laissé échapper. Le prendrait-il toujours pour un héros ? Il décida de se taire. Pour il ne savait quelle raison, il tenait à l'opinion de Michael Verner, bien qu'il ne fût pour lui qu'un étranger.

Michael avait continué de parler :

— ... faire une carrière au service du roi ?

Court secoua la tête, horrifié.

— Bon Dieu, non ! Du moins, j'espère que non. Je me suis enrôlé sur un coup de tête, pour connaître l'aventure, et franchement, pour me remplir le ventre. Je crois que la bataille avec Barbe Noire m'a suffi, en fait d'aventure. Et puis, la solde n'est pas généreuse.

— Je suppose que c'est pour la même raison que j'ai, moi, accepté d'espionner les pirates pour le compte de Spotswood : je cherchais l'aventure. Et puis, il faut avouer que je m'étais disputé avec mon père. (Son visage s'assombrit.) Peut-être les choses se sont-elles apaisées à Malvern. Je ne suis sûr que d'une chose : c'est que je serais content de rentrer. Je vois d'ailleurs maintenant combien je suis largement responsable de notre désaccord. (Il eut un rire amer.) Deux années passées avec un boucanier sanguinaire comme Edward Teach ont fait un homme du jeune blanc-bec tel que j'étais.

— Malvern ?

— C'est la plantation familiale, dans les environs de Williamsburg. (Michael prit une gorgée de bière ; ses traits étaient empreints de mélancolie.) Mon père la dirige seul maintenant. Moi, cela ne me disait rien ; je trouvais cette vie ennuyeuse, assommante, même. Nous nous sommes disputés à ce sujet. Mais j'ai quelque peu mûri depuis et cette vie-là ne me paraît plus aussi insipide. (Il eut un sourire sardonique.)

J'étais rudement sot, à cette époque, je ne me souciais que de femmes, de courses de chevaux, de jeu... J'ai dit des choses que je regrette maintenant. Je n'ai aucune nouvelle de mon père. Mais dès que je le pourrai, je retournerai à Malvern et verrai ce qui s'y passe...

Après plusieurs verres de bière, Michael évoqua sa jeunesse à Malvern. Court l'envia et se dit que cet homme avait été stupide d'abandonner une aussi belle vie. Lui n'avait jamais connu son père qui était mort juste après sa naissance, le laissant seul avec sa mère. Ils avaient lutté pour survivre et cela avait fini par tuer sa mère. Elle était morte quelques jours avant qu'il ne s'engage dans la marine. C'était d'ailleurs pour une grande part la raison de cet engagement. Et puis, il n'avait pas de métier et il fallait manger.

Michael n'interrogea pas Court sur son passé et celui-ci n'en parla pas. Lorsqu'ils se séparèrent, Court s'était pris de sympathie pour lui. De toute évidence, Michael partageait ses sentiments car ses derniers mots furent : « Si jamais vous passez par Williamsburg, Court, venez à Malvern ; vous y serez le bienvenu. »

Presque vingt ans s'écoulèrent avant que Court vienne dans cette ville et, pendant tout ce temps, il ne revit pas Michael Verner. Mais il rencontra Jules Dade au moins deux fois ; il n'apprit jamais si c'était là le véritable nom de cet homme ou s'il en avait adopté un nouveau après avoir abandonné la piraterie.

La première fois, c'était à Charlestown, en Caroline du Sud, cinq ans après la mort de Barbe Noire. A cette époque, Court était marin sur un navire de commerce de Boston qui revenait d'un long et dur voyage en Orient où ils avaient acheté des épices et d'autres marchandises. Ils avaient été obligés de mouiller dans le port de Charlestown pour se ravitailler en eau et pour effectuer quelques réparations. L'escale devait durer trois jours et Court, oisif, erra dans cette ville pittoresque dont il s'enticha.

Le second jour, il se trouvait sur les quais lorsqu'un bateau entra dans le port. En écoutant les propos de deux planteurs corpulents qui fumaient des cigares, deux hommes apparemment influents, il apprit que le navire revenait d'Afrique chargé d'esclaves. Ces hommes étaient là pour acheter des travailleurs noirs.

Bien que Court n'ait jamais approuvé l'esclavage, il resta sur le quai, n'ayant rien d'autre à faire. Plusieurs chaloupes quittèrent le navire et s'avancèrent à force de rames vers le rivage. Elles étaient lourdement chargées de Noirs, hommes et femmes, et dans chaque embarcation, deux Blancs les surveillaient, armés jusqu'aux dents. Lorsque les chaloupes arrivèrent à proximité du quai, Court vit que les esclaves étaient enchaînés. Il fit une grimace de dégoût et allait s'éloigner lorsque son attention fut attirée par l'un des Blancs du premier bateau. Court eut l'impression qu'il le connaissait et lorsque l'embarcation accosta, il reconnut le pirate auquel il avait laissé la vie sauve.

L'homme grimpa sur le quai et regarda autour de lui avant de donner l'ordre de débarquer les Noirs. Son regard croisa celui de Court et il se figea, son visage pâlit. Il venait de le reconnaître. Et la preuve, c'est que sa main vint se poser sur le pistolet qu'il portait à la ceinture. Ils demeurèrent ainsi un long moment, les yeux dans les yeux, puis Court fit un geste de mépris et tourna les talons.

Il avait pensé à le dénoncer, mais à quoi bon ? On pouvait mettre sa parole en doute, et même si on le croyait, qu'en résulterait-il ? Cet homme n'était plus un pirate et bien que Court considérât la traite des

Noirs comme un crime, il savait bien que son opinion n'était pas partagée par les gens qui l'entouraient. Du moins, pas par les planteurs qui affluaient maintenant afin de jeter un coup d'œil furtif sur les Noirs, avant qu'on les fasse monter sur l'estrade de la criée.

Cinq années passèrent, puis il rencontra de nouveau Dade, toujours à Charlestown. Court arrivait de Boston. Il avait travaillé à bord d'un baleinier pendant trois ans ; il était las de ce massacre, bien que cela l'ait relativement enrichi. Il avait décidé d'abandonner définitivement la mer et cherchait à investir son argent.

Après trois jours passés à visiter diverses entreprises, il s'était décidé pour une ferme, à quelques kilomètres de Charlestown. Court n'avait jamais possédé de terres et cette idée lui plaisait. Ce n'était pas une plantation ; simplement quinze hectares qu'il n'avait pas l'intention de cultiver ; il allait élever des mulets. Cela rapporterait et bien qu'il ne sût rien de l'élevage en général, il pensait pouvoir apprendre — il avait déjà fait bon nombre de métiers et s'en était toujours bien tiré.

Une fois la transaction signée dans le bureau d'un courtier de Charlestown, Court descendit se promener sur le front de mer. Avant d'atteindre les quais, il tomba sur une vente aux enchères d'esclaves. Il n'avait pas l'intention de se mêler à la foule — ce spectacle le révoltait toujours — mais quelque chose retint son attention tandis qu'il la contournait. Une voiture découverte était stationnée dans la rue, avec un cocher noir en livrée ; et l'ex-pirate était assis derrière lui, élégamment vêtu et fumant un cigare.

Court s'arrêta, examinant l'homme qui ne l'avait pas vu. Puis, il se tourna vers l'un des spectateurs.

— Pardonnez-moi, monsieur, mais connaîtriez-vous l'homme qui est assis dans cette voiture ?

Son interlocuteur se retourna vers l'attelage.

— Oui, étranger. C'est Jules Dade. Le navire qui rentre d'Afrique est à lui. Il vient de débarquer une cargaison d'esclaves, hier au soir.

Court hocha lentement la tête, remercia l'homme et continua d'étudier l'ex-pirate. Puis il se décida à s'avancer vers lui.

— Monsieur Dade ?

En entendant son nom, l'homme se retourna. Le cigare tomba de ses lèvres et il s'empressa de le ramasser, puis le jeta au loin.

Court grimaça un sourire.

— Je vois que vous m'avez reconnu.

Dade le regardait fixement, les lèvres serrées, mais il ne répondit pas.

— Je dois avouer que votre situation s'est bien améliorée depuis le jour où vous nagiez vers le rivage, comme un rat d'eau, après que Barbe Noire eut été tué.

Dade jeta furtivement des regards craintifs autour de lui.

— Faites attention à ce que vous dites, monsieur, murmura-t-il.

Court poursuivit comme s'il n'avait pas entendu.

— Bien que vous ayez l'air prospère, je ne vous cacherai pas que je n'estime guère votre profession. La traite des Noirs ne vaut pas mieux que la piraterie.

— Ce que je fais est légal ! siffla Dade.

— C'est vrai, mais je me demande ce que ces bonnes gens penseraient s'ils apprenaient que vous avez fait partie de l'équipage de Barbe Noire.

— Vous ne leur direz rien du tout !

Dade sortit soudain ses pistolets, les appuya contre le rebord de la voiture et visa Court.

— Vous voulez me tuer, moi, votre bienfaiteur ? dit Court d'un ton railleur. L'homme qui vous a sauvé la vie ? Quelle ingratitude !

214

Maintenant, Dade avait retrouvé tout son aplomb.

— C'est votre parole contre la mienne, répliqua-t-il en ricanant. Et je suis un honorable citoyen de cette ville.

— Je me demande pendant combien de temps vous allez continuer à les duper, monsieur Dade ? (Court contemplait calmement les pistolets.) Quand on est une canaille, on l'est pour la vie.

— Je peux vous tuer et personne ne me blâmerait. Je dirai que vous avez essayé de me dévaliser.

— Je doute que vous ayez le courage de le faire, monsieur. Et puis, je crois que vous vous souciez trop de vos profits pour agir ainsi. Pensez quelle confusion cela jetterait dans votre précieuse vente aux enchères. Je regrette seulement de ne pas vous avoir tué autrefois. Mais ne vous y trompez pas, monsieur Dade : ce n'est pas par peur que je me tais. Vous n'auriez pas le courage de tirer. Un homme tel que vous a besoin des ténèbres pour accomplir ses mauvaises actions.

Dade grinçait littéralement des dents. Court lui tourna le dos d'un air dédaigneux et partit à grands pas.

Il ne revit pas Jules Dade avant de venir s'installer à Williamsburg. Beaucoup d'événements s'étaient produits dans la vie de Court. Il avait vendu avec profit son élevage de mulets, au bout de deux ans. Il était passé à d'autres entreprises, encore plus lucratives. Il avait épousé Katherine, puis, peu après, l'avait perdue.

Mais combien il regrettait aujourd'hui de ne pas avoir tué Dade le jour de la mort de Barbe Noire ! Ou même, de ne pas l'avoir dénoncé lorsqu'il l'avait revu à Charlestown ! Hannah ne serait pas aujourd'hui dans une situation aussi affreuse.

Court ne savait pas vraiment ce qui l'avait poussé à s'installer à Williamsburg. Il y avait passé une nuit, au cours de l'un de ses nombreux voyages, et cette ville lui avait paru tranquille et plaisante. Il avait alors désespérément besoin de paix et de calme. Il avait travaillé dur toute sa vie, depuis l'âge de dix ans, et accumulé une confortable fortune. Il n'avait plus, maintenant, le même ardent désir de s'enrichir et, depuis la mort de Katherine, un certain dynamisme l'avait abandonné ; il se contenterait de passer le reste de ses jours à ne rien faire, dans une ville calme, entouré d'agréables voisins. Il avait pris cette décision avant de savoir que Dade, lui aussi, était venu habiter là. Lorsqu'il l'apprit, il était déjà installé et heureux d'avoir choisi Williamsburg. Le fait que cet homme vive dans la même ville que lui le gênait mais il n'avait pas envisagé, un seul instant, de s'en aller. Si Dade lui causait le moindre ennui, il révélerait son passé, bien qu'il sût quelle question lui serait alors posée : pourquoi n'avait-il pas dit plus tôt ce qu'il savait sur Dade ?

Bien qu'il eût appris que Michael Verner vivait toujours à Malvern, Court n'était pas tenté d'aller le voir. Il y avait vingt ans qu'il avait été invité et Verner souhaitait peut-être oublier le temps qu'il avait passé avec Barbe Noire. Et puis Court sut qu'il s'était marié et avait une fille, une adolescente déjà.

Par un soir glacé d'hiver, Court buvait une bière dans une taverne, lorsque quelqu'un s'adressa à lui :

— Est-ce que nous ne nous connaissons pas, monsieur ?

Court leva les yeux et vit Michael Verner. Il se leva d'un bond.

— Si, monsieur Verner. La dernière fois que nous avons bu et parlé ensemble, c'était dans une taverne qui ressemblait assez à celle-ci.

Michael hocha la tête en souriant.

— Oui, à Bath. Et vous êtes Courtney Wayne, je crois ?

— C'est exact, monsieur. Mes amis m'appellent Court.

Ils se serrèrent la main.

— J'aimerais beaucoup, précisément, que nous devenions amis, Court.

Remarquant que Michael tenait un pot de bière à la main, Court lui demanda :

— Voulez-vous vous asseoir à ma table ?

— Avec plaisir. (Les deux hommes s'installèrent et Michael le regarda.) Vous n'avez guère changé.

— J'ai vingt ans de plus, répondit-il en souriant.

— Moi aussi ! J'avais entendu dire qu'un étranger s'était installé à Williamsburg ; on me l'avait même peut-être nommé mais je n'avais pas fait le rapprochement jusqu'à ce que je vous voie. Vous êtes ici depuis quelques mois, je crois ?

— Oui, je suis arrivé peu après Noël.

— Pourquoi n'êtes-vous pas venu à Malvern ? Je me souviens vous y avoir invité.

Court vida son verre, un peu embarrassé.

— C'était il y a si longtemps, et vous aviez dit ça à un inconnu rencontré, par hasard, dans une taverne. Je ne voulais pas m'imposer.

Michael hocha la tête.

— Ce sentiment vous honore. Mais nous allons réparer cela. Dites-moi, que vous est-il arrivé entre-temps ?

Court lui résuma les péripéties de sa vie. Apprenant la mort de Katherine, Michael dit :

— Mes condoléances, Court. Je suis marié et je sais quel chagrin j'éprouverais si je perdais ma chère Hannah.

Une fois lancé, Michael raconta ce que ces années lui avaient apporté : la mort de son père, son mariage avec Hannah, sa jeune belle-mère, la naissance de sa fille et son existence à Malvern.

— Eh bien, on dirait que vous avez mordu à la vie de planteur, Michael.

— Pas avec tout le succès que j'aurais voulu.

Michael baissa les yeux sur sa bière avec une expression mélancolique, proche du désespoir.

— Qu'y a-t-il, mon ami ? Qu'est-ce qui vous tourmente ?

Michael releva les yeux en soupirant.

— Je suis dans une situation financière désespérée, Court. Ma fierté et mon entêtement m'ont empêché de me confier à mes amis et même à ma chère Hannah. L'année dernière, la récolte a été désastreuse, d'où un terrible manque de fonds. Et puis, j'ai fait quelque chose de pire encore. Je me souviens vous avoir avoué, à Bath, que j'avais été un jeune fou, courant les filles, me battant en duel, perdant de l'argent au jeu. J'avais cessé de mener cette vie depuis mon mariage... jusqu'à ces jours derniers. Espérant gagner assez pour m'en tirer jusqu'à la prochaine récolte, j'ai recommencé à jouer. Et plus j'ai joué, plus j'ai perdu. C'était stupide, Court, mais c'est ainsi. (Son visage était gris, ses yeux disaient sa tristesse.) Je n'ai plus un sou. Je crois que je vais aller voir un prêteur sur gages, un certain Jules Dade. Je répugne à m'endetter mais je ne vois pas d'autre moyen.

— Jules Dade ? Non, ne vous adressez pas à lui, je vous en supplie, mon ami.

— Pourquoi non ? (Michael haussa les épaules.) Un prêteur sur gages en vaut un autre.

— Pas lorsqu'il s'agit d'un homme comme lui. Laissez-moi vous confier ce que je sais sur Jules Dade.

Il lui raconta tout. Michael appela l'aubergiste et lui commanda deux autres bières. Lorsqu'ils furent servis, il dit pensivement :

— Ce Dade est un scélérat, n'est-ce pas ?

— Le plus noir des scélérats.

— Je pense que l'on devrait le traîner devant les tribunaux pour délit de piraterie.

— Peut-être. Mais cela ne provoquerait qu'un énorme tollé. En tout cas, n'allez pas lui emprunter de l'argent, je vous en supplie.

— Non, bien sûr que non. Il n'empêche que je suis terriblement à court de fonds pour l'année qui vient.

— Laissez-moi vous prêter de l'argent, Michael.

— Vous ?

— Oui, cela ne me pose pas de problèmes. Vous m'empruntez la somme dont vous avez besoin et vous me rembourserez lorsque votre récolte sera faite.

Michael se plongea dans de profondes réflexions. Pour finir, il soupira et hocha la tête.

— Je vais profiter de votre offre, si amicale. Cela me choque d'avoir des dettes mais je n'ai pas le choix. Pourtant, je vous prie de me faire une promesse.

— Laquelle ?

— Promettez-moi qu'Hannah ne saura jamais que j'ai joué et que je me suis endetté. Si elle apprenait l'existence de cet emprunt, promettez-moi de ne pas lui en révéler la raison.

— Vous avez ma parole.

— Je sais que vous considérez cette transaction comme une faveur accordée à un ami, mais j'insiste pour que nous dressions par écrit une reconnaissante de dette, au cas où il m'arriverait quelque chose.

Eh bien, j'ai tenu parole, pensa Court tandis que sa voiture entrait dans les faubourgs de Williamsburg ; je n'ai pas dit à Hannah pourquoi son mari avait eu, un jour, désespérément besoin d'argent.

Et il était vraisemblable que si Michael avait vécu,

Court ne l'aurait jamais harcelé ; il lui aurait laissé tout le temps nécessaire pour le rembourser. Il avait fait cela, autant pour contrecarrer Dade que pour venir en aide à Michael. Et il avait laissé passer un délai tout à fait convenable après la mort du planteur, mais les affaires sont les affaires. Ne recevant aucune nouvelle de Malvern, il avait pensé qu'Hannah n'était pas au courant de cette dette et il lui avait envoyé une lettre. Après tout, il ne la connaissait pas à l'époque ; et il avait pensé qu'il convenait qu'elle sache les engagements que son mari avait pris.

Il s'interrompit dans ses pensées pour regarder par la portière et donner à son cocher l'adresse de Dade. Le crépuscule venait juste de tomber lorsque la voiture s'arrêta devant la maison du prêteur sur gages ; une pâle lumière brillait à la fenêtre du rez-de-chaussée.

Court frappa énergiquement à la porte ; il entendit des pas. La porte s'entrouvrit et Dade jeta un coup d'œil sur le seuil. Ses yeux s'ouvrirent tout grands.

— Vous !

Il voulut fermer la porte mais Court s'était attendu à cette réaction. Son pied bloqua le battant et il se servit de son épaule pour le repousser. Dade recula, la peur peinte sur son visage.

Court entra et ferma la porte derrière lui.

— J'ai quelques mots à vous dire...

Pendant ce temps, Dade s'approchait à reculons du guéridon où un pistolet était posé. Juste au moment où il tendait la main pour s'en emparer, Court s'avança rapidement et donna un coup de pied au petit meuble. Le guéridon bascula et l'arme tomba à terre.

Court saisit fermement le poignet de Dade.

— Pas de pistolet, cette fois.

— Que me voulez-vous ? demanda le petit homme d'une voix tremblante.

— Le coton de Mme Verner a mystérieusement disparu cette nuit.

— En quoi cela me concerne-t-il ?

— Vous l'avez volé, ou Nathaniel Bealls l'a dérobé pour vous.

— Je ne connais pas ce Bealls.

— Dade, je n'aurai pas la patience d'écouter vos mensonges.

— Vous ne pouvez rien prouver ! s'écria Dade d'une voix aiguë.

— Je n'ai pas besoin de preuve. Je sais que vous êtes derrière cette affaire et cela me suffit. Je sais aussi que vous n'avez pas eu le temps de vendre ce coton. Vous l'avez caché quelque part.

— Mensonges ! Ce sont des mensonges !

Court poursuivit calmement :

— Faites en sorte que le coton soit restitué à Mme Verner d'ici à demain.

Dade se redressa fièrement.

— Monsieur, vous êtes fou. Comment osez-vous venir chez moi m'accuser de vol !

Court continua, imperturbable :

— Si le coton n'a pas reparu d'ici à demain midi, je révélerai au bon peuple de Williamsburg quel scélérat vous êtes. Et vous serez probablement pendu. Les habitants de la ville n'ont pas oublié les ravages que Barbe Noire fit dans cette région.

— Cela non plus, vous ne pouvez le prouver. Ce sera ma parole contre la vôtre.

— Même si l'on ne me croyait pas, cela jettera un doute sur votre réputation et vous serez obligé de partir.

— Je dirai à tout le monde que c'est vous le pirate, que vous parlez ainsi pour vous couvrir et me discréditer.

— Dites ce que vous voulez. Moi, je peux toujours prouver que cela n'est pas vrai. Mais si vous essayez de fuir... (il prit Dade par le col de sa chemise et le secoua), je vous retrouverai et vous tuerai. J'y consacrerai ma vie, s'il le faut. Je ferai ce que j'aurais dû faire, il y a vingt ans. J'étais jeune alors et n'avais pas le cœur assez endurci.

Il le lâcha et Dade recula, épouvanté.

— Alors, réfléchissez bien, monsieur Dade. Vous avez le choix. Restituez le coton et l'on n'en parlera plus. Bien que je vous méprise, je ne ferai rien contre vous. Je permettrai même à Mme Verner de vous rembourser. En revanche, si vous n'agissez pas comme je vous le demande, vous affronterez, au mieux, le déshonneur, au pire, la mort.

» Réfléchissez bien, Dade. Vous ne perdrez que le coton qui, de toute manière, n'était pas à vous, et vous rentrez dans votre argent, intérêts compris. Vous devriez être content de vous en tirer à si bon compte.

Court recula vers la porte.

— Rappelez-vous, maître Dade, que vous avez jusqu'à demain matin pour mener l'affaire à bonne fin. Si vous ne le faites pas, vous le regretterez amèrement, je vous le promets.

15

Lorsque Ian MacLeven eut quitté Michèle, il se dirigea d'un pas léger vers sa propre chambre. Il avait éprouvé une grande joie à revoir la jeune fille et ne pouvait s'empêcher d'attendre beaucoup de ces retrouvailles.

Depuis ce lointain voyage, il avait souvent pensé à elle — trop souvent pour la paix de son esprit. Elle avait fait une profonde impression sur lui ; et ce n'était pas seulement la beauté de son visage et de sa silhouette, si remarquable qu'elle fût, qui l'avait charmé ; mais aussi sa personnalité et son intelligence. Même son entêtement et son arrogance l'avaient intéressé car cela trahissait l'intensité de la flamme qui l'animait. Ce n'était pas l'une de ces insipides jeunes filles qui papillonnaient autour d'un homme, anxieuses d'être épousées ; ni l'une de ces créatures égocentriques et capricieuses qui ne pensaient qu'à leurs robes et à leurs coiffures, comme celles qu'il croisait ici, à la Cour. Michèle était une vraie femme et Ian la désirait avec une intensité qui le transportait et l'effrayait.

Il ne se souvenait pas avoir éprouvé un sentiment pareil pour une autre femme et cela le désolait qu'elle n'ait pas l'air de le partager.

En tant que seigneur, avec des hectares de terre,

un château et un nombreux personnel pour exécuter ses moindres désirs, il était un excellent parti ; et il avait l'habitude que les femmes recherchent ses faveurs. Que Michèle ne se soit pas conduite ainsi l'intriguait beaucoup car il se croyait fin psychologue et, à bord du navire, il avait cru que l'attirance qu'il éprouvait pour elle était réciproque. Cependant, lorsqu'il l'avait embrassée, elle s'était emportée, et sa colère n'était pas feinte. Faisait-elle partie de ces femmes qui ne supportaient pas qu'un homme les touche et qui détestaient toute vie sexuelle ? Il ne pouvait le croire car il était évident qu'un feu ardent brûlait en elle. Luttait-elle contre ses sentiments pour d'autres raisons ? C'était plus vraisemblable. Eh bien, il serait très, très prudent, car Michèle était l'épouse qu'il désirait et maintenant qu'il l'avait retrouvée, il ne voulait plus la perdre.

Il ouvrit la porte de sa chambre ; elle sentait le parfum et l'on y manquait d'air.

Agacé, il ouvrit tout grand les fenêtres malgré le froid de la nuit. Tout ici, pensa-t-il avec dégoût, est trop parfumé, trop décadent. Après un séjour d'une semaine, il désirait ardemment retrouver l'élégance sobre du château des MacLeven et le majestueux moutonnement de la lande. Paris était une belle ville et il admirait ses monuments et ses places mais il ne s'y plaisait pas. Fontainebleau était un magnifique château — trop grandiose à son goût. Mais c'était surtout à cause du style de vie que l'on menait ici qu'il s'y sentait mal à l'aise. Le roi et les courtisans semblaient n'avoir aucune idée de la manière dont vivaient les autres hommes. Ils ne voulaient pas savoir que le peuple avait faim, était mal logé, mal vêtu ; ils ne se souciaient pas des terribles maladies qui hantaient les rues et les taudis. Ils ne cherchaient qu'à s'amuser en se plongeant dans des excès de plus en plus extravagants.

Après tout, ce n'étaient pas ses affaires. Là-bas, en Écosse, son père avait toujours gouverné son domaine d'une main ferme mais juste. Les paysans ne souffraient pas de la faim et avaient un toit décent. Les MacLeven veillaient sur leurs métayers et leurs serviteurs et attendaient d'eux qu'ils travaillent dur et leur soient fidèles. Et Ian avait bien l'intention de poursuivre la tradition établie par ses ancêtres et respectée par son père.

Il sourit en pensant au vieil homme, évoquant le visage sévère, taillé à coups de serpe, qui s'éclairait dès qu'il souriait ; ce qu'il faisait assez souvent.

Habituellement, un seigneur gardait la direction de son domaine jusqu'à ce que sa mort le fasse passer aux mains de son fils aîné, mais il était de coutume, dans le clan des MacLeven, que le patriarche se désiste à un certain âge, afin que le patrimoine soit toujours géré d'une main ferme. Maintenant, c'était au tour de Ian d'assumer la responsabilité du château, de ses terres et de ses gens ; c'était une tâche qu'il désirait et redoutait à la fois, car elle signifiait la fin de sa liberté.

Et puis, il était triste de voir son père vieillir et s'affaiblir. Malcolm MacLeven avait été un géant aux larges épaules, à la poitrine puissante, qui semblait capable de résister à tout, mais l'âge et le chagrin l'avaient miné, sa mémoire s'égarait et il parlait parfois de son épouse et de leur fils Douglas, morts depuis longtemps, comme s'ils étaient toujours vivants.

Ian avait peine parfois à évoquer le souvenir de sa mère. C'était l'image un peu floue d'une jolie femme – comme l'attestait son portrait qui dominait le grand vestibule du château – mince, avec un visage intelligent, de beaux yeux bruns et un doux sourire. Certaines senteurs, certains objets la lui rappelaient soudain et il revivait le chagrin et le désespoir qu'il avait éprouvés à sa mort. Il savait qu'elle manquait encore plus à ses sœurs ; Elizabeth n'était qu'un bébé à l'époque et les filles ont plus besoin qu'un garçon de l'amour maternel.

Son père l'avait sûrement beaucoup aimée car il ne s'était jamais remarié, bien qu'il ait eu toutes les occasions souhaitées. Maintenant, il n'en était même plus question. Si seulement Douglas avait vécu, se dit Ian. C'était sa mort qui avait brisé la vitalité du laird.

Durant un instant poignant, Ian évoqua le beau visage énergique de son frère. En dépit des dix années qui les séparaient, les deux frères s'aimaient beaucoup et la mort tragique et prématurée de son aîné avait terriblement affecté Ian, ainsi que ses sœurs Margaret et Elizabeth. C'était une famille unie, et bien que cet événement ait eu lieu il y a trois ans, Douglas vivait toujours dans leurs cœurs.

Souvent, Ian pensait à son frère comme s'il était toujours de ce monde ; à l'occasion d'un événement ou d'une histoire qu'on lui avait racontée, « Je devrais dire cela à Douglas », pensait-il, et il éprouvait de nouveau le choc de sa disparition. Ils avaient partagé tant de bons moments, des promenades en bateau et des parties de pêche sur le loch Leven ; des chevauchées à travers la lande, fendant le vent et respirant l'odeur douce amère de la bruyère et des ajoncs, les danses au château, le son des cornemuses... Douglas en jouait très bien. Tant de souvenirs... Douglas descendant l'escalier en portant la petite Elizabeth sur son dos ; Douglas dansant avec Margaret, de cinq ans plus jeune que lui ; et bien sûr, Douglas flânant main dans la main avec Mary, sa fiancée, une belle jeune fille aux cheveux auburn et aux yeux gris.

C'était en partie à cause du souvenir de Douglas et de Mary que Ian éprouvait un désir si pressant de déclarer ses sentiments à Michèle et d'obtenir son consentement. Douglas, bien que follement amoureux de Mary, avait retardé leur mariage pour aller rendre visite à son ami Robert Campbell. Et il n'était jamais revenu ; le fait que Mary et lui n'aient jamais pu consommer leur union semblait à Ian l'élément le plus tragique de la mort de son frère.

C'était Douglas, en tant qu'aîné, qui aurait dû prendre le commandement du clan MacLeven. Maintenant, cette responsabilité et cet honneur incombaient à Ian qui s'était promis d'accomplir ses devoirs d'une manière qui aurait rendu son frère fier de lui.

Son foyer et sa famille lui manquaient terriblement et il rentrerait chez lui aussitôt que possible. Il était las de voyager et ne serait pas revenu en France sans l'invitation du roi ; son père lui avait dit qu'il eût été peu judicieux de n'y pas répondre. Louis aimait attirer à sa Cour des gens séduisants, intelligents et de sang noble. Le roi s'était entiché de Ian la première fois qu'il l'avait rencontré, quelques années plus tôt, et depuis, il l'avait invité plusieurs fois.

Cette fois, Ian était content d'être venu car il avait ainsi retrouvé Michèle Verner. Elle n'était à Fontainebleau que pour deux jours, mais cela lui suffirait, pensait-il, pour la convaincre de le revoir encore. En dépit de son désir de rentrer chez lui, il resterait quelques jours de plus à Paris, ou même quelques semaines, si nécessaire ; jusqu'à ce qu'il ait persuadé Michèle de venir lui rendre visite, au château de MacLeven. Une fois qu'il l'aurait là-bas, à lui seul, il espérait la convaincre de l'épouser.

Michèle dormit tard, ce matin-là, et déjeuna de fraises à la crème fraîche, de pain croustillant et de thé.

Elle avait bien dormi et se sentait pleine d'entrain. Elle désirait voir Ian MacLeven avec plus d'impatience qu'elle ne l'aurait souhaité. Découvrir son visage familier parmi les étranges figures de la Cour lui avait presque donné l'impression de retrouver quelqu'un de chez elle. Elle avait oublié combien il était beau ; et spirituel, amusant. C'était bon de pouvoir parler anglais. Elle avait pris l'habitude de converser en français mais le chant de sa langue maternelle lui manquait.

Après avoir terminé son petit déjeuner, elle appela la femme de chambre pour qu'elle l'aide à s'habiller et à se coiffer. Elle se décida pour une robe de velours vert clair et un chapeau à large bord, tenue qui convenait fort bien pour flâner dans le parc du château ; elle se fit coiffer en boucles ramenées sur la nuque. Comme le temps était clair mais froid, elle prit une courte cape d'un velours plus foncé mais refusa le masque que lui proposait la domestique pour protéger son teint tant du soleil que de la bise. Sentir l'air frais sur son visage, cela valait bien une ou deux taches de rousseur. Et puis, elle trouvait le port du masque gênant, étouffant. La femme de chambre donnait la dernière touche à sa coiffure lorsqu'on frappa à la porte. Elle alla ouvrir et Michèle, luttant contre son émotion, se leva.

Elle reconnut la voix de Ian ; une belle voix, se dit-elle, grave et ferme, rendue plus séduisante encore par son léger accent écossais.

La femme de chambre se tourna vers Michèle et dit, avec un sourire timide :

— C'est M. MacLeven, mademoiselle. Il dit que vous l'attendez.

— Oui, Nicole, merci. Nous allons nous promener, ce matin.

— Bonne promenade, mademoiselle.

Michèle rougit sous le regard entendu de la jeune femme. Les Français ont toujours l'air de penser aux choses de l'amour, se dit Michèle ; je les crois incapables de concevoir une relation platonique.

Ce qu'elle lut dans les yeux de Ian, lorsqu'elle se dirigea vers lui, récompensa tous les soins qu'elle avait apportés à sa toilette. Il prit sa main gantée dans la sienne et s'inclina.

— Le soleil brille, mademoiselle, dit-il en français, mais il va se cacher, tout honteux, en vous voyant.

— Merci, monsieur, mais ne pourrions-nous parler anglais, je vous prie ? J'ai peur d'oublier bientôt ma propre langue.

Il eut un sourire compréhensif.

— Je sais ce que vous éprouvez. Quand je suis en France, je ressens, moi aussi, cette nostalgie.

Tandis que Ian la guidait dans le grand vestibule somptueusement décoré, Michèle le regarda à la dérobée. Il portait un tartan différent de celui d'hier, et une courte veste noire sans jabot de dentelle. Elle trouvait le kilt un peu insolite mais séduisant car il révélait des jambes bien musclées. Ses vêtements en épais lainage étaient mâles et rudes ; cela la changeait agréablement des velours, des soies et des satins.

— Les jardins vont vous plaire, dit-il tout en marchant. Ils sont fort beaux mais vous devriez les voir au printemps. Heureusement qu'aujourd'hui le soleil brille. (Il lui sourit.) Vous aussi, je pense, vous aimez le bon air de la campagne. Cela vous rappelle votre pays.

Son attitude amicale fit fondre sa réserve.

— Connaissez-vous la Virginie ?

— Oui. Je l'ai traversée lors de mon tour du monde, et je reconnais que c'est un beau pays. Je dois avouer que je vous ai envié votre sol, si riche et si fertile. J'ai vu des hectares et des hectares de tabac et de coton, des champs de légumes. Et vos maisons, si fragiles et si jolies, ressemblent à de grands cygnes blancs faisant halte au milieu des parcs verts.

Elle rit, ravie de sa description.

— Mais pourquoi dites-vous fragiles ? Nos maisons ne sont pas fragiles. Malvern, ma propre demeure, a plus de cinquante ans et durera, je l'espère, au moins encore autant.

Il fit écho à son rire.

— Ma chère, je n'avais pas l'intention de critiquer vos maisons. Elles sont belles, comme je l'ai dit, et bien adaptées à votre climat tempéré, mais en Ecosse, les châteaux et les grandes demeures sont en pierre. Nous ne sommes pas comme vous, dans les colonies, nous n'avons pas beaucoup de bois de construction ; heureusement, il y a la pierre, et elle résiste aux vents violents de l'hiver, à la pluie et à la neige. Et puis, nous sommes un pays plus ancien. Le château de MacLeven a été édifié il y a deux cents ans et Dieu seul sait combien de temps il se dressera ainsi fièrement.

Michèle soupira.

— Il est si vieux que cela ! Les colonies sont tellement récentes... L'Ecosse est un beau pays, du moins c'est ce que j'ai entendu dire.

— Oui, j'en suis bien convaincu. Quoiqu'il soit fort différent de votre Virginie, plus âpre, plus abrupt, mais il a son propre charme et une histoire qui vit dans tous les cœurs écossais. Mais assez parlé de votre pays et du mien. Jouissons maintenant de la grandeur de ces lieux.

Tandis qu'ils parlaient, Ian l'avait entraînée hors du château ; ils étaient dans le parc.

— Là, dit-il en montrant une jolie fontaine surmontée d'une statue de Diane chasseresse, entourée de quatre chiens et de têtes de cerfs qui crachaient de l'eau, c'est le jardin de Diane, ou jardin de la Reine.

Michèle sourit de plaisir, à l'ombre de son chapeau. Le parc était vraiment splendide, avec ses fleurs automnales rehaussant le vert des orangers, et ses statues de marbre harmonieusement disposées parmi les plates-bandes et les arbres. Elle respira, avec reconnaissance, l'air grisant qui sentait l'herbe fraîchement coupée.

— Cela me rappelle mon jardin, dit-elle avec un peu de mélancolie. Sauf que celui-ci est plus grand et plus ordonné.

Elle se sentait détendue et heureuse. C'était bon de pouvoir tout oublier et de profiter de ces instants de loisir ; elle prit alors conscience à quel point elle avait rarement pu s'abstraire de son travail pour jouir simplement des plaisirs de l'amitié.

Bien sûr, elle aimait la compagnie des autres danseurs et considérait Louis et Marie comme ses meilleurs amis ; mais lorsqu'ils étaient ensemble, ils ne parlaient que de danse. Michèle ne s'était pas rendu compte, jusqu'à aujourd'hui, combien, depuis des mois, sa vie s'était limitée à son art.

— Pourrions-nous nous asseoir un moment ? demanda Ian. Il y a un banc près de la fontaine.

— Oui, volontiers. Comme tout est paisible, ici ; on croirait que nous sommes seuls dans le parc.

Il lui prit la main, et même au travers de son gant, elle sentit la chaleur et la force de ses doigts.

— Je voudrais que ce soit vrai, répondit-il avec douceur. (Sa voix grave s'était un peu voilée.) Je veux dire, rien que nous deux, ici.

Elle lui jeta un bref regard puis détourna les yeux. Elle sentit son pouls s'accélérer et cette chaleur qu'elle connaissait bien envahit tout son corps.

Ce maudit Arnaut Dampierre ! pensa-t-elle avec désespoir. Il avait éveillé en elle quelque chose qu'elle eût préféré ignorer. Avant lui, elle avait connu des désirs, certes, mais qu'elle avait su refouler. Maintenant, sachant le plaisir que pouvait lui donner un homme, son corps souffrait. Oui, il souffrait, car même si les sensations qu'elle éprouvait n'étaient pas désagréables, elle restait frustrée.

Il ne fallait pas blâmer le maître de ballet. C'était elle qui, prise d'une espèce de folie momentanée, l'avait tenté au-delà de ce qu'il pouvait affronter... bref, elle l'avait séduit et, aujourd'hui, quelque chose en elle aurait voulu agir de même à l'égard de ce jeune Ecossais.

Elle vit, sur les poignets de Ian, un duvet d'un roux doré briller dans la lumière de cet après-midi d'automne ; elle devina qu'il luttait pour se contrôler car sa main tremblait légèrement sur la sienne. Son propre corps se mit à trembler à son tour et la panique s'empara d'elle. Il fallait absolument qu'elle se maîtrise !

Gentiment, elle retira sa main et feignit de ne pas avoir entendu ses paroles, tout en arrangeant les plis de sa jupe. Elle se mit à chercher un autre sujet de conversation moins troublant.

— Je me pose des questions sur votre pays, dit-elle enfin d'une voix qui lui parut faussement joyeuse. Et j'aimerais bien que vous me parliez de votre vie là-bas. Avez-vous une grande famille ? Beaucoup de frères et sœurs ?

Ian fit semblant de ne pas comprendre ce qui s'était passé, et pourtant elle savait qu'il avait vu clair en elle. Il avait une intuition étonnante. Il n'essaya pas de lui reprendre la main, mais resta assis près d'elle.

— Nous ne sommes plus que quatre : mon père, mes deux sœurs et moi. Margaret est de quelques années mon aînée et Elizabeth est la benjamine ; elle doit avoir à peu près votre âge, Michèle. Nous avions un frère aîné, Douglas, mais il est mort, il y a trois ans.

— J'en suis vraiment désolée. Je n'ai eu ni frère ni sœur, mais je peux imaginer ce que l'on éprouve. Etiez-vous très proches l'un de l'autre ?

— Oui, très. Il était de dix ans mon aîné, mais je

l'adorais. Il m'a beaucoup appris. C'était un homme admirable. Nous portons tous encore son deuil. C'est d'autant plus tragique qu'il est mort pour rien.

— Qu'est-il arrivé ?

— Quelque chose d'abominable, dit Ian d'un ton plein d'amertume. Il était allé rendre visite à son grand ami. Robert Campbell de Glencoe. Les MacLeven et les Campbell sont amis depuis plus d'un siècle, et ennemis des MacDonell depuis à peu près aussi longtemps. Depuis le jour où les MacDonell ont massacré les Campbell au défilé de Glencoe. Oui, ce fut abominable : les MacDonell ont tué Douglas et Robert Campbell. Ils leur ont tendu une embuscade alors qu'ils pêchaient paisiblement. Ni l'un ni l'autre n'était armé. Quel malheur et quelle ineptie : deux jeunes hommes, par un bel après-midi d'été, massacrés dans la fleur de l'âge.

» C'est mon père qui en a souffert le plus. Douglas était son fils aîné, son héritier. Oh ! il s'est vengé. Il a tué, de sa main, les trois derniers MacDonell mais si ce geste a sauvé notre honneur, il ne nous a pas rendu Douglas.

Michèle frissonna d'entendre Ian parler si froidement, avec tant de naturel, de combat et de mort violente.

— Est-ce que ce genre de chose arrive souvent dans votre pays ? Cela paraît si... sauvage !

Il la regarda avec des yeux qui avaient perdu toute chaleur.

— Je le crains, Michèle. Généralement, nous nous entendons bien entre clans, mais certains sont des ennemis séculaires... Je vois que cette idée vous bouleverse et je suppose que cela doit paraître étrange à quelqu'un qui n'est pas habitué à nos mœurs. Moi, je ne trouve pas cela bizarre ; j'en ai l'habitude. C'est l'un des éléments de la vie en Ecosse.

Michèle frissonna. Et chercha de nouveau à changer de sujet.

— Venez, vous avez promis de me montrer le reste du parc.

Ian se leva et lui tendit la main pour l'aider.

— Oui, Michèle. C'est une trop belle journée pour parler de combat et de mort. Si nous allons par là, vous verrez le Grand Parterre. Louis XIV, l'arrière-grand-père du roi actuel, l'a fait dessiner par Le Nôtre. Ainsi qu'une fontaine particulièrement belle, avec une sculpture en bronze représentant le Tibre. De là, vous pourrez apercevoir la grille dorée et les fenêtres de la grande salle de bal.

Le reste de l'après-midi s'écoula trop vite ; ils se promenèrent le long du Grand Parterre et dans un beau jardin planté d'arbres où Michèle put voir la légendaire fontaine Belle-Eau, dont le château tire son nom, et une grotte rustique supportée par de colossales cariatides sculptées dans la pierre. A la fin de la promenade, Michèle sentit que ses pieds refuseraient bientôt de la porter.

— Nous avons dû faire des kilomètres, dit-elle lorsqu'ils se retrouvèrent en vue du château.

Ian la regarda, d'un air chagriné.

— Je suis désolé, ma chère. Je n'ai pas réfléchi. J'ai l'habitude de marcher pendant des heures dans la lande et n'ai pas songé à la longueur de notre promenade. Il n'était pas dans mes intentions de vous fatiguer.

— Ce n'est pas une question de distance, dit Michèle en souriant, ce sont mes souliers. J'ai bien peur qu'ils soient plus élégants que confortables et mal conçus pour marcher.

Il regarda l'élégante chaussure qu'elle lui découvrit en soulevant sa robe à paniers.

— Elle est en effet très jolie mais peu pratique. Je

234

pense qu'un homme n'eût pu tenir longtemps ainsi chaussé. Vous devez souffrir !

Michèle se mit à rire en imaginant Ian vêtu d'une robe longue et portant des souliers comme les siens. Il la regarda d'un air perplexe mais cette vision était si drôle qu'elle ne put s'arrêter. Pour finir, le fou rire s'empara aussi de lui.

C'est alors que Cybella et Louis surgirent dans l'allée où ils s'étaient arrêtés. Cybella, gagnée par la contagion, se mit à rire avec eux, mais le visage de Louis resta de marbre. Si gaie qu'elle fût en cet instant, Michèle le remarqua. Louis était d'un caractère plutôt rieur habituellement.

— Eh bien, vous voilà enfin, dit-il d'un ton maussade. Nous vous avons cherchée partout.

Michèle finit par reprendre le contrôle d'elle-même.

— Je suis désolée, Louis, mais je me promenais avec mon vieil ami Ian MacLeven. Ian, voici deux membres de notre troupe, Cybella et Louis. Pourquoi me cherchiez-vous ?

Le regard de Louis passa du visage de Michèle à celui de Ian.

— Faut-il vraiment une raison spéciale pour souhaiter la présence d'une amie ? Nous voulions simplement visiter le château avec vous.

Ses yeux étaient maintenant fixés sur Ian avec un air de reproche et cela agaça Michèle. Louis était un ami, certes, mais s'imaginait-il qu'elle devait lui rendre compte de ses actes ?

Pourtant, en voyant son désappointement, elle s'excusa.

— Je regrette, Louis, mais je n'avais pas vu Ian depuis plusieurs mois et voulais passer quelques heures avec lui. Je pourrai visiter le château demain.

Louis se mordit les lèvres.

— Nous voulions aussi vous dire que le roi a prévu

une fête pour ce soir. On dînera et on dansera, et nous serons les invités d'honneur.

Michèle sourit gentiment à Louis pour tenter d'apaiser son mécontentement.

— Ce sera sans doute amusant. (Elle se tourna vers Ian.) Si nous devons danser ce soir, il vaudrait mieux que j'enlève au plus vite mes souliers et me repose un peu avant les festivités. Je vous remercie pour cette promenade, Ian MacLeven. Cela m'a fait grand plaisir de vous revoir.

Ian les regarda tous trois, l'un après l'autre. Michèle comprit qu'il souhaitait lui dire quelque chose mais hésitait à le faire devant les autres.

Cybella, devinant la situation, prit Louis par le bras.

— Venez, Louis. Nous devons aller nous reposer, nous aussi.

Après un moment d'hésitation, il se laissa entraîner par sa compagne.

Ian le regarda partir avec une expression ambiguë puis il se tourna lentement vers Michèle.

— C'est le jeune homme qui a dansé le rôle de la Bête, n'est-ce pas ?

— Oui, c'est lui. Pourquoi me demandez-vous cela ?

Ian lui présenta le bras et ils s'avancèrent lentement vers le château.

— Il est amoureux de vous.

Michèle s'arrêta et le regarda, incrédule.

— Que me racontez-vous là ! C'est un ami, un point c'est tout.

— Vous, oui, vous le considérez comme un ami, mais je suis prêt à parier qu'il n'en est pas du tout de même pour lui.

Michèle sentit ses joues s'empourprer et son premier mouvement fut de nier catégoriquement ; mais en réfléchissant au comportement de Louis face à Ian, hier au soir et aujourd'hui, elle se prit à douter.

Avait-il raison ? Et que pouvait-elle lui répondre ?

Pour finir, elle décida qu'il valait mieux prendre tout cela à la légère.

— Je suis sûre que vous vous trompez, dit-elle en souriant, mais nous n'avons pas le temps d'en discuter maintenant. J'ai vraiment besoin de me préparer pour ce soir, et vous aussi, j'en suis sûre.

Ian lui prit le menton et la regarda dans les yeux.

— Vous verrai-je demain ? Acceptez-vous de visiter le château avec moi ? Je vous préviens, si vous refusez, je serai désolé.

Michèle hésita un moment. Louis serait sans doute contrarié si elle ne passait pas un peu de temps avec lui et ses autres amis, mais ils se voyaient presque tous les jours à Paris. Ils pouvaient sûrement se passer d'elle pendant ce bref séjour à Fontainebleau.

— Avec plaisir, répondit-elle, et elle fut surprise de se sentir ravie d'en avoir ainsi décidé !

16

La grande salle de bal était tout ambrée par la lumière qui tombait des candélabres d'or soutenant des bougies par milliers.

La peur figea Michèle sur le seuil et André, sur le bras duquel elle s'appuyait, la regarda d'un air inquiet.

— Qu'y a-t-il, ma chère enfant ? Vous avez le trac ?

Elle hocha la tête, prenant soudain conscience que, ce soir, elle allait se trouver réellement mêlée aux membres de la cour royale, et cette pensée l'effraya.

— Oui, mais cela va aller mieux. Restons un peu ici et regardons-les un instant.

André gloussa en lui tapotant la main.

— Avant de plonger ? Excellente idée.

Michèle considéra les danseurs, vêtus avec recherche ; ils exécutaient, avec une grâce affectée, les figures d'une contredanse. La lumière des bougies se reflétait sur les soies, les velours et sur les bijoux. Elle se dit que c'était un spectacle qu'elle n'oublierait jamais. Nulle part au monde, on ne pouvait trouver un tel déploiement de luxe.

— Venez maintenant, dit André lorsque la danse fut terminée et qu'une autre commençait. Il est temps de les rejoindre, mon enfant. Voici l'un de mes airs favoris.

Michèle se laissa entraîner par André et, tandis qu'ils dansaient, elle regarda autour d'elle. La femme qui dansait avec le roi n'était pas Mme de Mailly mais lui ressemblait beaucoup ; elle était même encore plus lourde et plus laide.

— Qui est cette femme ? chuchota-t-elle à l'oreille d'André.

— Mme de Vintimille, la sœur de Mme de Mailly.

— Au moins, cela reste en famille, murmura-t-elle malicieusement.

André la regarda, interdit, puis éclata de rire.

Quelques minutes plus tard, Michèle aperçut Louis, dansant avec une femme trop maquillée et parée avec ostentation ; puis Ian, avec une séduisante jeune femme vêtue de rose vif.

La danse se termina et il y eut un léger flottement, soit que certains danseurs changent de partenaire, soit que d'autres s'éloignent pour se reposer un peu, et Michèle, levant la tête, vit les yeux souriants du roi fixés sur elle.

Son cœur sauta dans sa poitrine. Elle était face au roi de France et il allait sans doute l'inviter !

Elle jeta un regard implorant à André qui lui répondit d'un petit haussement d'épaules, comme pour lui dire qu'elle devait s'en tirer seule... il ne pouvait rien pour l'aider.

Bien qu'elle fût fort troublée, Michèle gardait assez de sang-froid pour étudier le visage du roi. Comme elle l'avait déjà noté, ce visage était plus joli que beau, ce que soulignait encore le maquillage. Ses grands yeux noirs étaient superbes et ses traits, réguliers et fins.

La débauche toutefois avait marqué sa face un peu empâtée et bouffi le tour de ses yeux ; sa petite bouche révélait son caractère irascible. Il devait avoir vingt-huit ou vingt-neuf ans et Michèle s'étonna qu'il ait déjà engendré une dizaine d'enfants ; il est vrai qu'on lui avait dit qu'il s'était marié à quinze ans.

Sa veste, taillée dans un brocart d'or, éclipsait celles de tous les autres invités. Sa culotte de soie blanche moulait des jambes bien faites. Ses souliers étaient ornés de boucles en or, incrustées de pierres précieuses, et leurs talons étaient vraiment très hauts. Le jabot et les manchettes de sa chemise blanche s'épanouissaient en un ruissellement de dentelle.

Le roi sourit, amusé de l'effet qu'il produisait sur Michèle.

— Mademoiselle, me ferez-vous la grâce de danser avec moi ?

Michèle, qui avait l'impression que sa langue était comme paralysée et qu'elle avait tout oublié de ce qu'André lui avait appris, réussit enfin à faire une profonde révérence et à retrouver sa voix :

— Sire, je serais extrêmement honorée.

Le roi adressa à André un léger signe de tête et présenta la main à Michèle.

Aussitôt l'orchestre attaqua et le roi se lança, avec Michèle, dans les figures de la contredanse.

Cette fois, le regard de Michèle ne se posa plus sur les autres danseurs, tant elle était intimidée par son partenaire. Elle remarqua que le roi dansait gracieusement et la regardait souvent d'un air admiratif. Cela ne fit qu'augmenter son trouble, lui rappelant ce qu'elle savait de son comportement avec les femmes. Que ferait-elle s'il se conduisait trop hardiment avec elle ? On ne pouvait mécontenter un souverain et pourtant elle ne se soumettrait pas à lui, tout roi de France qu'il fût.

La danse semblait s'éterniser et, plusieurs fois, elle se demanda si elle pourrait tenir jusqu'à la dernière mesure ; enfin la musique se tut et le roi l'escorta jusqu'à l'endroit où André les attendait.

— Vous dansez avec beaucoup de grâce, mademoiselle, bien que cela n'ait rien de surprenant pour une professionnelle de votre valeur.

Tout en parlant, il promenait ses regard sur le corps de Michèle.

— J'aimerais danser encore avec vous avant la fin de la soirée. Mais je dois d'abord présenter mes respects à d'autres invitées.

Michèle, interdite, ne put que faire la révérence, une révérence si profonde qu'André dut presque l'aider à se redresser.

Lorsque le roi se fut éloigné, elle s'exclama, haletante :

— Oh, mon Dieu ! André, j'ai cru que j'allais mourir ! Je n'ai jamais eu si peur, même lors de ma première apparition sur scène !

André rit doucement.

— Je sais, c'est vraiment étrange qu'un homme, parce qu'il est roi, puisse impressionner à ce point. Mais vous vous en êtes bien tirée, ma chère enfant ; au moins, vous ne vous êtes pas évanouie, ce qui arrive parfois.

Michèle s'éventa nerveusement.

— J'ai eu si peur ! Je suis sûre que plus tard, je prendrai plaisir à raconter que j'ai dansé avec le roi de France, mais ce fut une véritable torture !

— Je n'aurais pas aimé vous voir torturée, amie !

C'était la voix de Ian. Il lui souriait gentiment. Elle secoua la tête d'un air piteux.

— Si vous m'avez vue danser avec Sa Majesté, vous pouvez me comprendre.

Ian gloussa.

— Pourquoi ? J'ai toujours entendu dire que le roi était un excellent danseur, et qu'il n'écrasait pas les pieds de ses partenaires.

Michèle replia son éventail et lui en donna un petit coup sur le poignet.

— Vous savez très bien ce que je veux dire, Ian. Je me sentais éperdue rien qu'à la pensée de danser avec le roi de France.

Ian lui fit un grand salut.

— Bien, madame. Si vous pensez toutefois pouvoir supporter la présence d'un simple mortel après celle de Sa Majesté, puis-je vous demander de m'accorder la prochaine contredanse ?

— S'il le faut, je saurai m'y résoudre, dit-elle en imitant l'arrogance d'une grande dame.

— Très bien, madame. Allons-nous prendre place ?

André les suivit des yeux, l'expression perplexe. Ils formaient un beau couple, harmonieux.

Ian MacLeven faisait partie d'une excellente famille. C'était l'héritier d'un titre, d'une terre et d'une fortune et, autant qu'André pouvait en juger, il semblait avoir un heureux caractère et d'excellentes manières. En fait, il aurait été parfait si Michèle avait cherché un mari. Mais c'était une danseuse qui adorait son métier et elle était précisément sur le point d'acquérir fortune et renommée.

Pourtant, André souhaitait avant tout son bonheur et qui pouvait dire si elle ne serait pas plus heureuse en épousant cet homme qu'en poursuivant une carrière ? C'était un art exigeant que la danse, et qui n'offrait souvent en retour qu'une vie de solitude.

Il se demanda si les sentiments de Michèle pour Ian étaient aussi ambivalents que les siens et si elle se posait les mêmes problèmes. Il était normal qu'elle ait envie d'aimer et d'être aimée ; et elle était à l'âge où le corps commence à être tourmenté par le désir. Il est vrai que certaines danseuses menaient à la fois une carrière et une vie de famille ; cependant, cela n'était pas toujours un succès lorsque l'époux ne faisait pas partie du monde du spectacle. Ian MacLeven était noble et devait nécessairement résider en Ecosse la plupart du temps, pour gérer son domaine.

Accepterait-il que sa femme soit loin de lui une grande partie de l'année ? André pensait que non. Il soupira. En fin de compte, la décision dépendait de Michèle. Il ne pouvait que veiller et attendre, et lui donner quelques conseils si elle lui en demandait.

Il se mit à rire, se moquant de lui avec une ironie désabusée. C'était bien à lui de donner des conseils dans le domaine de l'amour et du mariage !

Michèle prit bien plus de plaisir à danser avec Ian qu'avec le roi. Elle était détendue, à l'aise, et l'Ecossais était un merveilleux danseur.

Lorsque la contredanse eut pris fin, quelqu'un posa la main sur son bras ; c'était son ami Louis, resplendissant dans un costume de brocart bleu et presque méconnaissable avec sa perruque poudrée. Il s'inclina avec un geste extravagant du bras et Michèle ne put s'empêcher de sourire car elle ne l'avait jamais vu ainsi.

— Mademoiselle, me ferez-vous l'honneur de bien vouloir danser avec moi ?

Il singeait les manières cérémonieuses des gens de cour et Michèle se sentit tout heureuse de cette gaieté.

— J'en serais ravie, monsieur, répondit-elle en posant la main sur la sienne, bien que je ne sois pas sûre de vous connaître. (Elle adressa un sourire à Ian.) Il y a, certes, une certaine ressemblance avec... mais non, ce n'est pas possible, il s'agit d'un jeune garçon sans élégance, un simple danseur, et non d'un gentilhomme tel que vous.

— Je ne consentirais pas à le fréquenter ! dit Louis. La musique commence. Dansons-nous ?

Michèle posa la main sur le bras de Louis et ils commencèrent à danser.

Heureuse de voir Louis de bonne humeur, elle se mit à bavarder.

— Louis, est-ce que tout cela n'est pas merveilleux ? Notre représentation s'est bien déroulée, le roi et sa Cour ont eu l'air d'y prendre grand plaisir. Et j'ai vu Mme de Mailly ! Honte sur vous et les autres pour vous être ainsi moqués de moi ! Je n'aurais jamais cru qu'un roi pouvait avoir une maîtresse aussi laide. Et aujourd'hui, je me suis promenée dans le parc ! Il est merveilleux ! Et songez que nous avons encore une journée à passer ici !

Louis souriait mais Michèle trouva qu'il y avait de la tristesse dans ce sourire-là.

— Est-ce vraiment Fontainebleau, le roi et sa Cour qui vous plaisent tant, ou le fait d'avoir retrouvé votre vieil ami MacLeven ?

Elle le regarda, saisie par l'amertume de sa voix et sentit sa colère s'éveiller.

— Louis, pourquoi me faire une remarque aussi désagréable ? Je ne vous reconnais plus depuis hier. J'ai cru que la crise était passée... Qu'est-ce qui vous arrive ?

Le sourire de Louis disparut.

— Je pourrais aussi me demander ce qui vous arrive, Michèle ; vous semblez n'avoir plus une minute à consacrer à vos vrais amis.

Elle lui lança un regard inquisiteur, tout en essayant de rester attentive aux figures de la danse.

— Est-ce que vous sous-entendez que Marie, vous et les autres, êtes mes seuls vrais amis ? N'ai-je pas le droit d'en avoir d'autres ? En réalité, j'étais amie avec Ian avant de vous connaître !

Elle ne se sentait pas tenue de révéler à Louis que ses relations amicales avec Ian s'étaient mal terminées, sur le bateau ; cela ne le regardait pas. Il n'avait pas le droit de se montrer désagréable ou de se mettre en colère parce qu'elle avait d'autres amis que lui.

Ian avait-il raison ? Les sentiments que Louis éprouvait pour elle étaient-ils plus amoureux qu'amicaux ? Son attitude actuelle ressemblait fort à de la jalousie.

Brusquement, la colère l'abandonna. Si c'était vrai, il ne fallait pas le blesser. Elle se souvint combien elle avait été jalouse d'Arnaut. Elle aimait beaucoup Louis et n'avait pas envie de le faire souffrir.

— Louis, dit-elle gentiment, j'ai de l'amitié pour vous et je ne veux pas vous rendre malheureux. Vous êtes mon ami, vous le savez, mais j'en ai d'autres et souhaite pouvoir passer du temps avec eux. Ne soyez pas jaloux. Cela n'est pas digne de vous.

A ce moment, la danse se termina et Louis l'entraîna vers les piliers. Bientôt ils se trouvèrent loin de la foule des invités.

A l'instant où Michèle en prenait conscience, Louis l'attira à lui et posa sa bouche sur la sienne.

La rapidité de son geste la surprit. Son baiser était violent et exigeant ; il écrasa si fort ses lèvres sur les siennes qu'elle poussa un petit gémissement ; il relâcha sa pression sans cesser toutefois de l'embrasser. Une sorte de panique l'envahit. C'était vrai qu'elle l'aimait beaucoup, mais à présent qu'il l'étreignait, elle se rendait compte que ses sentiments pour lui étaient plutôt ceux d'une sœur que d'une amante ; elle songea avec tristesse à la souffrance qu'elle allait lui infliger.

Elle réussit enfin à se dégager.

— Louis, Louis, murmura-t-elle d'une voix douce.

— Ce n'était pas la peine d'essayer, n'est-ce pas ? dit-il amèrement. Je suis un gamin qui vous amuse, rien d'autre. Vous ne me considérez pas comme un homme.

— Vous êtes un homme, Louis, et un homme merveilleux. Mais je ne vous aime pas comme vous le souhaiteriez ; vous êtes pour moi comme un frère.

— Un frère !

Il se détourna. Elle ne pouvait supporter de le voir partir ainsi.

— Louis, ne soyez pas fâché contre moi, ne me détestez pas. On ne peut commander à son cœur, vous le savez.

— Je vous ai observée avec Dampierre et j'ai compris que vous en étiez amoureuse, mais j'ai attendu patiemment. Maintenant, c'est cet Ecossais. Et je n'ai plus la patience d'attendre !

Michèle poussa un soupir.

— Louis, cela n'a rien à voir avec Ian. J'ai pour vous la plus vive affection, croyez-le.

— Au moins, vous m'avez parlé franchement.

Et Louis se perdit dans la foule, laissant Michèle déconcertée. Elle demeura immobile, les yeux pleins de larmes, se demandant pourquoi la vie et les relations entre les êtres étaient devenues si compliquées, si douloureuses.

Le jour suivant, Ian emmena Michèle visiter l'intérieur du château, comme il l'avait promis ; elle vit tant de salles et de salons magnifiques que la tête lui tournait presque. Mais elle n'y prit pas tout le plaisir attendu ; elle continuait à penser à Louis et à ce qui s'était passé la veille au soir.

Ils étaient dans la galerie de François Ier lorsque Ian la fit pivoter vers lui, lui leva du doigt le menton et lui demanda calmement :

— Qu'est-ce qui ne va pas, aujourd'hui, Michèle ? Est-ce quelque chose que j'ai fait, ou que je n'ai pas fait ?

Elle baissa les yeux.

— Que voulez-vous dire ? Tout va bien.

— Michèle, dit-il avec douceur, il n'est guère difficile de lire en vous, votre visage est comme un miroir. Vous êtes si silencieuse aujourd'hui, et lorsque je vous regarde à la dérobée, vous avez l'air tellement triste. Ne pouvez-vous me dire ce qui vous peine ?

Michèle hésita un instant. La gentillesse dont il témoignait lui donnait envie de parler, mais c'était là quelque chose que l'on ne confie pas à un homme ; et puis, elle aurait eu l'impression de trahir Louis.

Elle sourit et, regardant Ian dans les yeux, elle se montra aussi sincère que possible.

— Je suis un petit peu déprimée, c'est vrai, Ian, mais je ne peux vous en donner les raisons. Je peux seulement vous dire que vous n'y êtes pour rien. Au contraire, vous avez été très gentil et j'ai pris grand plaisir à votre compagnie ; plus que je ne saurais le dire.

Il poussa un soupir de soulagement.

— Au moins, vous m'enlevez un poids de l'esprit, et cela m'amène à vous poser une question. Ce soir, nous allons rentrer à Paris et j'aimerais savoir si vous voulez bien que nous nous revoyions, là-bas.

Elle le regarda, surprise.

— Mais, je croyais vous avoir entendu dire que vous repartiriez très bientôt pour l'Ecosse ? Que vous aviez hâte de retourner chez vous ?

Il eut l'air un peu penaud.

— C'est vrai, oui, je l'ai dit. Néanmoins, toutes mes affaires ne sont pas encore réglées et je resterai à Paris pendant, au moins, une semaine ou deux, peut-être plus. J'aimerais beaucoup vous revoir.

Michèle ne s'attendait pas à éprouver autant de plaisir à l'entendre parler ainsi. Elle avait évité de penser à son proche départ pour l'Ecosse, à leur séparation. C'était un bienheureux sursis.

Pourtant, elle préféra lui cacher ses sentiments et répondit assez froidement :

— Eh bien, oui, Ian. J'aurai plaisir à vous voir à Paris. J'en parlerai à Mme Dubois et je suis sûre qu'elle souhaitera vous inviter à l'une de ses soirées.

— Et peut-être pourrai-je vous emmener souper, ou au théâtre ?

— Peut-être, mais vous savez que j'ai moi-même, souvent, des représentations ; et que je travaille et répète pendant une grande partie de la journée.

— Mais vous essaierez de me réserver quand même un peu de temps ?

— Je pense pouvoir vous le promettre, dit-elle, souriant enfin.

— C'est tout ce qu'un homme peut demander.

Le visage de Ian rayonnait de bonheur, un bonheur qu'elle-même ressentait de tout son être.

En dépit du succès de la représentation et du séjour à Fontainebleau, tout retomba vite dans la routine. Cependant, la vie de Michèle comptait maintenant deux personnages nouveaux : Louis et Ian.

Elle était navrée de voir que le danseur continuait à l'éviter et la traitait avec froideur. Il ne déjeunait plus avec elle et Marie. Il s'en allait seul... et Dieu seul savait où.

Bientôt, Marie, qui avait été la première à remarquer son absence, interrogea Michèle : où était-il ? pourquoi ne les rejoignait-il plus à la pause de midi ?

Ne pouvant dire à Marie la véritable raison de cette absence, Michèle haussa les épaules et baissa les yeux.

— Je ne sais pas où il est. (Cela du moins, c'était vrai.) Il disparaît à présent dès que M. Dampierre annonce la pause.

Café au Lait, plongeant la main dans le panier de Michèle, dont elle partageait toujours le contenu avec ses amis, en sortit un morceau de poulet rôti.

— Il est devenu bien bizarre depuis que nous sommes allés à Fontainebleau. Quelque chose le tourmente, mais il refuse d'en parler. (Il jeta un coup d'œil à Michèle.) Vous ne voyez pas ce qui a pu lui arriver là-bas, qui l'aurait affecté à ce point ?

Pleine de remords, elle secoua la tête en évitant de croiser son regard.

— C'est peut-être quelque chose de personnel qu'il préfère garder pour lui.

— Cela me paraît bien improbable. Habituellement, Louis nous confie toujours tout. Le problème, avec lui, ce serait plutôt de le faire taire. Tout cela est très étrange.

— Oui, c'est vrai, ajouta Marie, le visage assombri. Je voudrais bien savoir ce qui le tourmente. Nous pourrions peut-être l'aider. Il me manque vraiment.

Michèle fut frappée par la tristesse de son amie. Grands dieux, pensa-t-elle, j'étais aveugle, je n'ai pensé qu'à moi. Marie éprouvait pour Louis l'amour qu'elle-même lui avait refusé.

Cette idée la rendit très malheureuse. Pourquoi le destin faisait-il si mal les choses ? Marie aimait Louis, mais Louis l'aimait, elle, Michèle, qui aimait...

Elle ne laissa pas à son amie le loisir de poursuivre.

— Est-ce que l'un de vous a remarqué que Denise se tient très tranquille, ces temps-ci ? Pensez-vous qu'elle ait décidé de s'amender ?

— Les gens comme Denise ne changent pas, répliqua Marie en secouant la tête, pas plus qu'un léopard ne modifie ses taches. Si elle se tient tranquille, c'est qu'elle prépare quelque chose. Soyez-en sûre, attendez seulement et vous verrez...

Café au Lait, ayant terminé son demi-poulet, renchérit :

— Elle a raison, Michèle. Quand Denise paraît aussi paisible, c'est alors qu'il faut la surveiller le plus. Elle ne vous a pas pardonné d'avoir obtenu le rôle de la sœur dans *la Belle et la Bête*. Je suppose qu'elle cherche en ce moment un moyen de vous évincer. Vous devriez faire attention. Mais je n'ai pas envie de parler de Denise. Rien que de penser à elle, cela me coupe l'appétit. J'aimerais mieux que nous parlions de votre bel Ecossais. Un grand seigneur, rien que ça ! Et quelle extraordinaire allure !

Michèle sentit ses joues s'empourprer.

— C'est un vieil ami, tout simplement, répliqua-t-elle, sur la défensive. Je l'ai rencontré sur le bateau, en venant.

— Vous direz ce que vous voulez, répliqua Café au Lait avec un sourire malicieux, mais Marie et moi nous vous avons observés, lorsque vous êtes ensemble, et nous avons lu sur son visage qu'il ne vous considérait pas exactement comme une vieille amie. Et votre propre visage n'exprimait pas précisément une paisible amitié. Il a l'air de beaucoup vous plaire.

Michèle, cherchant désespérément à changer de sujet, saisit son panier.

— Si vous continuez à parler comme cela, je ne partagerai plus mes provisions avec vous. Et puis, comment pourrais-je me fier au jugement de quelqu'un qui m'a dit que la maîtresse du roi était belle !

— Je n'ai jamais dit cela ! s'écria Café au Lait, outré. Cette femme est une truie et une putain !

Puis il regarda Michèle et éclata de rire :

— Ah, notre innocente amie a appris à berner les autres, reprit-il. J'aurais dû me méfier. Oui, c'était un bon moyen de détourner la conversation de votre bel Ecossais. Un bon moyen, vraiment !

Michèle sourit malgré elle. Elle aurait aimé pouvoir aussi facilement détourner ses pensées de Ian. Depuis leur retour à Paris, il était sans cesse présent à son esprit. Il était venu lui rendre visite chez Mme Dubois et l'avait emmenée au théâtre, puis ils avaient soupé ensemble. A chaque rencontre, il lui devenait plus cher ; ce qui était, pour elle, à la fois une source d'inquiétude et de bonheur. En effet, même si elle prenait le plus vif plaisir à être avec lui, la présence de Ian à Paris suffisait à la distraire de son travail et la troublait, juste au moment où elle avait besoin de se concentrer sur sa réussite professionnelle.

En plus de *la Belle et la Bête*, Dampierre préparait un autre ballet pour cet hiver et la rumeur courait qu'il y aurait plusieurs bons rôles, en plus des deux principaux. Ils travaillaient tous de leur mieux, espérant que le maître les choisirait. Depuis qu'elle dansait un rôle dans *la Belle*, Michèle redoutait de réintégrer le corps de ballet ; elle espérait avoir de nouveau un vrai rôle.

Chaque fois qu'ils étaient ensemble, Ian lui parlait de l'Ecosse et du château de MacLeven, lui disant combien il était majestueux et à quel point la campagne était belle au printemps.

Tout d'abord, Michèle pensa qu'il avait le mal du pays, mais il finit par avouer ce qu'il avait à l'esprit. Il lui demanda si elle viendrait lui rendre visite, au printemps.

Michèle dut reconnaître que cela la tentait. Elle avait très envie de découvrir l'Ecosse et elle était attirée par Ian, mais il y avait son métier. Les choses allaient si bien pour elle, en ce moment. Si elle continuait de progresser, elle pourrait bientôt danser des premiers rôles. C'était pour cela qu'elle avait tant travaillé et elle était si proche du but ! Comment pourrait-elle tout quitter à un moment pareil !

Elle avait essayé de le dissuader mais il s'entêtait. En y pensant, elle soupira. Là-bas, en Virginie, elle avait rarement été en situation de prendre des décisions importantes. Depuis qu'elle était arrivée en France, elle avait été obligée de faire des choix décisifs. Elle se dit que la vie dans le monde réel, c'était cela. Et Ian avait eu raison de lui dire, sur le navire, qu'elle avait vécu une existence protégée et qu'elle était inexpérimentée. Eh bien, maintenant, elle n'en manquait pas, d'expérience !

Marie interrompit le cours de ses pensées.

— Pourquoi ce gros soupir, Michèle ?

— J'étais juste en train de me dire que la vie était bien compliquée. Ian ne cesse de me demander si je viendrai le voir en Ecosse, ce printemps-ci, et j'aimerais tellement y aller ! Pourtant, je ne vois pas comment ce serait possible. Cela voudrait dire abandonner la compagnie pendant un mois ou deux, et je ne peux pas faire cela !

Marie haussa les épaules.

— Vous manqueriez des cours, oui, et quelques répétitions, mais ce ne serait pas impossible. Dampierre vous laisserait probablement partir.

Michèle secoua la tête d'un air incrédule.

— Je ne sais pas si je peux me le permettre. Je pourrais...

— Rater une occasion, n'est-ce pas ? (Café au Lait souriait.) Vous avez peur qu'un grand rôle se présente et qu'il aille à quelqu'un d'autre.

Michèle rougit et il rit de bon cœur.

— N'ayez pas l'air si embarrassée, Michèle. Nous pensons tous la même chose, vous savez. La danse est une maîtresse exigeante, ou un maître exigeant, si vous préférez. Parfois, je me dis que nous sommes tous victimes d'un enchantement qui nous retient esclaves. Vous vous souvenez de ce vieux conte de fées ? Celui qui raconte l'histoire d'une jeune fille dont les chaussons magiques l'obligent à danser jusqu'à en mourir ? Parfois, je pense que cette histoire est la nôtre. Nous avons tous reçu, à notre naissance, ces chaussons-là, invisibles, et nous les porterons toute notre vie.

Michèle eut un frisson nerveux.

— Vous présentez cela d'une manière tellement... sinistre.

Il haussa les épaules.

— Je suppose que, d'une certaine façon, toute contrainte est sinistre. Mais, assez de philosophie. Dampierre va bientôt nous rappeler et, avant que le travail reprenne, il faut que je satisfasse un besoin naturel, pardonnez-moi.

Michèle le suivit des yeux, pensant à ce qu'il venait de dire : sa théorie la fascinait et l'effrayait un peu.

17

Hannah se tenait au milieu de la remise et tournait sur elle-même. Le coton était revenu ! Son bonheur était si grand qu'elle faillit pleurer.

Des chariots étaient arrivés, peu après midi, et les conducteurs avaient déchargé le coton et l'avaient rangé dans les coffres. C'étaient des Noirs qui refusèrent de répondre à ses questions : Pour qui travaillaient-ils ? D'où venait le coton ? Qui l'avait dérobé ? Qui leur avait dit de le rendre ?

A la fin, l'un d'entre eux répondit :

— On nous a ordonné de ne pas vous parler, maîtresse. Si nous disions un seul mot, nous serions sévèrement battus et nous ne toucherions pas de gages pour notre travail. Je vous en prie, ne nous demandez plus rien.

Elle s'adoucit en voyant leur peur et hocha lentement la tête. Après tout, peu importait ! Son coton lui était rendu, c'était l'essentiel.

Lorsque la dernière voiture fut déchargée, elle les regarda s'éloigner. Ils avaient tous grande hâte de partir ; ils avaient même refusé le repas qu'elle leur avait proposé.

Elle n'avait reçu aucune nouvelle de Court, depuis la veille, mais elle était certaine que c'était grâce à lui que son coton était revenu. C'était déjà un grand bonheur que Court soit entré dans sa vie, mais maintenant, elle était deux fois son obligée.

Elle décida d'envoyer John à Williamsburg, cet après-midi-là, lui ordonnant de prendre contact avec les acheteurs de coton, de leur dire qu'elle avait récupéré sa récolte et que la vente aux enchères aurait lieu dans deux jours.

Elle se retourna pour sortir et s'arrêta pile. Sur le seuil de la porte se tenait Nathaniel Bealls, les pieds écartés, la cravache fouettant sa cuisse.

— Que venez-vous faire ici ?

Il s'avança vers elle.

— Je suis venu chercher mes gages.

Il s'arrêta devant elle ; son beau visage était tordu de rage.

— Vos gages ? (Hannah rit d'un air dur.) Vous croyez que je vais vous payer alors que vous m'avez dérobé mon coton ?

— Vous n'avez aucune preuve, gronda-t-il.

— Alors, pourquoi vous êtes-vous éclipsé comme un voleur, en pleine nuit ?

— Il ne s'agit pas de cela. Vous me devez de l'argent. Vous m'avez demandé d'attendre jusqu'à la récolte. Eh bien, c'est fait. Ce qui est arrivé ensuite ne me concerne pas.

— Après ce que vous avez fait, je ne vous dois plus rien. Allez trouver Jules Dade, si vous voulez être payé.

— Dade refuse de me... (Il s'interrompit.) Je n'ai pas travaillé si dur pour rien, madame Verner. D'une manière ou d'une autre, vous allez me payer.

— Si vous ne partez pas immédiatement, j'appelle pour que l'on vous jette à la porte.

— Qui appellerez-vous, madame ? (Il ricana.) Vos Noirs tout-puissants ? Ils ont peur de moi. J'y ai veillé. Ils n'oseraient pas me toucher.

— Nous allons voir.

Elle fit mine de sortir, il lui prit le bras et l'attira contre lui.

— Oui, nous allons voir, dit-il d'un air triomphant. Si je ne suis pas rétribué en argent, je me paierai autrement.

Il sentait la sueur et son contact l'écœura. Elle essaya en vain de se dégager.

— Que voulez-vous dire ?

— Le jour où nous étions dans votre bureau... (Il sourit de façon obscène.) Ce sera une passe plutôt chère, étant donné ce que vous me devez, mais je m'en contenterai s'il le faut.

— Vous n'oserez pas ! Certains de mes gens sont à portée de voix. Je vais crier.

Un peu tardivement, elle se souvint que John n'était pas à Malvern : elle l'avait envoyé faire une course dans une plantation voisine.

— Criez, dit Nathaniel d'un air de s'en moquer. (Puis la tenant toujours par le poignet, il leva sa cravache.) Une caresse de ceci vous rappellera à l'ordre. Et puis, vous serez bien contente d'y passer.

Elle commença à se débattre et la cravache s'abattit sur son épaule, juste au-dessus de l'encolure de sa robe. La douleur fut atroce. Elle poussa un cri aigu, puis hurla de nouveau lorsque la cravache revint mordre dans sa chair. Elle tomba à genoux.

— J'ai toujours eu envie de vous voir à genoux devant moi, fière salope que vous êtes.

Cette fois, la cravache retomba sur son dos courbé et déchira l'étoffe légère de sa robe avant d'entailler les chairs.

— Dites que vous vous soumettez à moi et j'arrête. Nous irons dans le bureau où vous avez si souvent couché avec ce dandy. Vous pensiez que je ne savais pas qu'il vous culbutait ?

Sa colère éclata et, oubliant momentanément ses

souffrances, elle leva la tête et le regarda d'un air furieux :

— Vous êtes un monstre ! Je vous prierai de ne pas...

— Toujours aussi arrogante, je vois. Il vous faut peut-être quelques coups de plus.

Il leva sa cravache et une voix dit derrière lui :

— Frappez-la de nouveau et vous êtes un homme mort.

Nathaniel se figea, la cravache levée, et se retourna. Hannah profita de son inattention pour se remettre debout. Court tenait un pistolet braqué sur le contremaître.

Hannah poussa un cri et courut vers lui.

— Court, mon chéri !

Sans quitter Nathaniel des yeux, Court ordonna :

— Ecarte-toi, Hannah.

Elle recula et s'appuya contre un coffre. Baissant le bras, Nathaniel dit en ricanant :

— Tiens, voilà le dandy de Mme Verner.

— Je devrais vous abattre pour ce que vous venez de lui faire.

Calmement, Bealls ouvrit les basques de son habit.

— Je n'ai pas d'arme sur moi, monsieur. Vous n'allez pas tirer sur un homme désarmé ?

— Je le devrais. Mais si vous partez immédiatement, je vous laisserai la vie sauve, ce que je regretterai peut-être plus tard.

Nathaniel ne bougea pas.

— J'exige l'argent qui m'est dû.

— Vous n'aurez rien, Bealls. Allez récupérer votre argent auprès de Jules Dade.

— Il refuse de me payer.

— Hannah fait de même et je l'approuve. Tout ce que l'on vous devait a été annulé par votre conduite ; non seulement par le vol du coton mais parce que vous avez frappé Mme Verner. Maintenant, je vous conseille de partir, ma patience a des limites. (Il leva son pistolet.) Il est vrai que je ne tirerais pas sur un homme désarmé, s'il s'agissait d'un gentleman, mais vous êtes loin d'en être un.

Pour finir, Nathaniel renonça. Il jeta sur Hannah un regard brûlant de haine puis tourna les talons et sortit à grands pas de la remise. Elle aperçut alors son cheval gris attaché au coin de la grange. Elle attendit, retenant son souffle, qu'il l'ait enfourché et se soit éloigné au galop.

Court baissa son arme, la désarma et la remit à sa ceinture. Hannah se précipita vers lui et enfouit son visage dans son épaule. Maintenant que la scène était terminée, elle ressentait de nouveau la douleur des coups qui la brûlaient comme du feu. Un sanglot la secoua.

Court lui caressa doucement le dos et sursauta en découvrant sa robe lacérée et le sang qui lui tachait les doigts.

— Le salaud ! J'aurais dû le tuer ! Je ne l'ai vu te frapper qu'une seule fois, dit-il d'une voix étranglée par la colère. Viens, Hannah, allons soigner tes blessures.

Appuyée à son bras, Hannah se laissa presque traîner jusqu'à la maison. Des visages effrayés apparurent lorsque la porte s'ouvrit à leur approche et Hannah comprit que ses servantes avaient vu Nathaniel. Il avait eu raison en disant que les Noirs avaient peur de lui ; elle était apparemment la seule à ne pas avoir décelé la vraie nature du contremaître.

Une fois dans la maison, Court la remit aux mains de ses servantes.

— J'attends au salon, ma chérie, et vais prendre un verre de sherry pendant que tes servantes s'occupent de toi. Viens me retrouver ensuite.

Elles lui ôtèrent ses vêtements, nettoyèrent ses blessures et la plongèrent dans un bain chaud. Après qu'elle y fut restée un certain temps, ce qui soulagea les cuisantes brûlures, l'une de ses femmes étala un onguent sur les plaies et l'enveloppa dans une robe de chambre.

Elle rejoignit Court au salon.

— Cela va mieux ? demanda-t-il.

— Beaucoup mieux. (Elle eut un pâle sourire.) Du moins, mes balafres vont mieux, mais mon orgueil blessé me fait toujours souffrir.

Il lui versa un verre de sherry et elle s'assit en soupirant.

— Je suppose que c'est à toi que je dois la restitution de mon coton. C'est Dade qui était derrière tout cela, n'est-ce pas ?

— Bien sûr. Je lui ai dit qu'il fallait que le coton soit revenu à Malvern avant midi. Et c'est bien ce qui s'est passé.

Elle but une gorgée, les yeux fixés sur lui.

— Sinon, que serait-il arrivé, Court ? Ta menace, quelle qu'elle soit, devait être terrible.

Il la regarda puis détourna les yeux et s'agita sur le sofa.

— Je préfère ne pas en parler, Hannah. C'est quelque chose que tu dois ignorer. Ce n'est pas une belle histoire.

Poussée par la curiosité, Hannah eut très envie de le harceler, mais à cet instant, il posa son verre, se tourna vers elle et la prit dans ses bras. Elle se dit qu'il faisait ce geste pour détourner son attention de l'affaire entre Dade et lui.

Puis ses lèvres se posèrent sur les siennes, très doucement, et elle se détendit. Elle le questionnerait une autre fois.

— Je suis désolé de ce que Bealls t'a fait, ma chérie. C'est en partie ma faute car j'avais deviné sa nature. J'aurais dû le chasser il y a longtemps.

Elle lui ferma la bouche en l'embrassant, mais il

n'y avait rien de doux dans ce baiser... il était brûlant de désir.

Au bout d'un moment, il s'écarta légèrement :

— Tu sais où ce baiser va nous mener, Hannah. Avec ces blessures au dos et aux épaules, es-tu sûre de vouloir...

— Oui, j'ai envie, dit-elle sauvagement. J'en ai très envie. Mais pas ici, avec ces servantes qui vont et viennent.

Elle le prit par la main et sortit du salon. Comme il se tournait vers le bureau, elle l'entraîna vers l'escalier.

— Non, je veux faire l'amour dans ma chambre, cette fois-ci.

Il leva les sourcils en la regardant.

— Mais tu as toujours dit que tu ne voulais pas que les domestiques sachent.

— Tu crois qu'elles l'ignorent ? Je me racontais des histoires. Et puis, ajouta-t-elle avec une petite moue, je suis blessée, j'ai droit à un lit confortable.

Dans les bras de Court, Hannah oublia vite ses cuisantes souffrances, et s'abandonna aux transports de la passion.

Nathaniel Bealls fit galoper son cheval jusqu'à mi-chemin de Williamsburg ; l'animal était couvert de sueur et sa puissante poitrine faisait un bruit de soufflet de forge. La colère du contremaître retomba. Il remit sa monture au pas. Il valait mieux ne pas tuer ce cheval, c'était la seule chose de valeur qui lui restait.

Il avait travaillé tout l'été chez Hannah Verner et repartait les mains vides.

C'était lui qui s'était débrouillé pour voler le coton de Malvern et ce matin même, Jules Dade avait refusé de le payer.

— Il a fallu restituer le coton, je ne peux donc pas

vous donner un sou, avait-il dit en évitant de croiser son regard.

— Restitué ! (Nathaniel n'arrivait pas à y croire.) Vous êtes fou ! Après tout le mal que je me suis donné pour le voler, vous l'avez rendu et vous ne voulez pas payer mes services ?

— Puisque je ne l'ai plus, je ne tire aucun profit de cette affaire. Or, d'après notre accord, nous devions partager le produit de la vente. Pas de vente, pas d'argent.

Ils étaient dans la sinistre petite pièce qui servait de bureau à Dade, et comme d'habitude, Nathaniel avait dû rester debout. Amer, bégayant presque de colère, il marchait de long en large en fouettant sa cuisse avec sa cravache.

— J'ai quitté Malvern sans même réclamer mes gages, sachant que cela me trahirait. Et me voilà les poches vides après une année de travail !

Penché en avant, les mains dissimulées sous la table, Dade sourit d'un air narquois.

— Ça, monsieur, c'est votre affaire. Peut-être que cette putain de Verner vous paiera.

— Elle lancera plutôt la police à mes trousses. Vous ne m'avez toujours pas dit pourquoi vous avez dû restituer le coton. Il était bien caché et personne n'aurait rien pu prouver contre vous.

— Je n'avais pas le choix. Vous croyez que je l'ai fait de bon cœur ?

— Mais pourquoi ? (Nathaniel donna un coup de poing sur la table.) Vous me devez au moins une explication.

— Je ne vous dois rien du tout. C'est une affaire personnelle qui ne vous concerne pas.

— Je veux mon argent et je l'aurai !

Sa colère débordait ; il se pencha vers Dade. Laissant tomber sa cravache sur le bureau, il tendit les mains pour le prendre à la gorge.

Dade recula et ses mains apparurent, tenant un pistolet.

— Bas les pattes, Bealls, ou je tire. Maintenant, partez d'ici et ne revenez jamais. Sinon, je vous tuerai sans aucun scrupule. N'en doutez pas !

Nathaniel resta courbé en deux, haletant. Puis il se redressa lentement, s'empara de sa cravache et sortit à grands pas.

A califourchon sur son cheval, au bord de la route, il respira à fond pour tenter de calmer sa colère. Dade l'avait roulé et il n'y pouvait rien. Il s'était bien douté qu'il ne tirerait pas un sou d'Hannah Verner mais il avait cru se payer autrement ; c'était bien peu, par rapport au temps passé à la plantation. Il l'aurait possédée sans l'arrivée de ce Courtney Wayne !

En pensant à lui, il se redressa sur sa selle. Il comprit soudain, aussi sûrement que si Dade le lui avait dit, que Wayne était responsable de la restitution du coton. Et cet homme allait bientôt suivre cette route, à son tour ; il ne passait jamais la nuit à Malvern.

Pour la première fois, Nathaniel regarda autour de lui. La route descendait là vers une petite clairière. Des arbres se dressaient de chaque côté et formaient une espèce de voûte.

Il se mit à sourire d'un air sinistre. Il ne pourrait peut-être pas récupérer son argent mais il allait mettre fin à la vie de Wayne. Nathaniel savait que, de toute façon, il était brûlé dans la région. Après avoir tué Wayne, il partirait très loin ; même s'il était soupçonné d'avoir assassiné cet homme, il aurait disparu avant que la rumeur de son meurtre se répande. Ce ne serait pas seulement une douce vengeance, mais un terrible coup porté à Hannah Verner ! Nathaniel jubila en imaginant son chagrin.

Il poussa son cheval vers l'autre extrémité de la clairière, là où la route recommençait à grimper. Il choisit une place, à mi-pente, entre deux hêtres. Il serait impossible de le voir de la route. La voiture allait forcément ralentir car les chevaux peineraient pour monter la côte.

Il descendit de sa monture et l'obligea, avec brutalité, à reculer dans le sous-bois. Puis, il se remit en selle et sortit son pistolet de sa sacoche. Si seulement il avait pensé à le prendre lorsqu'il était allé rejoindre Hannah dans la remise, il aurait pu tuer Wayne à ce moment-là ; mais il ne lui était pas venu à l'idée qu'il aurait besoin d'une arme. Il le chargea puis se prépara à attendre avec la patience d'un chasseur de canards.

L'affût dura longtemps mais la vengeance qu'il allait goûter avant la fin du jour valait bien ça. Le soleil se coucha et les ténèbres envahirent la route avant qu'il entende les sabots des chevaux et les grincements d'une voiture venant de Malvern.

Il repoussa une branche et vit que c'était bien celle de Wayne. Comme il l'avait prévu, elle ralentit en attaquant la côte, en dépit des cris du cocher et des claquements de son fouet.

Nathaniel attendit que les chevaux soient à sa hauteur pour jaillir de sa cachette. Le pistolet dans la main droite, il se dressa sur ses étriers, saisit le cocher par le bras et le tira d'un coup sec. L'homme cria et tomba de son siège. Le contremaître le frappa à la tempe avec le canon de son arme. Il dut laisser son cheval courir sur quelques mètres avant de le faire revenir vers la voiture.

Celle-ci avait continué à avancer, mais les chevaux ralentissaient ; sans conducteur, ils finirent par s'arrêter. Nathaniel porta son cheval vers la gauche et descendit. Il saisit la poignée de la portière et l'ouvrit.

— Allez, espèce de dandy, sors de là ! Je suis armé maintenant !

Aucun bruit en provenance de l'intérieur.

— Sors, je te dis ! Pas besoin de te cacher comme un lièvre effrayé. Tu ne m'échapperas pas, je vais te tuer. Affronte ton destin en homme.

Comme il ne recevait toujours aucune réponse, Nathaniel regarda à l'intérieur. Il resta bouche bée. La voiture était vide.

Court sommeillait à demi lorsqu'il avait entendu un tumulte à l'extérieur... tout d'abord, un bruit d'échauffourée puis le cri étranglé de son cocher.

Tout à fait réveillé, il tira le pistolet de sa ceinture. Par la portière, il aperçut un grand cheval gris qui passait. Alors, juste au moment où la voiture atteignait la pente et s'arrêtait, il appuya sur la poignée et se laissa glisser rapidement à terre.

Il se blottit contre la voiture et attendit ; il entendit le cheval revenir et l'aperçut de nouveau... c'était celui de Nathaniel Bealls. Court se traita d'imbécile ; il aurait dû prévoir que le régisseur l'attaquerait sur cette route et s'y préparer.

Il entendit son agresseur lui crier de sortir. Sur la pointe des pieds, il contourna le véhicule et se retrouva derrière Bealls, toujours penché à l'intérieur. Il prit son pistolet à deux mains et fut tenté de tirer, mais il ne put s'y décider.

— Je suis ici, Bealls, dit-il.

Un grognement de stupéfaction échappa au régisseur qui se retourna aussitôt en levant son pistolet. Avant qu'il ait pu viser, Court fit feu. La balle alla droit au but et Bealls tomba ; son coup partit et la balle passa à quelques centimètres de la tête de Court.

Le grand cheval gris, affolé par les coups de feu, partit au galop en remontant la route. Court s'avança vers Bealls étendu à terre. Il était sur le dos, les yeux fixes ; la balle était allée droit au cœur.

Wayne se retourna vers son cocher qui essayait de

se relever. Remettant son pistolet à sa ceinture, il se précipita pour l'aider. Du sang coulait de sa tempe.

— Comment vas-tu, Lucas ?

— Je crois que... que ça va.

Le Noir se tâta la tête et regarda avec de grands yeux le sang qui tachait ses doigts.

Court examina la blessure puis poussa un soupir de soulagement.

— Ce n'est qu'une égratignure, Lucas. Tu vas avoir une grosse bosse pendant plusieurs jours, mais ça ira.

Il lui donna une tape amicale sur l'épaule. Lucas regardait fixement le corps étendu par terre.

— Qui est-ce, maître ?

— Un bandit de grand chemin ; qui veux-tu que ce soit d'autre ? Du moins, c'est ce que nous dirons à la police. Viens, installe-toi à l'intérieur, je vais conduire à ta place. Il va falloir que tu fasses le voyage avec lui, Lucas. Je regrette, mais on ne peut pas le laisser ici.

La vente aux enchères d'Hannah fut un succès. Elle en tira assez d'argent pour rembourser Dade et Court, et tenir confortablement jusqu'à la prochaine récolte. Elle réfléchit un moment, puis finit par envoyer John porter la somme au prêteur sur gages. Elle aurait bien voulu voir sa tête face à l'argent rendu, mais elle n'avait pas confiance en elle. Elle détestait tellement cet homme perfide qu'elle craignait d'avoir la nausée en le revoyant.

Elle attendait Court le jour où elle envoya John chez Dade. Peu avant l'heure où son amant devait arriver, un courrier lui apporta une lettre. L'enveloppe portait seulement les mots : *Hannah Verner, Malvern*, sans indication d'expéditeur.

Elle l'ouvrit avec inquiétude et n'y trouva qu'une seule feuille de papier.

Madame Verner, dans l'intérêt de votre sécurité future, il est de mon devoir de vous mettre en garde contre l'une de vos relations, un certain Courtney Wayne. Méfiez-vous de cet homme, madame ! Il n'est pas du tout ce qu'il paraît être. C'est un vaurien et un scélérat de la pire espèce.

Bien qu'il joue à l'honnête citoyen de cette ville, il fut l'un des hommes d'équipage de Barbe Noire, le favori d'Edward Teach, l'infâme pirate qui ravagea et pilla non seulement de pauvres vaisseaux sans défense mais encore toute la région autour de Williamsburg.

Ce Wayne est aussi un meurtrier. Il a tué votre mari. Il a attaqué Michael Verner sur la route et l'a assassiné.

Et c'était signé : *Un voisin qui vous veut du bien.*

Hannah resta bouche bée. Elle relut la lettre, comme pour s'assurer de sa réalité.

Sa première réaction fut de la brûler et de ne pas en parler à Court. Ce devait être une calomnie, une horrible diffamation. Puis elle se souvint de ce qu'elle avait entendu dire sur lui, ici ou là. Personne ne savait rien de son passé ; la seule chose dont on était sûr, c'était qu'il était riche, mais on ignorait d'où venait cet argent. La rumeur avait effectivement couru qu'il avait été l'un des hommes de Barbe Noire et qu'il devait sa fortune à la piraterie.

A l'époque, lorsqu'elle avait entendu cela, elle n'y avait pas prêté attention, le connaissant à peine. Quand il lui avait écrit ce billet exigeant le remboursement de la dette de Michael, elle était tellement en colère contre lui qu'elle était prête à croire ces racontars.

Puis elle en était venue à le connaître, à l'aimer, et avait oublié ces rumeurs. Elle l'avait rarement interrogé sur son passé. Maintenant, elle prenait conscience qu'il avait toujours réussi à éluder les rares questions qu'elle lui avait posées. Et puis, comment avait-il pu contraindre Dade à restituer le coton ? Elle lui en était reconnaissante, mais ce mystère restait inexpliqué.

Elle se souvint de ce que Michael lui avait dit, il y avait longtemps. Tandis qu'elle était la jeune épouse de Malcolm Verner, son fils avait espionné Edward Teach et c'était grâce à lui que Barbe Noire avait fini par expier ses crimes. Michael lui avait raconté les atrocités commises par le pirate et ses hommes. Elle en était venue à détester Barbe Noire et tout ce qui le concernait ; comment aurait-elle pu aimer un homme qui avait fait partie de cet horrible équipage ?

Elle se força à relire le dernier paragraphe, celui qui la révoltait le plus. C'était la pire des accusations. Court aurait tué Michael ? Elle ne voulait pas y croire, c'était impossible !

Comme hébétée, elle se laissa tomber dans le fauteuil le plus proche.

Elle était toujours là, la lettre à la main, lorsque la voiture de Court arriva. Elle fut un peu surprise de le voir sur le siège du conducteur.

Elle se leva tandis qu'il montait les marches.

— Pourquoi est-ce toi qui conduis, à la place de Lucas ?

— Nous avons eu un... un petit accident, en revenant l'autre soir.

— Un accident ? Quelle sorte d'accident ?

Il hésita un peu puis haussa les épaules.

— Nous avons rencontré Nathaniel Bealls. Il a assommé Lucas avec son pistolet. Mon cocher va bien, mais je lui ai dit de se reposer quelques jours. Il a une vilaine bosse.

— Et Nathaniel ?

— Bealls est mort. Il m'a attaqué avec l'intention évidente de me tuer, mais j'ai tiré avant lui. J'ai dit à la police qu'il avait essayé de me dévaliser. Lucas a soutenu ma version, et j'aimerais que tu fasses de même. Ce serait plus simple.

Avant qu'elle ait pu répondre, il s'avança vers elle dans l'intention de la prendre dans ses bras. Elle alla à sa rencontre en lui tendant la lettre.

— Elle est arrivée aujourd'hui.

Il lui jeta un coup d'œil pénétrant puis prit la missive ; presque avec répugnance, se dit Hannah. Elle guetta son visage pendant qu'il lisait et le vit devenir froid et dur. Lorsque, pour finir, il leva les yeux vers elle, ils étaient glacés et une certaine violence émanait de toute sa personne.

— Que veux-tu que je te dise ?

— Simplement, si c'est vrai ou non.

Il semblait distant, lointain.

— Tu te sens vraiment obligée de me le demander ?

— Oui ! Je pense même que tu me dois une réponse, Court, dit-elle froidement.

— Etant donné ce que nous sommes devenus l'un pour l'autre, il me semble que tu devrais me faire confiance.

— Confiance ? Alors, pourquoi refuses-tu de me répondre ?

— Parce que tu n'as pas le droit de me demander cela.

— Si. Je ne sais rien de ton passé. Chaque fois que je t'ai posé une question, tu t'es dérobé.

— Mon passé n'a rien à voir avec ce que nous sommes maintenant l'un pour l'autre. Je ne t'ai rien demandé sur ton passé à toi.

— Mais je t'ai tout dit, presque tout. Pour le reste, tu n'as qu'à m'interroger.

— Hannah, je te conseille de ne pas me harceler.

— Je veux savoir ! As-tu fait partie de l'équipage de Barbe Noire ?

— Et si je te disais oui ?

— Court... (Elle le regarda, les yeux écarquillés de saisissement.) Michael a été à bord de *l'Aventure*, pour le compte du gouverneur. Il m'a raconté toutes les atrocités qu'ont commises ce pirate et ses hommes. Et mon mari a failli y perdre la vie. (Elle reprit avec peine sa respiration et affronta le pire :) La lettre dit aussi que tu as tué Michael.

Il la regarda avec des yeux brûlants.

— Tu m'en crois capable ?

— Ce serait horrible mais je ne sais plus quoi penser ! cria-t-elle. En tout cas, je ne pourrais jamais aimer un homme qui aurait été pirate et serait l'assassin de mon mari.

— Alors, nous n'avons plus rien à nous dire, n'est-ce pas ? Sauf que tu me déçois, Hannah.

Sur ces mots, il tourna les talons et descendit les marches en courant.

Elle resta figée. Elle n'arrivait pas à croire qu'il la quittait ainsi ! Lorsqu'il arriva à sa voiture et grimpa sur le siège du cocher, sans jeter un seul regard en arrière, elle sortit de sa stupeur et se mit à descendre l'escalier.

— Court, Court ! Attends, ne pars pas comme cela.

Il fit mine de ne pas l'entendre. Prenant les rênes, il en frappa les chevaux en leur parlant d'une voix rageuse. L'attelage démarra.

Hannah courut derrière lui en criant. Puis elle ralentit et s'arrêta. Elle donna un grand coup de pied dans le gravier du chemin.

Elle s'y était mal prise. Elle aurait dû se rappeler combien il était orgueilleux et susceptible. Elle aurait dû présenter les choses autrement ou se contenter de brûler la lettre, sans jamais lui en parler. Pourtant, elle avait le droit de savoir !

— Allez au diable, Courtney Wayne !

Tout s'arrangerait, elle en était persuadée. Une fois sa colère calmée, il lui reviendrait.

Elle attendit avec impatience pendant trois jours : nul signe de vie de Court. Au matin du quatrième, elle dit à John d'atteler.

La maison que Court habitait avait l'air abandonnée et Hannah eut un serrement de cœur en la regardant. Refusant d'envisager le pire, elle monta les marches à la hâte et frappa à la porte.

A sa grande surprise, elle s'ouvrit aussitôt et Hannah reprit espoir. Une femme très maigre, à la mine rébarbative, portant un grand tablier et un foulard sur la tête, apparut.

— Oui ?

— Je voudrais voir Courtney Wayne, dit joyeusement Hannah.

— Il n'est pas là.

La femme commença à refermer la porte.

— Attendez ! (Hannah poussa le battant juste à temps.) Quand reviendra-t-il ? Je peux l'attendre...

Sa voix s'éteignit lorsqu'elle vit des objets empilés en désordre sur le plancher. Les meubles étaient recouverts de housses.

— Si vous voulez attendre, ce sera pendant rudement longtemps, dit la femme avec un rire cruel. M. Wayne est parti. Il a quitté Williamsburg hier.

— Pour aller où ?

— Il ne s'est pas donné la peine de me le dire. Il m'a engagée et payée à l'avance pour que je range les objets dans des caisses et que je mette des housses sur les meubles.

— Mais il a dû vous dire où il allait ? demanda Hannah, désespérée.

— Je lui ai demandé, mais il m'a répondu qu'il ne voulait pas qu'on le sache et qu'il serait longtemps absent.

— Oh ! murmura Hannah. Il a peut-être laissé un message pour moi. Je suis Hannah Verner.

Le visage revêche s'éclaira un peu.

— Oui, madame Verner. Il m'a dit que vous viendriez. Une minute, je vais chercher la lettre.

Elle réapparut au bout d'un instant, une enveloppe à la main. Elle la tendit à Hannah puis lui ferma résolument la porte au nez.

Les mains d'Hannah tremblaient si fort qu'elle eut du mal à l'ouvrir, priant pour que, dans ce billet, Court lui dise où il était parti.

Mais à l'intérieur, il n'y avait que la reconnaissance de dette de Michael avec, de la main de Court, ces mots : *Intégralement remboursée.*

Elle laissa retomber le bras et regarda fixement devant elle, sans rien voir. Elle n'avait jamais été aussi désespérée de sa vie, pas même après la mort de Michael. Elle ne s'était pas sentie responsable de son malheur tandis que, cette fois, tout était sa faute.

Elle revint à la voiture. John lui ouvrit la portière d'un air compatissant.

— Il est parti, John. Court est parti.

— Je suis désolé, maîtresse.

— Tu étais au courant ?

— Oui, j'ai entendu dire que M. Wayne avait quitté Williamsburg pour... (Il s'interrompit et s'empressa d'ajouter :) Je suis sûr qu'il reviendra.

Hannah savait bien que Court était définitivement parti. Elle essaya de se reprendre.

— Conduis-moi chez Jules Dade.

John eut l'air consterné.

— Non, maîtresse, pas chez M. Dade ! C'est un mauvais Blanc. Vos affaires avec lui sont terminées.

— Pas tout à fait. Obéis-moi sans discuter, John. Je ne suis pas d'humeur à souffrir la moindre contradiction.

Peu après, elle frappait à la porte de Dade. John resta près de la voiture, les bras croisés, les sourcils froncés. Il avait insisté pour entrer avec elle mais elle avait refusé. Lorsque la porte s'ouvrit, elle s'arma de courage pour affronter l'homme qu'elle détestait le plus au monde.

Dade, étonné, la regarda d'un air hostile, puis esquissa un sourire.

— Eh bien, madame Verner ! Quelle bonne surprise. J'ai cru que nos affaires étaient terminées.

Hannah lui fit la même réponse qu'à John.

— Pas tout à fait, monsieur.

Il fit un salut maladroit et ouvrit la porte.

— Alors, entrez dans mon humble demeure.

Il referma la porte et se tourna vers elle en souriant sournoisement. Le petit homme brun avait l'air de se réjouir de quelque chose et Hannah savait que ce n'était pas de sa présence. Ses yeux brillaient comme s'il mijotait quelque secrète affaire, et brusquement elle comprit ce qu'elle aurait dû deviner dès le début... c'était Jules Dade qui avait écrit la lettre. Qui d'autre aurait pu être aussi malveillant ? Mais comment le prouver ?

— A quoi dois-je le plaisir de votre visite, madame ?

— Pouvons-nous aller dans votre bureau ? demanda-t-elle fermement.

— Mais oui. Après vous, madame.

Il fit un autre salut moqueur. Hannah se dirigea vers la petite pièce ; elle plongea discrètement la main dans son sac et prit la lettre. Sans savoir pourquoi, elle ne l'avait pas jetée, et maintenant, elle s'en réjouissait.

Une fois dans la pièce, elle se dirigea droit vers la table de travail. Il y avait là nombre de papiers. Elle les parcourut rapidement des yeux et, apercevant un feuillet de la main de Dade, elle s'en empara et le dissimula dans les plis de sa cape.

Il s'assit et la regarda d'un air interrogateur.

— Maintenant, que puis-je faire pour vous, madame ?

Hannah lui tendit la lettre anonyme.

— Avez-vous une idée de la personne qui m'a écrit cela ?

Dade la parcourut des yeux et la lui rendit avec un petit sourire satisfait.

— Alors, nous savons enfin la vérité sur M. Courtney Wayne !

— Vous n'avez pas répondu à ma question. Est-ce vous qui l'avez écrite ?

Dade prit un air outragé.

— Certainement pas ! Pourquoi aurais-je fait une chose pareille ?

Tenant la lettre dans une main et le papier qu'elle avait pris sur le bureau de l'autre, elle les examina. Le document dont elle s'était emparée portait la signature de Dade. Elle compara rapidement les deux feuillets et faillit s'évanouir de soulagement. Son hypothèse était juste !

— Peut-être pourriez-vous m'expliquer pourquoi l'écriture de ce papier est identique à celle de la lettre. Il est signé de vous, monsieur. Evidemment, vous êtes trop lâche pour avoir fait de même au bas de votre diffamation.

Le visage de Dade se marbra de rouge mais sa colère retomba vite ; il se laissa aller en arrière dans son fauteuil et la regarda d'un air sarcastique.

— En admettant que ce soit moi qui ai écrit cette lettre, ce n'est pas un crime, surtout dans la mesure où elle ne dit que la vérité.

— Comment pouvez-vous en être sûr ?

— J'ai mes sources.

— Pour être certain que Court était l'un des hommes d'équipage de Barbe Noire, il fallait que vous soyez, vous-même, l'un de ces pirates. (L'allégresse l'envahit lorsque Dade blêmit. Elle ne s'était pas trompée.) Mais Court, lui, ne l'a jamais été. Je le sais maintenant. Dans cette ignoble lettre, vous l'accusez de ce que vous avez fait. Et si c'est vrai, il s'ensuit que vous avez aussi tué Michael. Vous avez assassiné mon mari !

Dade bondit sur ses pieds.

— Vous êtes folle de venir m'accuser de meurtre, chez moi !

— Vous l'avez tué, j'en suis convaincue, dit-elle implacable. Je ne sais pas pourquoi mais je sais que c'est vous l'assassin.

Il resta silencieux, la regardant d'un air cruel.

Hannah pivota sur ses talons et s'avança vers la porte. Elle l'entendit qui contournait la table ; elle eut envie de se retourner mais se contint. Soudain, elle avait terriblement peur, comprenant que John avait raison et qu'elle n'aurait jamais dû entrer ici seule.

— Vous n'avez pas de preuve.

— J'en trouverai. Sinon, je crierai votre crime sur les toits. Vous serez obligé de partir.

Elle n'avait plus que deux pas à faire pour atteindre la porte.

Elle sentit qu'il se ruait sur elle. Juste au moment où sa main allait se poser sur la poignée, Dade lui mit un bras autour du cou et l'autre autour de la taille. Il lui rejeta la tête en arrière, coupa sa respiration. Elle s'étonna de sa force.

— Oui, j'ai tué votre salaud de mari ! lui chuchota-t-il à l'oreille. Il m'avait parlé d'un emprunt mais avant que nous ayons mené la transaction à terme, Wayne lui a dit du mal de moi et lui a prêté, lui-même, la somme. Ce Courtney Wayne ! Cela fait des années qu'il me traque, contrariant toujours mes projets. J'ai abordé votre mari, sur la route de Williamsburg, et je lui ai demandé d'honorer son engagement vis-à-vis de moi. Il a prétendu qu'il ne m'avait rien promis et m'a menacé de dire à tout le monde que j'avais fait partie de l'équipage de Teach. Alors, je l'ai tué. Ce sont des gens comme votre mari qui n'ont cessé de se mettre en travers de ma route, et pendant trop longtemps. Tout ce que je voulais, c'était la respectabilité et Malvern me l'aurait donnée.

Sa voix devint geignarde.

— Est-ce trop demander ? Les gens comme vous, madame Verner, les gens de la haute m'ont toujours contrecarré. (Il resserra son étreinte et commença à la tirer vers le bureau.) Mais c'est fini, c'est bien fini. Vous ne sortirez pas vivante de cette pièce. Je n'aurai peut-être pas Malvern, mais vous non plus.

Des taches noires dansaient devant les yeux d'Hannah et elle étouffait. Elle savait qu'elle allait sans doute perdre conscience dans quelques secondes mais elle voulait encore lutter contre ce monstre. Il avait tué Michael et provoqué le départ de Court.

Elle rassembla ses forces défaillantes et repliant le bras, lui envoya un coup dans l'estomac, juste sous les côtes. Ce n'était pas un coup bien vigoureux, mais il suffit à ébranler Dade et son bras, qui broyait le cou d'Hannah, relâcha son étreinte. Elle respira profondément et cria aussi fort qu'elle put.

Dade jura et resserra l'étau. Cette fois il referma les doigts de son autre main autour des poignets d'Hannah et recommença à la torturer en grognant des insultes.

Elle tenta de se débattre mais elle était trop faible. Elle allait s'évanouir lorsque la porte s'ouvrit, ou plutôt fut défoncée. John resta sur le seuil un moment, embrassant la scène du regard. Dade relâcha involontairement sa prise. Le Noir s'avança vers eux.

— Ne t'avise pas de mettre la main sur moi, sale nègre, ou je te fouetterai !

John saisit le bras de Dade et libéra Hannah qui vacilla. Elle serait tombée si son serviteur ne l'avait doucement prise par la taille et fait asseoir sur le bureau. Il n'avait pas quitté Dade des yeux. Celui-ci se précipita vers la porte.

John le rattrapa. Par-derrière, il passa ses mains autour du cou du petit homme et commença à serrer. Dade poussa un cri étranglé. Lentement le Noir le souleva de terre tout en resserrant sa prise. Le prêteur sur gages luttait désespérément en battant l'air de ses bras et en martelant les jambes de son adversaire. Mais John continuait à serrer.

Hannah avait repris son souffle. Elle comprit ce qui se passait.

— Non, John, non, murmura-t-elle.

Il ne tint aucun compte des paroles de sa maîtresse. Le visage de Dade devint pourpre et Hannah se dit qu'il allait mourir. Elle s'avança vers eux en trébuchant. Elle tenta vainement de s'agripper aux mains de son cocher.

— Non, John, ne le tue pas !

Sans desserrer sa prise, le Noir tourna vers elle un regard hébété.

— C'est un mauvais homme, maîtresse, un agent du diable. Il a vendu mon peuple en esclavage. Il mérite de mourir.

— C'est vrai qu'il le mérite. Mais pas de tes mains, John. (Sa voix devint plus ferme.) C'est toi qui aurais des ennuis ; on ne veut rien savoir des raisons que peut avoir un Noir de tuer un Blanc... Laisse-le vivre. Il m'a avoué qu'il avait tué Michael. Je ferai en sorte qu'il soit pendu, même si c'est la dernière chose que je dois faire de ma vie !

18

L'hiver s'abattit sur Paris avec ses rafales et ses frimas. La salle d'exercices, en dépit du chauffage continu de l'énorme poêle en faïence, était froide et pleine de courants d'air ; et les danseurs, emmitouflés dans des lainages, ressemblaient un peu à des ours de foire.

Dampierre avait annoncé le titre de son nouveau ballet, *les Trois Sœurs*, conçu d'après une idée personnelle. La musique était d'un jeune compositeur qu'il avait découvert l'année précédente, un Italien appelé Giovanni Bartolo.

C'était l'histoire de trois sœurs qui vivaient avec leur frère dans une maison isolée, au cœur d'une forêt enchantée. Le seul autre habitant des lieux était leur jardinier, un bossu.

Michèle lut l'argument avec beaucoup d'intérêt.

Les deux sœurs aînées, Lily et Rose, étaient vaines, paresseuses et égoïstes ; elles laissaient à leur plus jeune sœur, Violette, tout le soin du ménage et de la cuisine, en faisant croire à leur frère que c'étaient elles qui accomplissaient ces travaux. Elles la calomniaient aussi, affirmant qu'elle était fainéante et insolente. Si bien qu'il était constamment fâché contre la pauvre fille qui n'y comprenait rien car elle travaillait de toute son énergie. L'attitude de son frère et la cruauté de ses sœurs rendaient bien dure la vie de Violette ; mais comme c'était une fille d'un naturel heureux, elle essayait de voir le bon côté des choses et chantait tout en accomplissant sa besogne. Elle était gentille avec le bossu que ses sœurs maltraitaient ; et il était le seul à se montrer amical envers elle.

Ses sœurs, furieuses de voir que Violette restait toujours joyeuse, quoi qu'elles fassent, la détestaient de plus en plus car sa bonté leur semblait un perpétuel reproche, et elles complotaient constamment pour rendre sa vie encore plus pénible.

Un jour que les aînées étaient parties faire des achats au village, Violette s'assit sous son arbre favori, un superbe saule ; un petit oiseau rouge se percha sur la branche au-dessus d'elle et la fixa de ses yeux brillants. Violette regarda l'oiseau, s'attendant à ce qu'il chante, mais au lieu de cela, il se mit à parler comme un être humain.

— Violette, je suis venu t'apporter un don, de la part du prince de la forêt.

— Mais comment se fait-il que tu parles, petit oiseau ? Et comment sais-tu mon nom ?

— Peu importe. Mais je suis le messager du prince de la forêt. Il t'a remarquée et a découvert que tu étais aussi pure et aussi bonne que belle.

Violette sourit car c'était le premier compliment qu'elle entendait depuis bien longtemps.

— Le prince est fort aimable. Personne ne m'a offert de cadeau depuis que notre mère est morte.

— Ecoute-moi bien, car tes sœurs sont sur le chemin du retour. Ton don est dans ce saule, lequel est enchanté et peut te donner tout ce que tu désires. Il suffit que tu te tiennes sous l'arbre, que tu poses la main sur le tronc et que tu dises : « Ô saule, ce que mon cœur désire, apporte-le-moi. » En prononçant ces mots, évoque mentalement ce que tu souhaites,

or, joyaux, étoffes, que sais-je, et les choses t'apparaî-
tront de l'autre côté de l'arbre. Te souviendras-tu de
l'incantation ?

— Oui, petit oiseau, je m'en souviendrai.

— Bien ! Rappelle-toi aussi que tu ne dois dire à
personne l'origine de ce don car il ne vaut que pour
toi. J'entends tes sœurs et je dois te quitter.

Comme il s'envolait, flèche rouge entre les branches, Violette lui cria :

— Remercie pour moi le prince de la forêt car
j'apprécie son merveilleux cadeau à sa juste valeur.

Ce soir-là, très tard, lorsque tous, sauf elle, furent
allés se coucher, Violette, impatiente d'essayer son
don magique, sortit de la maison et s'approcha du
saule, baignée des rayons de la pleine lune.

Elle posa la main sur le tronc, comme le lui avait
dit l'oiseau, puis chercha ce qu'elle allait demander.
La première chose qui lui vint à l'esprit, ce fut de la
nourriture, car ses sœurs étaient si gourmandes qu'il
en restait toujours fort peu pour Violette.

Elle pensa à un poulet rôti, dodu et savoureux,
farci de châtaignes ; à un pain croustillant, tartiné de
bon beurre doré, et puis à des fraises à la crème.

La faim tordait cruellement son estomac et elle
répéta les paroles de l'incantation : « Ô saule, ce que
mon cœur désire, apporte-le-moi ! »

Il se produisit un faible bruit, semblable à celui
d'un bouchon qui saute ; une odeur de poulet rôti et
de pain chaud monta aux narines de Violette qui se
précipita de l'autre côté du tronc ; et là, comme
l'avait promis l'oiseau, se trouvait le repas qu'elle
avait souhaité.

Elle se jeta sur la nourriture et festoya jusqu'à ce
qu'elle soit repue. L'oiseau rouge avait dit la vérité...

Elle s'essuya les mains sur son tablier reprisé et
repassa de l'autre côté de l'arbre. Elle mit encore ses
mains sur le tronc et souhaita cette fois des vêtements

décents... une robe, des souliers, un tablier neuf et du linge.

De nouveau, elle entendit le même bruit et, de nouveau, découvrit, de l'autre côté du tronc, les choses qu'elle avait demandées.

Après cela, elle souhaita une chemise de nuit pour remplacer les haillons dans lesquels elle était obligée de dormir, un peigne en ivoire pour ses longs cheveux dorés ; et puis, parce que c'était une bonne fille qui n'avait aucune rancœur contre ses sœurs, malgré leur méchanceté, elle demanda quelques colifichets pour elles, ainsi qu'une pipe et du tabac bien odorant pour son frère.

Satisfaite, Violette se glissa dans son lit et, pour la première fois depuis bien longtemps, elle s'endormit rassasiée et le cœur content.

Au matin, Violette, qui avait l'habitude de se lever plus tôt que le reste de la famille afin de préparer le petit déjeuner, plaça les cadeaux à côté du couvert de son frère et de ses sœurs, et s'attendit à ce qu'ils se réjouissent de la surprise.

Lorsque le repas fut prêt et que tout le monde se mit à table, leur première réaction fut celle qu'elle espérait. Son frère saisit la belle pipe sculptée et la regarda avec étonnement.

— D'où vient-elle ? demanda-t-il à Violette.

Ravie, elle répondit que c'était un cadeau qu'elle lui faisait. Son frère, très satisfait, la remercia affectueusement et l'embrassa.

Ses sœurs, bien que très occupées à ouvrir leurs petits paquets, s'en aperçurent et cela leur déplut.

Après avoir examiné de près leurs colifichets, elles observèrent Violette d'un air soupçonneux. Elles ne lui avaient jamais donné d'argent ; la benjamine n'avait donc aucune possibilité d'acheter des choses aussi jolies. Elles remarquèrent aussi ses vêtements neufs et ses cheveux bien coiffés.

— Où as-tu pris tout cela ? demanda Rose d'une voix glaciale.

— Tu n'as pas d'argent, dit Lily. Où t'es-tu procuré de si belles choses ?

Violette, qui avait cru les rendre heureuses, ne comprit pas leur mécontentement.

— Vous n'aimez pas mes cadeaux ? Je pensais vous faire plaisir.

Lily et Rose échangèrent des regards entendus.

— Certes, ils nous plaisent, tout modestes qu'ils soient, mais nous voudrions savoir comment tu as pu les acquérir.

Violette se souvint que l'oiseau rouge lui avait défendu de parler du secret de l'arbre magique.

— Je ne peux pas vous le dire car c'est un secret.

— Tu ferais mieux de nous le dire, intervint Rose en colère, ou nous te mènerons la vie dure. Tu sais de quoi nous sommes capables.

Violette ne put que continuer à secouer négative-ment la tête. Furieuses, ses sœurs éparpillèrent les cendres du foyer dans toute la pièce et jetèrent les assiettes par terre, disant à Violette qu'elle était une mauvaise ménagère et qu'il lui fallait tout nettoyer avant qu'elles ne reviennent de leur promenade matinale.

En sortant, elles croisèrent le jardinier qui venait apporter un bouquet de fleurs ; elles le repoussèrent si brutalement qu'il tomba et elles se moquèrent cruellement de lui.

Lorsque le bossu entra dans la cuisine, il trouva Violette en larmes. Malgré son bon naturel, cette nouvelle preuve de la méchanceté de ses sœurs l'avait navrée.

— Pourquoi pleures-tu, petite ? demanda-t-il d'une voix douce.

— Je pleure parce que j'ai cru faire plaisir à mes sœurs et qu'au contraire, je les ai mises en colère, dit

Violette en essuyant ses larmes. Et aussi parce que j'ai un secret qu'elles veulent connaître mais que je ne peux leur confier.

— Ne pleure pas, mon enfant, répondit le jardinier en lui offrant ses fleurs. J'ai le don de seconde vue et je sais, qu'à la fin, tout se terminera bien pour toi.

Ces paroles consolèrent Violette qui termina le nettoyage de la maison avant le retour de ses sœurs, en espérant que la promenade aurait apaisé leur colère.

Elles semblaient, en effet, de bien meilleure humeur. Elles la remercièrent même aimablement pour les cadeaux et Violette en fut très heureuse. Elle ne remarqua pas leur air sournois, ni combien leurs sourires étaient faux.

— Je suppose que tu pourrais me donner un autre cadeau, petite sœur chérie ? demanda cavalièrement Rose. Il y a quelque chose que je désire depuis longtemps.

Ravie de leur changement apparent, Violette acquiesça.

— Oui, bien sûr. Tout ce que tu veux. Toi aussi, Lily.

— Eh bien, reprit Rose, j'ai besoin d'un nouveau bonnet de soie, bleu doublé de blanc.

— Et moi, dit Lily, j'aimerais une brosse à cheveux à manche d'argent et un miroir encadré d'argent, lui aussi. Peux-tu nous procurer cela ?

— Oh, oui ! s'écria Violette. Vous les aurez demain matin. Je suis tellement contente que vous ne soyez plus fâchées contre moi !

Les sœurs échangèrent de petits sourires moqueurs, mais Violette était tellement satisfaite du tour que prenait la situation qu'elle n'y prit pas garde.

Ce soir-là, lorsque Violette crut le reste de la famille endormie, elle se glissa hors de son lit et se rendit sous le saule sans s'apercevoir que ses sœurs la suivaient et la guettaient, cachées dans le bois.

Violette mit les mains sur le tronc et récita deux fois les mots magiques, une fois pour le bonnet et une autre pour la brosse et le miroir.

A peine les avait-elle ramassés que ses sœurs se précipitèrent hors de leur cachette.

— Ah! C'est comme cela que tu fais! s'écria Lily en la poussant et en se mettant face à l'arbre. Eh bien, nous connaissons ton secret, maintenant, ma chère sœur, et à partir de ce soir, nous te défendons d'approcher de cet arbre. Seules Rose et moi en aurons dorénavant le droit. Je vais souhaiter des candélabres d'argent pour ma chambre.

Découvrant qu'elles l'avaient trompée, Violette, consternée, se laissa tomber sur le sol; tout son bonheur avait disparu. Ainsi, elles n'avaient pas changé; elles ne l'aimeraient jamais!

Elle regarda, d'un air désolé, Lily placer ses mains sur le tronc et réciter l'incantation avec assurance. Comme elle prononçait le dernier mot, Violette entendit le bruit familier.

— Ça y est! s'écria Rose.

Les sœurs se précipitèrent de l'autre côté de l'arbre et poussèrent, à l'unisson, un cri de surprise, car elles ne trouvèrent pas les candélabres d'argent mais le jardinier bossu qui les regardait, l'air en colère.

— Qu'est-ce que vous faites là? demanda Rose.

— Où avez-vous mis mes candélabres? ajouta Lily.

— Il n'y a ni candélabres ni bonnet pour vous, dit le jardinier d'une voix étrange qu'elles ne lui connaissaient pas.

Les sœurs reculèrent, étonnées, car cette voix était celle d'un jeune homme.

— Comment osez-vous nous parler sur ce ton! s'exclama Rose en furie.

— Vous serez puni, renchérit Lily.

Le jardinier ne fit que rire et rejoignit Violette de l'autre côté de l'arbre.

— Si je parle ainsi, c'est que je suis le prince de la forêt.

Dans un éclair de lumière et un nuage de fumée, il se changea en un beau jeune homme élégamment vêtu et qui portait une couronne d'or scintillante.

Lily et Rose reculèrent, épouvantées et tremblantes, tandis qu'il relevait Violette et l'embrassait.

— Je suis le prince de la forêt, répéta-t-il, et votre petite sœur sera ma princesse.

Violette leva vers lui des yeux pleins de respect et d'admiration. Ses sœurs avaient l'air consterné.

— Vous ne méritez pas de vivre avec elle, poursuivit-il. Je vais l'emmener dans mon château où elle aura tout ce qui se fait de plus beau ; et tout le monde sera, à jamais, aux petits soins pour elle. Quant à vous deux, voici mon cadeau d'adieu.

Il fit un geste et Rose et Lily devinrent deux grands corbeaux qui croassèrent de colère.

Le prince sourit tendrement à Violette.

— J'ai lancé sur elles un enchantement qui convient tout à fait à leur nature. Elles continueront à se plaindre, et aussi à voler, mais leur méchanceté ne pourra s'exercer qu'à une toute petite échelle.

Sur ces mots, le prince et Violette disparurent à tout jamais. Le bruit court que, parfois, ceux qui ont le cœur pur les aperçoivent, dans leur merveilleux château au fond des bois, en un lieu que le malheur ne visite jamais et où la joie règne éternellement.

Michèle trouva cette histoire ravissante et fut prise d'une envie terrible de danser le rôle de Violette. L'ennui, c'était que toutes ses camarades voulaient aussi interpréter ce personnage-là. Jusqu'à maintenant, Dampierre n'avait pas annoncé la distribution et la tension montait.

Denise travaillait avec acharnement et Michèle fut bien forcée d'admettre qu'elle avait beaucoup progressé. Elle aurait certainement un rôle de premier plan dans le prochain ballet. Cybella, bien sûr, désirait danser Violette et elle était la meilleure, étant donné son expérience ; c'était tout de même la première danseuse de la troupe.

Michèle comprit qu'elle n'avait aucune chance mais, comme beaucoup d'autres jeunes danseuses, elle ne pouvait s'empêcher d'espérer un miracle. S'il ne lui revenait pas, elle souhaitait que ce soit Cybella qui interprète le rôle. Denise était bien trop méchante, se disait Michèle, pour incarner Violette.

— Pouvez-vous imaginer Denise exprimant la bonté et la pureté, sans parler de l'humilité ? lui dit Marie.

Michèle pouvait maintenant se concentrer totalement sur son travail car Ian était reparti pour l'Ecosse, après lui avoir arraché la promesse qu'elle pourrait au moins envisager de lui rendre visite au printemps.

Maintenant qu'il était parti, Ian lui manquait terriblement ; elle regrettait sa compagnie, ses attentions exquises.

La nuit, elle rêvait de lui et se réveillait, dans le noir, toute palpitante. Bien qu'ils n'aient jamais eu de relations intimes, elle s'imaginait sans peine faisant l'amour avec lui ; elle avait beau le nier, elle le désirait de tout son être. Maudits soient-ils, Dampierre et elle, pour ce qui s'était passé ce jour-là, dans les vestiaires ! Si ce n'était pas arrivé, ses sens ne se seraient pas éveillés si tôt et elle n'éprouverait pas cet ardent besoin d'un homme.

C'était étrange, pensait-elle, mais elle ne se sentait plus attirée par Dampierre. Elle l'admirait toujours, bien sûr, et le trouvait séduisant, mais elle n'en était plus amoureuse et leurs relations étaient bien plus agréables qu'auparavant.

Un matin, tandis qu'elle faisait ses exercices à la barre, emmitouflée dans d'épais vêtements de laine, elle se mit à maudire le froid ; ainsi vêtue, elle n'arrivait pas à danser convenablement et ce serait bien difficile d'apprendre la nouvelle chorégraphie dans de telles conditions.

Il était presque l'heure du cours et la porte s'ouvrit pour livrer passage à Dampierre accompagné de Giovanni Bartolo. Tous deux parlaient avec animation ; leurs visages étaient souriants.

Michèle eut brusquement l'intuition que Dampierre venait de choisir ses interprètes. Lorsqu'il tapa dans ses mains pour attirer leur attention, elle sut qu'elle ne s'était pas trompée.

— Mesdemoiselles, messieurs, dit-il d'un air ironique, j'ai de bonnes nouvelles à vous annoncer. J'ai décidé lesquels d'entre vous interpréteraient les principaux rôles de mon ballet *les Trois Sœurs*.

» Avant de donner les noms, je veux m'adresser à ceux et celles qui n'ont pas été choisis. Je sais que vous allez être amèrement déçus et peut-être en colère contre moi. Vous penserez que ma sélection n'est pas juste, que vous auriez mieux dansé le rôle que celui ou celle que j'ai choisi. C'est normal d'avoir foi en ses propres capacités. Je ne voudrais pas qu'il en soit autrement. Si vous n'aviez pas confiance en vous et en votre talent, comment pourriez-vous, un jour, interpréter un premier rôle ? Mais n'oubliez pas que, tant que cette compagnie sera la mienne, c'est de mon jugement et de mon expérience que dépendra la distribution. Je dois aussi vous dire que j'ai tenu compte des suggestions du compositeur qui est tout aussi impliqué que nous dans le succès des *Trois Sœurs*. Et souvenez-vous qu'il y aura d'autres ballets et d'autres chances de danser des rôles de premier plan. Cybella, vous danserez Violette. Les deux sœurs seront interprétées par Denise et Michèle. Roland sera le prince de la forêt, Louis interprêtera le frère et j'ai donné à Café au Lait le rôle du jardinier. Pensez-vous pouvoir faire le bossu ?

Café au Lait fit la grimace puis un grand sourire.

— Cela n'a rien à voir avec mon physique de beau jeune homme, mais pour danser un rôle intéressant, je ferais n'importe quoi !

Brusquement, il se voûta et esquissa quelques pas grotesques ; il avait vraiment l'air d'un bossu.

Le reste de la troupe éclata de rire bien que Michèle aperçût, ici ou là, une triste mine ; elle savait qu'ils étaient nombreux à être déçus.

Elle était folle de joie. Bien sûr, elle avait souhaité danser le rôle de Violette, mais elle savait qu'elle avait peu de chances de l'obtenir.

Elle jeta, à la dérobée, un coup d'œil sur Denise, pour voir comment elle prenait la chose, et son expression lui apprit que la jeune danseuse n'acceptait pas de bonne grâce le choix du maître de ballet. Son visage était dur et froid ; elle parlait avec passion à Roland qui plissait le front d'un air pensif.

Michèle eut un frisson d'appréhension. Denise allait-elle recommencer ? Il n'y avait pas eu d'« accident » depuis l'avertissement qu'elle lui avait donné. La jeune fille devait savoir que les autres étaient au courant de ses manœuvres et elle n'oserait rien tenter. Etait-ce bien certain ?

— Michèle ! Faites attention ! Vous n'avez pas la tête à ce que vous faites !

La voix tranchante de Dampierre la rappela à l'instant présent et elle se concentra sur ses mouvements ; le bonheur de danser un autre solo lui réchauffa le cœur. Elle avait vraiment de la chance !

L'hiver passa plus vite que Michèle ne l'avait imaginé. En dépit du froid, de la pluie et de la neige, en dépit des pièces qui n'étaient jamais assez chauffées, elle réussit à suivre les cours et les répétitions sans manquer un seul jour, comme la plupart des autres, d'ailleurs. Il y eut quelques absences, pour cause de maladie, mais c'était normal, à Paris, en cette saison.

Ils répétèrent le nouveau ballet jusqu'à épuisement ; presque tous les danseurs adoraient cette chorégraphie. Dampierre avait créé quelques innovations et les solos étaient des chefs-d'œuvre ; les pas et les attitudes exprimaient parfaitement la personnalité de chaque rôle.

Il n'y eut qu'un seul point noir sur ce blanc paysage de l'hiver : la mort de Minette, l'une des danseuses du corps de ballet, qui succomba à une maladie respiratoire, au début de décembre.

Aux approches de Noël, Michèle eut une nouvelle crise de mal du pays. Noël avait toujours été, à Malvern, l'occasion de joyeuses réunions, de parties de traîneau, culminant avec la veillée du 24 décembre. Du moins, il en était ainsi du vivant de son père.

Que se passerait-il cette année ? Sa mère, qui était seule, fêterait-elle Noël ? Michèle n'avait pas eu de nouvelles depuis longtemps car le courrier était plus lent l'hiver ; brusquement, elle fut prise de l'envie ardente et presque douloureuse d'être auprès d'elle, à Malvern. Elle se sentait sur le point de tout abandonner pour rentrer à la maison. Sur le point seulement.

Les préparatifs allaient bon train chez Mme Dubois, et la ronde des festivités commença ; le mal du pays s'atténua sans disparaître tout à fait.

Michèle fut invitée à toutes les réceptions, en tant que nouvelle célébrité. Elles étaient fort joyeuses et elle y prit plaisir tout en regrettant que Ian ne soit pas à ses côtés. Bien sûr, elle ne manquait pas d'admirateurs ni de partenaires lors des bals, mais elle ne pouvait s'empêcher de les comparer au jeune Ecossais ; à leurs dépens, d'ailleurs.

Elle aurait bien aimé que Louis l'escorte ; sa joyeuse compagnie lui manquait. Mais il se tenait toujours sur la réserve avec elle, et l'évitait le plus possible. Il refusa même d'assister à la grande fête que Mme Dubois donna en l'honneur de la compagnie. Cependant, tous les autres vinrent, y compris Roland et Denise, malgré le dédain qu'ils affichaient envers Michèle. Ils ne refusaient jamais aucune invitation, comme si, disait moqueusement Café au Lait, « ils avaient peur de rater quelque chose ».

Ainsi passèrent les mois d'hiver. La saison fut favorable à la troupe car ils dansèrent à bureaux fermés. Michèle était heureuse car elle avait eu un rôle de caractère dans l'un des ballets au programme ; et puis, elle sentait qu'elle faisait des progrès et pouvait raisonnablement espérer obtenir, un jour, un premier rôle.

Plus ils répétaient le nouveau ballet, plus Michèle s'éprenait du rôle de Violette ; elle observait attentivement Cybella, mémorisant les pas qu'elle travaillait ensuite quand elle était seule.

Dampierre l'approuvait. Il avait nommé des doublures officielles, mais il encourageait aussi les danseurs à apprendre tous les rôles. Denise devait doubler Cybella, Marie et Céleste remplaceraient éventuellement Michèle et Denise, Louis était la doublure de Roland.

Michèle avait été désappointée par ce choix car elle avait espéré, au moins, la doublure du rôle qu'elle convoitait ; et elle continuait à penser que le personnage ne convenait pas du tout à Denise. Pourtant, elle comprit pourquoi Dampierre avait agi ainsi. Denise était une bonne technicienne et elle avait été très malheureuse de ne pas danser de solo dans *la Belle et la Bête*. Le maître de ballet voulait préserver la paix dans sa compagnie et c'était, en quelque sorte, le tour de Denise.

Le temps ne commença à s'adoucir qu'au milieu du mois d'avril ; les signes avant-coureurs du printemps apparurent.

Le ballet des *Trois Sœurs* était presque au point. On avait terminé les décors, l'orchestration était achevée, la chorégraphie avait atteint sa perfection. Tout avait marché comme sur des roulettes... trop bien, se dit Michèle, après coup.

Ce fut lors du premier jour vraiment printanier que se produisit le drame. Cybella et Roland répétaient le pas de deux devant la troupe réunie qui les observait, ensorcelée.

Cette danse était nouvelle et originale ; en la regardant Michèle sentit son cœur se serrer car elle représentait tout ce qu'il y a de beau et de noble dans l'amour d'un homme et d'une femme. Si seulement cela pouvait être vraiment ainsi, pensait-elle. On aurait le courage d'abandonner tout le reste.

Cybella, les bras souples comme des roseaux, semblait incarner l'essence même de la féminité, et la froideur de Roland paraissait transfigurée par les figures conçues pour lui. Tous étaient émus, et c'est alors que l'accident arriva.

Roland devait soulever Cybella d'un geste majestueux qui couronnait le pas ; il parut perdre soudain l'équilibre. La danseuse tomba avec un horrible bruit sourd, la jambe droite tordue sous elle.

Dampierre, le visage terreux, se précipita vers elle, s'agenouilla et, d'un geste de colère, fit reculer les autres.

Michèle, paralysée par le choc, ressentit le besoin de regarder les visages et vit ses propres sentiments s'y refléter ; et puis, elle aperçut Denise qui, elle, n'éprouvait apparemment ni horreur ni compassion. Ses yeux brillaient et un léger sourire flottait sur ses lèvres !

Plus tard, lorsqu'on eut emporté Cybella, qui avait la jambe cassée, Michèle, Marie et Café au Lait eurent un bref entretien.

— Je suis sûre que Roland l'a fait tomber exprès ! dit Michèle en colère. Denise et lui ont combiné cela ensemble. Si vous aviez vu son visage !

Marie soupira et posa la main sur son épaule.

— Il y a fort à parier qu'il en est ainsi, mais comment le prouver ?

— Marie a raison, dit Café au Lait d'une voix triste. Nous connaissons bien Denise et il se peut que Roland et elle aient combiné cela, comme vous dites, Michèle, mais il ne faut pas mettre en péril le nouveau ballet parce que nous avons un simple soupçon. Denise est la doublure et elle sait le rôle. Elle ne pourra peut-être pas y mettre autant d'émotion que Cybella mais c'est une très bonne danseuse et elle s'en tirera à son honneur. Vous êtes bien obligée de l'admettre.

Michèle aurait voulu crier qu'elle le danserait mieux mais elle garda le silence. Si elle avait dit cela, on aurait pensé qu'elle était jalouse parce qu'elle n'avait pas eu le rôle. Au fond de son cœur, elle était convaincue que Denise était responsable de « l'accident » et cela la rendait malade de penser que cette fille allait tirer profit d'un acte aussi horrible.

Elle continua à répéter, dansant son rôle le mieux qu'elle pouvait, mais le cœur n'y était plus ; elle était amèrement désenchantée. Elle souffrait que Dampierre n'ait pas deviné ce qui s'était passé et en voulait à Marie et à Café au Lait d'avoir opté pour la prudence. Etait-ce vraiment cela le monde de la danse ? Devrait-elle toujours se tenir sur ses gardes et se méfier de ses camarades ? Fallait-il mordre et griffer et tricher pour réussir ? S'il en était ainsi, peut-être le succès ne valait-il pas d'être payé aussi cher.

Le temps se réchauffait, les arbres commençaient à bourgeonner, les fleurs à s'épanouir, et l'humeur de la compagnie s'améliora. Ils éprouvaient tous de la compassion pour Cybella, immobilisée par sa fracture ; mais ils savaient qu'ils devaient continuer.

Le jour de la première des *Trois Sœurs* approchait et la fièvre monta, comme toujours. Chacun attendait ce moment avec impatience, sauf Michèle que sa déception tourmentait ; elle ne pouvait s'empêcher de penser à Cybella, obligée de passer ses journées dans sa chambre. Sans doute se demandait-elle si elle guérirait, si elle pourrait à nouveau danser un jour. Et celle qui était coupable de tout cela resterait impunie. C'était trop injuste.

Elle surveilla Denise de près, pendant les exercices et les répétitions. La jeune fille semblait contente d'elle. Elle maîtrisa avec aisance les pas du rôle de Violette, car c'était indéniablement une excellente technicienne. Mais elle n'y mettait pas d'âme. Bien qu'assez petite et menue pour rendre le personnage vraisemblable, Denise ne pouvait pas évoquer la douceur et la vulnérabilité de Violette ; ce que Cybella avait su rendre parfaitement.

Les choses en étaient là lorsqu'une lettre de Ian arriva, lui rappelant sa promesse. Cette fois-ci, elle envisagea sérieusement de partir.

Assise dans sa chambre, elle réfléchissait en regardant le jardin qui s'éveillait sous les pâles rayons du soleil levant et brusquement, elle eut envie de s'en aller. Ian lui avait décrit la beauté sauvage des montagnes, de la lande... Une beauté dont elle avait justement besoin pour se laver de l'amertume qu'avait provoquée en elle l'accident de Cybella. Elle était lasse et découragée ; elle en avait assez de cette vie artificielle. Ce serait bon de vivre en des lieux simples et toniques ; au moins pour quelque temps.

Aussitôt, une vive excitation s'empara d'elle. Elle allait partir ! Marie la remplacerait dans le nouveau ballet.

Si cela déplaisait à Dampierre, eh bien, tant pis ! Elle lui raconterait un petit mensonge... qu'elle ne se sentait pas bien, qu'elle avait besoin de l'air pur de la campagne.

Elle hésita un peu. Qu'allait dire André ? Cela ne lui ferait guère plaisir. Pourtant, sa décision était prise. Il s'agissait de sa propre vie, après tout. Elle partirait. Elle allait tout de suite envoyer un mot à Ian pour le prévenir de son arrivée.

Hannah avait eu l'impression que cet hiver lugubre ne finirait jamais. Le temps avait été épouvantable, froid et humide, l'obligeant à rester la plupart du temps dans la maison. Même Noël ne lui avait apporté aucune joie. Court n'était pas rentré et n'avait pas donné de nouvelles ; le faible espoir qu'il reviendrait sur sa décision s'était depuis longtemps envolé.

Le seul événement intéressant de l'hiver, ce fut le procès de Jules Dade. Il avait été arrêté, puis rapidement reconnu coupable du meurtre de Michael Verner et pendu pour ce crime.

Hannah n'aurait su dire à quel moment germa en elle l'idée de se rendre à Paris ; probablement après l'exécution de Dade, qui eut lieu fin janvier. Elle avait reçu trois lettres enthousiastes de Michèle et deux d'André. Elles disaient toutes que Michèle était en bonne santé et que sa carrière s'annonçait bien. L'une des lettres de Michèle qui racontait son succès à Paris et la représentation à Fontainebleau, devant le roi de France, avait particulièrement plu à Hannah. Au moins, Michèle était heureuse !

Evidemment, l'idée devait couver depuis quelque temps car elle s'éveilla soudain, un morne matin de mars, en se disant : pourquoi ne pas partir bientôt pour Paris ? Ce serait, au moins, l'occasion d'une affectueuse entrevue entre une mère et sa fille. Hannah savait bien que Michèle ne reviendrait pas à Malvern, sauf pour de brefs séjours ; et puis ce voyage chasserait peut-être sa mélancolie qui allait croissant. Elle pouvait s'offrir la traversée ; elle n'était jamais allée à l'étranger et personne n'avait besoin d'elle à Malvern, pour le moment. Au printemps, il faudrait planter mais John ferait office de régisseur. Elle en avait discuté avec lui.

— Je sais, John, que je t'ai déjà demandé de diriger la plantation à ma place. Tu m'as répondu alors que tu ne voulais pas de cette responsabilité et que mes voisins verraient d'un mauvais œil un régisseur noir à Malvern. Mais je ne pars pas pour longtemps, quatre mois, tout au plus. Je reviendrai bien avant la récolte. (Elle le regarda d'un air suppliant.) John, après tout ce qui m'est arrivé cet automne et cet hiver, j'ai besoin de m'éloigner. (Elle eut un pauvre sourire.) Je n'aurais jamais pensé qu'un jour j'éprouverais le besoin de quitter Malvern, mais c'est ainsi. Et je voudrais revoir Michèle.

— Je suis d'accord, maîtresse. Je vous ai observée, cet hiver. Vous étiez agitée et malheureuse.

— Cela se voyait donc ?

— Oui, maîtresse. (Il lui sourit.) Partez et je veillerai sur le domaine. Je ferai de mon mieux.

Elle lui caressa la main.

— Tu t'en tireras bien, John. Je te confierais ma vie. D'ailleurs je te la dois et je ne l'oublierai jamais.

Maintenant que sa décision était prise, Hannah s'énerva, impatiente de voguer vers l'Europe ; mais il n'était pas recommandé de traverser l'Atlantique en hiver. C'était la saison des tempêtes et il valait mieux attendre. Elle dut se résigner à ne s'embarquer qu'au début de mai. Elle n'écrivit pas à Michèle qu'elle arrivait, pour lui en faire la surprise.

Hannah n'avait jamais traversé l'Océan et elle fut malade pendant la plus grande partie du voyage. Le temps était encore mauvais et le navire ballotté par de terribles coups de vent. Elle n'arrivait pas à garder ses aliments et resta longtemps enfermée dans sa minuscule cabine jusqu'au moment où elle se dit qu'elle allait mourir si elle ne respirait pas un peu d'air frais.

Elle ne commença à s'habituer au bateau que peu de jours avant d'atteindre les côtes de France ; mais maintenant qu'elle roulait vers Paris, elle se sentait bien et attendait avec impatience le moment de revoir sa fille et son ami. Lorsqu'elle avait quitté la Virginie, la campagne ne montrait encore que peu de signes printaniers ; ici, en France, elle était d'un vert luxuriant et couverte de fleurs.

En entrant dans Paris, Hannah regarda de tous ses yeux autour d'elle... comme sa fille l'avait fait, un an auparavant. Cette ville ne ressemblait à aucune de celles qu'elle connaissait et, au plaisir de revoir Michèle, s'ajoutait la joie d'être là.

Elle loua une voiture et, usant des quelques mots français qu'elle connaissait, demanda au cocher de la conduire à l'adresse de Mme Dubois. En fin de compte, elle arriva donc devant le seuil de la maison. Une servante répondit à son coup de sonnette.

— Je suis Hannah Verner. Mme Dubois est-elle là ? Ou bien Michèle Verner ?

La domestique lui fit une révérence et la conduisit dans un salon ; elle lui refit une révérence, dit quelque chose en français et la quitta. Hannah supposa qu'elle lui avait demandé d'attendre.

Michèle lui avait écrit que la demeure de Mme Dubois était superbe mais Hannah n'était pas préparée à un tel luxe. Les meubles, les tentures, les tapis...

tout parlait de richesse et de position sociale. Elle fut tirée soudain de sa contemplation par l'entrée majestueuse d'une femme vêtue d'une façon plutôt spectaculaire. Hannah se leva.

L'élégante personne prononça quelques mots en français.

— Je suis désolée, madame. Je ne parle pas votre langue. Je suis Hannah Verner.

— Ah ! Vous êtes la maman de ma chère Michèle, s'exclama la noble dame en anglais, cette fois, et vous arrivez des colonies anglaises. Moi, je suis madame Dubois. Comment allez-vous ? Je regrette que votre fille ne soit pas ici.

— Vous voulez dire que Michèle est à une répétition ?

— Non, madame. Elle est en Ecosse, en ce moment.

— En Ecosse ? dit Hannah, stupéfaite.

— Oui, madame. (Le sourire de Mme Dubois se fit coquin.) Il y a romance sous roche avec un seigneur écossais. Michèle fait un séjour dans son château. Elle est partie il y a moins d'une semaine. Avec notre cher André pour chaperon, bien sûr.

19

Lorsque Michèle et André arrivèrent à Inverness, une voiture les attendait.

En voyant le conducteur descendre de son siège, elle le reconnut aussitôt : c'était Angus Lowrie, le compagnon de voyage de Ian.

— Monsieur Lowrie ! s'écria-t-elle. Comme je suis contente de vous revoir ! Nous nous sommes rencontrés l'année dernière, sur le navire qui venait de Virginie.

Il hocha la tête, d'un air réservé.

— Appelez-moi Angus, je vous en prie, mademoiselle. (Son accent était plus prononcé que celui de Ian.) Vous voyez, je suis le valet du laird MacLeven.

André regarda Michèle en souriant.

— On dirait que le laird n'était pas le seul à voyager incognito.

Un faible sourire vint adoucir les traits de ce visage taillé à coups de serpe.

— C'est vrai, monsieur. Le laird avait descendu un échelon et pour moi c'était tout le contraire, ainsi nous avons pu voyager en égaux. Je suis content de vous revoir. Le maître brûlait d'impatience que vous arriviez. Il devait m'accompagner mais un travail urgent l'a retenu au domaine. Il vous attend au château. Il a retenu pour vous deux chambres à la meilleure auberge de la ville, afin que vous puissiez vous reposer ce soir. Et si vous le voulez bien, nous partirons tôt, demain matin.

— Tout cela me paraît très bien, dit Michèle d'un petit air satisfait. Une bonne nuit de sommeil nous est nécessaire, après la traversée que nous avons subie.

— La mer était démontée, expliqua André en riant, et le bateau vraiment mal aménagé. Nous serons très heureux de profiter des commodités de l'auberge. Merci.

En quelques minutes, Angus eut chargé les bagages sur le toit de la voiture et ils s'installèrent à l'intérieur. C'était un beau véhicule, spacieux et confortable, et Michèle se laissa aller avec plaisir contre le dossier rembourré.

Tandis que la voiture avançait, elle laissa ses pensées retourner vers Paris. Elle avait craint de mécontenter Dampierre en lui disant qu'elle souhaitait quitter la troupe un certain temps ; et surtout qu'elle ne danserait pas dans *les Trois Sœurs*. Mais, à sa grande surprise, il avait très bien pris sa demande et paru la comprendre.

Ils étaient en train de prendre une tasse de thé, après la répétition.

— Je pense vous connaître, Michèle. Je sais que vous êtes convaincue que Denise a demandé à Roland de laisser tomber Cybella. J'ignore si vous avez raison, mais je n'ai aucune preuve et je dois donc agir comme si de rien n'était.

» Je sais aussi que vous vous croyez plus capable que Denise d'interpréter Violette et là aussi, vous ne vous trompez probablement pas. Pourtant, votre camarade est une bonne danseuse et elle était la doublure du rôle. Si jamais je découvrais que Roland a lâché Cybella à dessein, Denise et lui seraient punis, mais jusqu'à cet instant, il faut que je considère cela comme un regrettable accident. Vous comprenez ?

— Oui, et je vous remercie de tenir compte de ce que je ressens et de me laisser partir.

— Mais vous reviendrez, n'est-ce pas ? demanda-t-il en souriant.

— Oui, oui. J'ai seulement besoin de repos. Et de me changer les idées.

— Je le sais et vous approuve de tout mon cœur. Vous avez beaucoup travaillé. Je n'ai jamais vu une élève aussi acharnée. Je vous demande seulement de continuer à faire vos exercices pendant que vous serez là-bas, afin que vous ne perdiez pas trop de temps à votre retour. Je vais vous confier quelque chose, Michèle. Depuis l'accident de Cybella, j'ai perdu mon enthousiasme pour *les Trois Sœurs*. Nous en donnerons la série de représentations prévue mais le cœur n'y est plus. Lorsque Cybella sera rétablie, nous le reprendrons, plus tard dans l'année, et alors, nous veillerons à ce qu'il soit exécuté comme je l'avais conçu.

— Et si elle ne pouvait plus jamais danser ?

Dampierre frissonna.

— Je vous en supplie ! Je me refuse à envisager une telle éventualité !

Michèle, touchée par cette confidence qui lui ressemblait si peu, remarqua pour la première fois combien il avait l'air fatigué ; ses traits étaient marqués par la tension nerveuse et les soucis. Ce ne devait pas être facile, se dit-elle, de diriger une compagnie comme celle-ci, de prendre toutes les décisions, de s'occuper de chacun, d'essayer de maintenir la paix entre des danseurs qui se querellaient et se déchiraient.

Elle se pencha et lui caressa le dos de la main.

— Prenez soin de vous, Arnaut. Vous avez l'air fatigué. Peut-être avez-vous besoin de vous reposer, vous aussi.

— Pour moi, il n'y a pas de repos. Je vous ai déjà dit que je considérais la danse comme une maîtresse exigeante. Elle ne me laisserait pas partir.

Michèle éprouva, pour lui, un élan d'affection. Il leur donnait tant de lui-même ! Il n'était pas étonnant qu'il perde parfois patience, et qu'il ait l'air, souvent, si las.

— Eh bien, si elle ne veut pas vous laisser partir, au moins, priez-la d'être un peu plus douce avec vous. (Elle lui sourit tendrement.) Nous dépendons tous de vous, vous le savez. Et nous vous aimons, même si nous ne le montrons pas toujours.

Il lui tapota la main.

— Je le sais, mais c'est bon de l'entendre dire. Partez avec ma bénédiction, Michèle, et ne vous faites pas de souci. Je vous promets que vous retrouverez votre place en rentrant. Transmettez mon bon souvenir à lord MacLeven. C'est un brave jeune homme.

Ce fut plus difficile à expliquer à André qui, comme elle l'avait supposé, fut contrarié par ce projet.

— Mon Dieu ! Nous sommes venus de si loin pour que vous deveniez une danseuse. Vous avez travaillé dur, et réussi en grande partie. Je suis fier de vous, Michèle. Mais pourquoi, maintenant que les choses vont bien, voulez-vous vous enfuir ?

— Je ne m'enfuis pas, André, répondit Michèle exaspérée. Je prends seulement un peu de repos. Arnaut l'a compris, alors pourquoi pas vous ?

André la regarda pensivement.

— Si l'accident de Cybella n'avait pas eu lieu, si les choses s'étaient passées comme prévu, partiriez-vous tout de même ?

Elle haussa les épaules.

— Je n'en sais rien. Sincèrement, je ne sais pas. Peut-être pas.

— C'est parce que Denise a eu le rôle de Violette ?

— Non ! dit-elle avec feu. C'est parce que je sais que Denise et Roland sont tous deux odieusement convenus de faire tomber Cybella, afin qu'elle ne puisse danser le rôle. C'est tellement... cruel. Il n'est même pas exclu que Cybella ne puisse plus jamais danser. Si les choses doivent se passer ainsi, je ne suis pas sûre d'avoir envie de continuer.

André lui prit les mains et la regarda avec compassion.

— Ma chère Michèle, je ne savais pas que cela vous avait touchée à ce point. Ce n'est pas parce qu'il y a des gens égoïstes et mauvais que tout le monde est comme cela. Pensez à vos bons camarades. Ils vous ont bien soutenue, n'est-ce pas ?

Michèle s'empressa de hocher la tête.

— Oui, dans l'ensemble. Mais maintenant, Louis ne me parle plus et les autres pensent plus à leur réussite personnelle qu'au destin — peut-être brisé — de Cybella. Je n'abandonnerai pas la danse, André, mais j'ai envie de partir. J'en ai vraiment envie.

Le regard d'André se fit inquisiteur.

— Envie de partir... et peut-être envie de revoir le jeune MacLeven ?

Michèle sentit ses joues s'empourprer.

— A vrai dire, oui, répondit-elle sèchement, agacée par la perspicacité d'André. Je trouve sa compagnie très agréable et je ne vois pas pourquoi je n'irais pas lui rendre visite.

— D'accord, ma chère enfant. Je me demandais seulement si vous aviez tant travaillé pour rien... Si vous tombiez amoureuse d'un homme tel que Ian MacLeven, si vous deviez l'épouser, cela signifierait sûrement la fin de votre carrière.

— Je le sais ! Mais je n'ai pas l'intention de m'engager dans cette voie avec Ian. Je veux seulement m'en aller et voir des paysages nouveaux. Est-ce trop demander ?

André finit par accepter, à contrecœur ; et puisque Michèle voulait qu'il l'accompagne, il se mit, d'assez bonne grâce, aux préparatifs du voyage.

Maintenant qu'ils étaient en Ecosse, Michèle avait l'impression d'être libérée d'un grand poids. Bien qu'elle aimât la danse, l'idée de ne pas être tenue à un programme rigide d'exercices et de répétitions lui plaisait. Elle comprit, pour la première fois, combien sa vie, à Paris, avait été étriquée. La danse était vraiment une maîtresse jalouse, comme l'avait dit Dampierre ; et c'était bien agréable d'échapper un peu à sa loi. Cette liberté la grisait.

« La meilleure auberge de la ville », se révéla accueillante et confortable... une grande bâtisse, avec un épais toit de chaume qui la couronnait comme un chapeau de jardinier.

Inverness était un charmant village, aux petites maisons simples mais ravissantes, très différentes de celles auxquelles elle était habituée, tant chez elle qu'en France.

Sa chambre n'était pas grande mais propre et bien aménagée ; de merveilleuses odeurs de cuisine montaient de la salle commune, rappelant à Michèle qu'elle avait très faim. Sur le bateau, la nourriture n'avait pas été des meilleures.

Aussitôt qu'elle eut fait un brin de toilette, elle descendit, avec André, prendre un repas rustique mais copieux, à la chaleur de l'âtre. Le feu était le bienvenu car en cette fin d'après-midi, le temps s'était rafraîchi.

Cette nuit-là, Michèle dormit si bien qu'au matin, elle ne se rappela aucun de ses rêves. Après un petit déjeuner composé d'un grand bol de flocons d'avoine, elle se sentit prête à affronter toutes les aventures. Angus avait déjà chargé les bagages sur la voiture et attendait qu'ils aient fini de déjeuner pour partir.

La matinée était claire et ensoleillée mais un peu fraîche ; l'Ecossais installa Michèle confortablement, posant sur ses genoux une couverture de fourrure.

André, assis en face d'elle, la regarda d'un air ensommeillé.

— Eh bien, mon enfant, vous avez l'air en pleine forme, ce matin, bien que je me demande comment on peut être joyeux à une heure aussi indue. Nous aurions pu faire la grasse matinée et partir un peu plus tard. Il n'y a que les paysans pour se lever à une heure pareille !

Michèle éclata de rire.

— André, vous êtes un sybarite sans vergogne ! Pas étonnant que vous n'ayez guère envie de quitter Paris. C'est une merveilleuse matinée et cela m'excite toujours de découvrir des lieux que je ne connais pas. Réveillez-vous et regardez le paysage. Il est tellement beau.

André bâilla.

— Je l'ai déjà vu, ma chère enfant, et à mon avis, il est plutôt âpre et intimidant, surtout lorsqu'on vient de Paris.

Michèle gronda de désapprobation.

— N'importe quel paysage semblerait âpre après Paris. Tout est trop artificiel, là-bas. Je reconnais que la terre ici a quelque chose de farouche, mais elle possède une beauté pure et hardie qui me change agréablement de l'atmosphère de serre dans laquelle nous avons vécu.

André sourit avec indolence.

— Est-ce les paroles de Ian MacLeven que j'entends sortir de votre jolie bouche, mon enfant ?

— Il a peut-être dit quelque chose d'approchant mais, de toute manière, je suis d'accord avec lui.

André haussa les épaules.

— Il y a peut-être, comme toujours, des arguments pour et des arguments contre. On m'a dit que les rois d'Angleterre venaient en Ecosse pour chasser et pour retrouver une vie rude. Quant à moi, je n'hésite pas à reconnaître que je préfère les raffinements de Paris. Ceci n'est pas un pays pour un homme civilisé !

Michèle le regarda sévèrement puis remarqua son air satisfait.

— Vous êtes en train de me taquiner, n'est-ce pas ? Ce que vous pouvez être méchant, André !

Il leva un sourcil en jouant la surprise.

— Mais je croyais que c'était ce que vous aimiez : un homme rude et bourru !

Elle lui fit une grimace et remonta la couverture sur ses genoux.

— Je pense qu'il est impossible de ne pas reconnaître que Ian MacLeven est un vrai gentleman, et bien plus viril que les courtisans du roi Louis !

— C'est un vrai gentleman, et il est probablement fort viril. J'espère toutefois que vous n'allez pas tenter de vous en assurer.

Michèle rougit.

— André, si vous ne cessez pas de dire des insanités, je vais vous bâillonner avec cette couverture. Regardez plutôt par la portière et admirez le panorama.

— Il est fort beau, répondit-il sèchement.

Puis il éclata de rire et elle ne put s'empêcher de l'imiter. Elle était tellement heureuse.

La voiture cahotait sur la route étroite et faisait un bruit de ferraille, tanguant de nids-de-poule en ornières. Michèle se cramponnait à la lanière de cuir qui tombait du plafond et admirait le paysage. Comme le lui avait dit Ian, il était beaucoup plus escarpé que celui de la Virginie ; elle le trouvait magnifiquement sauvage. Les collines verdoyantes étaient recouvertes de petites plantes violacées qui devaient être de la bruyère, pensa-t-elle. L'air était léger, vif et très revigorant, chargé de senteurs végétales.

La température s'adoucit peu à peu et Michèle put rejeter sa couverture.

Ils s'arrêtèrent à midi, en haut d'une petite éminence, pour un léger repas et pour laisser reposer les chevaux. Tous deux étaient très contents de la pause car ils se sentaient moulus par le voyage. Ils firent un déjeuner savoureux arrosé d'un très bon vin rouge. L'aubergiste, en préparant leur panier, avait bien fait les choses.

En dépit des cahots de la voiture, Michèle s'endormit et ne s'éveilla que lorsque André la secoua par l'épaule :

— Réveillez-vous, mon enfant. Nous arrivons au château de MacLeven. Il est temps de vous préparer.

Michèle se frotta les yeux puis regarda par la portière. Le véhicule gravissait une longue côte, au sommet de laquelle se dressait une demeure comme elle n'en avait encore jamais vu. Bâtie entièrement en pierre, ses dimensions étaient telles que Malvern, en comparaison, avait l'air d'une chaumière.

Intimidée et admirative, elle examina les tours et tourelles qui se découpaient sur le ciel d'un bleu qui s'assombrissait déjà. Le château était magnifique mais un peu effrayant et elle se demanda comment une famille, des gens comme les autres, pouvaient vivre en de tels lieux.

Son cœur se mit à battre plus vite et elle ressentit comme une faiblesse. Très vite, elle remit sa chevelure en ordre et sortit, de son sac, le petit miroir qui ne la quittait jamais. Elle avait l'air un peu fatiguée mais assez présentable.

— Vous êtes très bien, ma mignonne ; lissez seulement cette mèche de cheveux, près de votre tempe droite.

Michèle se regarda de nouveau, repoussa la mèche rebelle puis remit le miroir dans son sac. Dans quelques instants, ils seraient au château de MacLeven ; elle allait revoir Ian !

La voiture vint s'arrêter devant la majestueuse entrée du château, les portes de bois s'ouvrirent toutes grandes et un domestique apparut, aussitôt suivi par Ian MacLeven et deux jeunes filles qui devaient être ses sœurs.

Le jeune seigneur avait fière allure dans son costume national ; il souriait largement. Michèle, la tête penchée à la portière, lui fit un signe et sourit aussi joyeusement que lui. Il avait l'air heureux de la voir ; son cœur se mit à battre si fort qu'elle se dit qu'André devait l'entendre.

Ian arriva avant le domestique à la portière, qu'il ouvrit ; il tendit les bras pour l'aider à descendre.

— Michèle ! Ma mie ! Je suis tellement content que vous soyez enfin là !

Elle se laissa glisser dans ses bras et il la déposa sur le sol. Après ce long voyage inconfortable, elle eut un moment de vertige et dut reconnaître que la si proche présence de Ian n'y était pas étrangère.

— Vous aussi, André, ajouta le jeune seigneur. Je n'ai pas l'intention de vous exclure de mon accueil. Bienvenue au château de MacLeven.

Pour descendre, André s'aida du tabouret que le domestique venait de placer contre le marchepied.

— Ne vous inquiétez pas, dit-il sèchement. Je ne prétends pas être accueilli avec autant d'empressement qu'une ravissante jeune fille.

Ian rit à gorge déployée et Michèle rougit en s'apercevant qu'elle était restée beaucoup plus longtemps que nécessaire appuyée contre lui.

Elle se tourna vers les deux jeunes filles et leur sourit.

— Ce sont vos sœurs ?

— Oui.

Il arracha à contrecœur son regard du visage de Michèle et alla prendre par la main la plus grande des deux jeunes filles, dont les cheveux étaient aussi blonds que les siens et qui lui ressemblait beaucoup.

— Voici Margaret. Et voici Elizabeth.

Elles échangèrent des sourires ; les visages d'Elizabeth et de Margaret exprimaient un intérêt poli et il sembla à Michèle qu'elles la trouvaient sympathique.

Elles étaient toutes deux très séduisantes, dans un style différent... Margaret, si grande et si blonde ; Elizabeth, petite et fragile, les yeux et les cheveux noirs, le teint clair.

— Je suis ravie de faire votre connaissance, dit Michèle.

— Nous aussi, répondit Margaret avec un franc sourire. Ian n'a parlé que de vous durant tout l'hiver, aussi pardonnez-nous si nous nous conduisons trop familièrement avec vous, car nous avons l'impression de déjà vous connaître très bien.

Elizabeth prit Michèle par le bras d'un geste affectueux.

— Ian prétend que vous êtes parfaite ; c'est difficile à croire mais nous sommes toutes deux prêtes à nous laisser convaincre. (Elle pencha la tête sur le côté en regardant Michèle.) En tout cas, vous êtes aussi belle qu'il le disait. Il a tendance à exagérer, ce grand gaillard-là, mais cette fois, il était en dessous de la réalité. Bienvenue au château de MacLeven, Michèle !

Les joues empourprées, elle se laissa entraîner par Elizabeth qui lui fit franchir le portail. A la fois embarrassée et ravie, elle ne savait quoi répondre aux propos de la jeune femme. Elle jeta un regard en coin sur Ian et vit que ses joues, comme les siennes, avaient rougi.

L'intérieur du château était aussi impressionnant que l'extérieur. Les murs du vaste hall étaient ornés de portraits de famille et d'armes de toutes sortes.

— Nous allons d'abord vous conduire à votre chambre, car je sais combien ce voyage en voiture peut être fatigant, dit Margaret. Vous aurez le temps de faire un peu de toilette et de vous reposer avant le dîner.

— Merci, Margaret, dit Michèle avec gratitude, car elle était tout endolorie et avait grande envie de s'allonger sur un lit.

Sa chambre était spacieuse et fort différente de celle, luxueusement meublée et décorée, dont elle disposait chez Mme Dubois.

Il y avait un beau lit à colonnes avec un baldaquin, un dessus-de-lit et des coussins de velours bordeaux galonnés d'or, une commode sculptée au pied du lit et une grande penderie contre l'un des murs.

Devant l'étroite fenêtre, étaient disposés un joli petit bureau et une simple chaise de bois, et près de la cheminée, un canapé recouvert du même tissu que le lit, ainsi qu'un fauteuil bas et confortable, capitonné de velours bleu.

Contre l'un des murs, se dressait une table de toilette avec une cuvette et un pot en porcelaine, ainsi que des serviettes blanches.

La pierre froide des murs était réchauffée par de lourdes tentures et des tapisseries. L'ensemble était sobre et de bon goût. On ne pouvait que se sentir en sécurité dans cette pièce. Elle n'était pas aussi jolie que celle de Paris, mais elle ne manquait pas de charme.

Un petit bout de femme rousse arriva d'un air affairé, juste après que Margaret et Elizabeth eurent laissé Michèle dans sa chambre.

— Je m'appelle Annie, mademoiselle. Et je serai à votre service durant votre séjour au château. Si quelque chose vous manque, quoi que ce soit, c'est à moi qu'il faut demander. Annie s'occupera de tout.

Elle avait un tel accent qu'il fallut un certain temps à Michèle pour comprendre ses paroles. Mais elle fut aussitôt séduite par son visage couvert de taches de rousseur et ses grands yeux. Elle était si petite et si mince qu'elle avait presque l'air d'une enfant, et son enthousiasme était contagieux.

— Merci, Annie, dit Michèle en souriant. Mais pour l'instant, je n'ai besoin que de me dévêtir et de m'allonger un peu pour soulager mon corps endolori.

Le petit visage d'Annie prit aussitôt une expression compatissante.

— Je sais ce que c'est, mademoiselle. Un long voyage en voiture, ça secoue tous les os du corps ! Déshabillez-vous et mettez-vous en robe de chambre ; vous pourrez vous allonger pendant que je déballerai vos affaires. Vous vous sentirez mieux après une bonne toilette et un petit repos.

Michèle sourit de nouveau. L'idée d'être maternée par cette enfant aux allures d'elfe l'amusait ; pourtant, elle sentit qu'Annie savait de quoi elle parlait et ce qu'elle faisait. Elle se laissa donc dévêtir et envelopper dans son peignoir et regarda la servante verser l'eau du pot dans la cuvette et disposer savon, gant et serviette.

— Maintenant, vous allez vous rafraîchir et, pendant ce temps-là, j'emmènerai vos vêtements de voyage pour les brosser ; je nettoierai aussi vos souliers. Si vous me dites quelle robe vous voulez porter ce soir, je vais vous la préparer.

Michèle réfléchit un moment. Elle voulait faire bonne impression sur la famille de Ian, surtout sur son père qu'elle n'avait pas encore rencontré. Elle se doutait bien que la mode de Paris n'impressionnerait pas le vieux MacLeven, et elle se félicita d'avoir écouté les conseils d'André et emporté ses robes les plus simples et les plus pratiques. Elle avait compris combien son maître de danse avait eu raison en voyant les sœurs de Ian, toutes deux habillées sobrement.

— Je vais mettre la bleue, finit-elle par dire.

Elle était élégante mais d'une coupe très sage qui lui allait bien.

— Si je peux me le permettre, mademoiselle, je vous conseillerais de prendre un châle car les soirées sont encore un peu fraîches et il y a des courants d'air dans les salles du château.

Michèle remercia Annie et se laissa tomber sur le lit. Il était un peu plus dur que ceux auxquels elle était accoutumée, mais elle se sentit au paradis après tout ce qu'elle venait de subir.

Elle ne vit pas Annie ranger soigneusement ses affaires car elle s'endormit aussitôt.

Le repas du soir fut servi dans une immense pièce, haute de plafond, dont la table semblait assez vaste pour accueillir une compagnie tout entière. Là aussi, sur les murs de pierre, étaient accrochés des tapisseries, des boucliers, des épées, ainsi que des portraits de famille. Des armures montaient la garde dans les coins. Tout ce déploiement d'armes rappela à Michèle ce que Ian lui avait dit sur les habitudes belliqueuses des clans. Elle frissonna et resserra son châle autour de ses épaules. Annie avait raison ; il faisait froid dans la vaste salle à manger, en dépit du feu qui flambait dans l'immense cheminée.

Ian l'attendait pour l'escorter à table et lorsqu'elle posa la main sur son bras, il lui sembla qu'une douce chaleur l'envahissait soudain. Son regard s'attacha au sien un long moment.

Lorsqu'ils franchirent le seuil, le père de Ian était déjà assis au haut bout de la table. Plus tard, Michèle apprit que le vieillard avait de grandes difficultés à marcher et qu'il ne pouvait se déplacer qu'avec deux cannes. Préférant que personne ne le voie ainsi handicapé, il arrivait toujours le premier à table, avant tout le monde.

Margaret et Elizabeth, accompagnées d'André, les avaient précédés dans la pièce et les jeunes filles vinrent déposer un baiser sur le front de leur père avant de prendre place. Michèle et Ian s'installèrent de chaque côté de lord MacLeven ; elle examina avec inquiétude son visage taillé à coups de serpe ; il avait l'air farouche et elle espérait que cette expression ne reflétait pas l'opinion qu'il avait d'elle.

— Père, dit Ian, je vous présente Michèle Verner, la jeune fille dont je vous ai parlé. Michèle, je vous présente mon père, le laird Malcolm MacLeven.

— Comment allez-vous, monsieur ? (Michèle dut faire un effort pour empêcher sa voix de trembler.) Quelle étrange coïncidence ! Mon grand-père paternel s'appelait aussi Malcolm !

Lord MacLeven ne dit rien et se contenta de la regarder de ses yeux d'un bleu délavé. Michèle se dit qu'avec son long nez busqué il avait l'air d'un aigle.

Il la contempla si longtemps sans parler qu'elle fut sur le point de s'enfuir de la pièce ; puis, comme le soleil perçait entre les nuages, il sourit et ses yeux sévères s'illuminèrent.

— Vous avez dit vrai, mon fils. C'est une séduisante jeune fille, et pétulante, si je ne me trompe. Dites-moi, mon enfant, est-ce que votre famille est en bonne santé ? Etes-vous robuste ? Vous avez l'air d'une petite chose, mais vous devez être énergique.

— Père ! s'écria Ian, d'un air scandalisé.

Le vieil homme se contenta d'éclater d'un rire tonitruant qui se répercuta dans l'immense salle. Il fit un clin d'œil à Michèle.

— C'est l'un des privilèges de la vieillesse, jeune fille, que de pouvoir dire tout ce qui vous passe par la tête ; si cela dépasse les bornes, on peut toujours mettre cet excès verbal sur le compte du gâtisme.

Mais, la question que je vous pose n'a rien d'extraordinaire. Une femme doit être assez forte pour donner de nombreux fils à un homme. Je vous redemande donc, êtes-vous robuste ?

Michèle se sentit fort gênée et aussi agacée. De quel droit osait-il lui poser une question aussi intime devant tout le monde ? Il exagérait vraiment ! Et il avait l'air de s'amuser de son embarras. Elle se dit qu'en dépit de son infirmité, l'esprit de cet homme était aussi piquant qu'une épine. Elle ne lui laisserait pas voir à quel point il l'avait désarçonnée.

— Ma famille jouit d'une bonne santé, dit-elle avec verve, et je suis robuste. Et la vôtre, monsieur ? Tout le monde est-il vigoureux, chez vous ?

Le vieil homme la fixa d'un œil sévère mais Margaret et Elizabeth éclatèrent de rire.

— Père, vous pouvez en rester là ! Michèle sait vous répondre, dit Margaret en jetant à la jeune fille un regard approbateur.

— Oui, père, reprit Elizabeth. Elle ne vous laissera pas la taquiner et la harceler comme vous le faites avec nous.

— Taquiner ? Harceler ? Je vous taquine et je vous harcèle, vous deux ? Un homme ne peut-il plus être honoré et respecté dans sa propre famille ? Ah ! c'est vraiment terrible de vieillir et d'être maltraité par des enfants ingrats.

Il s'adressait d'un air sérieux à Michèle, mais ses yeux pétillaient de malice ; et elle comprit que c'était un jeu, l'un des quelques amusements qui restaient à cet homme âgé. Lorsque son visage anguleux s'éclaira d'un sourire, elle se dit qu'elle venait de passer, avec succès, une sorte d'examen, et elle commença à se détendre.

Le dîner, servi sur une nappe d'une blancheur de neige, dans des services de porcelaine et de cristal, fut copieux et, en grande partie, délicieux, sauf un mets à l'aspect bizarre qui ne lui plut pas du tout. Elle réussit à avaler le morceau qu'elle avait mis dans sa bouche, mais laissa le reste dans son assiette.

Le vieil homme s'en aperçut et rit de bon cœur.

— Alors, vous n'aimez pas le haggis ? Je croyais que vous aviez dit que vous étiez robuste ?

Margaret le menaça du doigt.

— Père, honte à vous de parler ainsi à une invitée ! (Elle se tourna vers Michèle.) Ne faites pas attention à lui. Le haggis ne plaît pas à tout le monde, surtout pas à ceux à qui ce plat n'est pas familier.

Michèle regarda son assiette d'un air soupçonneux, puis leva les yeux sur Margaret.

— Qu'est-ce que c'est ? Je veux dire, comment fait-on le haggis ?

— Avec de la tripaille de mouton, jeune fille, dit lord MacLeven. Voilà avec quoi c'est fait.

Michèle essaya de dissimuler son désarroi. Est-ce que le vieil homme la taquinait encore ?

— Père ! s'exclama Elizabeth, exaspérée. Vous présentez cela d'une manière épouvantable. En fait, il s'agit de cœur et de foie de mouton ou de veau, que l'on mélange avec des oignons, des flocons d'avoine et des épices.

Michèle répondit vaillamment :

— Je suis sûre que c'est délicieux, pour quelqu'un qui en a l'habitude.

— Oui, oui, c'est délicieux, dit le vieil homme en mâchant avec délectation une grosse bouchée.

— Moi, je n'ai jamais beaucoup apprécié le haggis, vous le savez bien, père, fit remarquer Elizabeth.

— Oui, mais toi, tu es l'avorton de la famille, ma fille. Te forcer à manger plus de haggis, voilà ce que j'aurais dû faire.

— Parfois, père est impossible, répondit Elizabeth en secouant la tête. C'est un grand taquin, mais il n'est pas aussi féroce qu'il voudrait le faire croire.

Le vieil homme fronça ses épais sourcils et regarda sa cadette d'un air furibond.

— C'est de la calomnie, Elizabeth, de la pure calomnie ! Essaies-tu de porter atteinte à ma réputation ?

Cette fois, Michèle éclata de rire et le dîner se poursuivit, sans aucune autre péripétie désagréable.

Les jeunes filles posèrent tant de questions à leurs invités qu'ils avaient à peine le temps de manger. Elles voulaient tout savoir sur Paris, la cour du roi et les colonies ; Ian finit par se fâcher.

— Laissez vos invités dîner en paix ! lança-t-il d'une voix tonitruante. Les pauvres vont se croire devant un tribunal de l'Inquisition. Et pourquoi toutes ces questions sur la Cour ? J'y suis allé, et si vous m'avez interrogé, c'était avec bien moins de passion !

— Bah ! s'exclama Margaret en riant. C'eût été peine perdue avec toi !

— Que veux-tu dire par là, ma chère sœur ?

— Elle veut dire, répliqua Elizabeth, que cela ne sert à rien de te poser des questions sur les robes des femmes ou sur la décoration des appartements. Tu ne fais pas attention à ce genre de choses. C'est la première fois que nous pouvons parler à quelqu'un qui sache satisfaire notre curiosité.

Ian fronça les sourcils, feignant de se mettre en colère.

— Eh bien, c'est la dernière fois que je rapporte des nouvelles à la maison !

Mais il souriait et Michèle sentit la profonde tendresse qu'il avait pour ses sœurs, et pour son père aussi. C'était une belle famille ; Michèle se dit qu'elle n'avait plus que sa mère, et durant un instant, un nuage obscurcit le plaisir qu'elle prenait à cette soirée.

Lorsque le dîner fut terminé, elle se rendit compte

qu'elle était épuisée. En dépit de sa sieste, dans la voiture, elle avait terriblement sommeil.

Avec toutes les questions qu'avaient posées les jeunes filles, elle n'avait pas eu l'occasion de parler avec Ian ; mais elle resterait ici pendant quelque temps. D'autres occasions se présenteraient.

En le regardant, elle devina que lui aussi ressentait avec un peu d'agacement la présence de sa famille. Et brusquement, le souvenir lui revint de ses lèvres sur les siennes, et elle frissonna légèrement. Il faudrait attendre...

Michèle avait presque oublié la saveur des plaisirs simples. Au château de MacLeven, les jours passaient vite : chevauchées et promenades à pied dans la lande fleurie, parties de pêche ou d'aviron sur le lac, pique-niques sur l'herbe.

Elle qui n'avait jamais eu de sœurs, était heureuse d'être traitée si affectueusement par Margaret et Elizabeth qui les accompagnaient souvent, Ian et elle, dans leurs randonnées.

Mais parfois, elles restaient au château, car Margaret, en qualité de fille aînée, dirigeait la maison, aidée par Elizabeth.

Michèle prenait plaisir à leur compagnie, mais elle attendait avec impatience le moment d'être seule avec Ian. A le voir ainsi, dans sa patrie, sur ses terres, elle comprenait mieux pourquoi il se sentait si mal à l'aise à la Cour. Le soleil printanier avait déjà bronzé son visage et le sien, délivré de tout masque, se dorait aussi ; de petites taches de rousseur piquetaient ses joues et le bout de son nez. André la gronda sévèrement à ce sujet, mais elle n'en tint pas compte car elle trouvait cela séduisant.

Le maître à danser sortait fort peu, passant la plus grande partie de son temps dans la vaste bibliothèque de lord MacLeven. Il s'était aussi fait des amis dans le voisinage, lors d'une réception que leurs hôtes avaient donnée en leur honneur ; et il semblait content, pour le moment.

Il veillait à ce que Michèle fasse, chaque jour, ses exercices pendant deux heures, grommelant que ce n'était pas assez et elle s'y pliait consciencieusement, sachant qu'elle devait garder toute sa souplesse. Curieusement, toutefois, la danse ne lui manquait pas vraiment. Elle prenait trop de plaisir à se lever à l'heure qu'il lui plaisait et à vivre sans contrainte.

Mais ce qui comptait par-dessus tout, c'était Ian. Lorsqu'ils étaient seuls, elle sentait combien il se maîtrisait pour ne pas la prendre dans ses bras ; elle ne savait plus si elle devait s'en féliciter ou le regretter. Le moindre contact accidentel les laissait tous deux tremblants. Elle sentait que la décision dépendait d'elle puisqu'elle l'avait autrefois durement repoussé. Il était, pour le moins, aussi orgueilleux qu'elle et ne l'étreindrait que si elle en montrait le désir. Comme elle en avait envie ! Pourtant, sans savoir pourquoi, elle hésitait...

Cela faisait plus d'une semaine qu'elle était chez les MacLeven lorsque la situation se dénoua d'elle-même. Ils venaient de dîner et un orage avait éclaté pendant le repas. La pluie tambourinait sur les vitres et les éclairs déchiraient le ciel. C'était une terrible tourmente et Michèle n'en avait jamais vu de pareille, ni à Paris ni en Virginie. Elle se sentait un peu nerveuse car elle avait toujours eu peur de l'orage.

Ils se tenaient tous dans une pièce de dimensions plus modestes, et mieux chauffée, où Margaret et Elizabeth donnaient parfois de petits concerts. Les deux jeunes filles jouaient du clavecin et de la harpe, et avaient, toutes deux, une fort jolie voix. Mais ce soir, les grondements du tonnerre interdisaient toute musique. Au bout d'un moment, le laird et ses deux filles se retirèrent, laissant Ian, Michèle et André, seuls dans le salon.

Ce dernier se mit à lire tandis que les deux jeunes gens parlaient à voix basse. Bientôt Ian jeta un coup d'œil vers André puis regarda Michèle en fronçant les sourcils. La jeune fille hocha la tête ; elle ressentait quelque colère contre son maître à danser, certaine qu'il jouait délibérément les chaperons vigilants. Elle allait réagir lorsqu'il posa son livre. Il soupira avec exagération, s'étira et les regarda avec un petit sourire.

— Je me sens fatigué. J'espère que vous ne m'en voudrez pas si je vous quitte. Et retenez-vous de sauter et crier de joie, je vous en prie !

Michèle fit la moue, déposa un baiser dans le creux de sa main, et souffla dessus. Ian se leva en même temps qu'André et lui adressa un petit salut.

André s'en alla en riant sous cape. Ils étaient enfin seuls devant le feu qui crépitait. Le tambourinement de la pluie semblait les isoler du reste du monde et ils se regardèrent dans les yeux. Michèle sentit son cœur battre très vite et un feu ardent courut dans ses veines. Juste à ce moment, un terrible coup de tonnerre ébranla les fenêtres et les flammes montèrent haut dans l'âtre à cause du vent qui s'engouffrait dans la cheminée. Sans réfléchir, Michèle poussa un cri, se leva et se retrouva dans les bras de Ian.

Il l'attira à lui, la serra très fort et son baiser fut à la fois doux et ardent. Ses lèvres étaient brûlantes et Michèle sentit son corps s'embraser. Elle sut que ce soir, elle ne repousserait pas Ian MacLeven : elle n'avait plus la force de lui résister, ni de résister à son propre désir.

— Michèle, Michèle ! chuchota-t-il enfin lorsqu'il écarta, un instant, ses lèvres des siennes. Comme j'ai rêvé de te tenir ainsi, ma mie. Tu ne peux pas savoir !

Si je le sais, pensa-t-elle, mais elle ne dit rien et se contenta d'appuyer de nouveau sa bouche contre la sienne. Les mots ne servaient plus à rien ; ses lèvres et son corps parlaient pour elle. La main droite de Ian glissa sur elle et vint s'emparer de son sein ; elle sentit son mamelon durcir sous ses doigts. Elle ne put retenir un gémissement. Il la serra encore plus fort.

Plus tard, elle ne se souvint pas d'avoir monté l'escalier ; ils se retrouvèrent dans sa chambre, uniquement éclairée par les feux de l'âtre. La lueur des flammes semblait danser sur leurs corps nus.

Ils se glissèrent dans le lit, sous les multiples couvertures. Elle avait l'impression qu'ils étaient dans une petite caverne sombre, loin de tous les regards, en sécurité. Seule la tempête de ses sens représentait une menace, mais une menace délicieuse et qui était la bienvenue.

Elle cria lorsque Ian effleura ses seins de sa langue puis de ses lèvres. Ses mains parcouraient son corps avec avidité. Elle répondit en caressant sa poitrine, les muscles souples de son dos.

Et puis les mains de Ian quittèrent ses hanches et cherchèrent à écarter ses cuisses. Oubliant tout, elle s'ouvrit, impudique et joyeuse.

La respiration de Ian s'accéléra et Michèle sentit son cœur battre sauvagement.

Doucement, il écarta davantage ses cuisses et se glissa entre elles. Elle souleva les hanches pour aller au-devant de lui et soupira de plaisir lorsqu'il la pénétra. Elle perdit bientôt conscience de tout, sauf de son désir et du plaisir qu'il allait lui donner.

20

Depuis cette nuit d'orage, Ian partageait souvent le lit de Michèle. Depuis qu'ils avaient commencé à faire l'amour, elle ne rêvait plus que de ces instants. Ils s'étreignaient la nuit, et aussi lorsqu'ils étaient seuls dans la journée, sur la lande, dans des ruines isolées, partout où ils trouvaient assez d'intimité. Ils n'arrivaient pas à épuiser le désir qu'ils avaient l'un de l'autre.

Ian demandait à Michèle de l'épouser, au moins une fois par jour ; et bien qu'elle n'ait pas dit oui, elle en avait terriblement envie. Elle aimait la danse, certes, mais elle savait aussi qu'elle aimait cet homme. Le plaisir qu'elle éprouvait à être dans ses bras, possédée par lui, dépassait celui qu'elle ressentait à danser. Cela durerait-il ? Lorsqu'ils seraient mariés et qu'elle aurait à s'occuper de leurs enfants et de la maison, cette passion n'allait-elle pas faiblir, comme elle l'avait vu si souvent chez d'autres couples ?

Elle envisageait la vie qu'elle mènerait en tant qu'épouse de Ian... la richesse et le statut social... être la dame du château... un luxe que la danse ne pouvait lui offrir.

Bien sûr, elle savait que le choix risquait de lui échapper car peut-être se retrouverait-elle enceinte ? Elle serait alors obligée de l'épouser.

Parfois, elle souhaitait sincèrement que cela arrive car elle n'aurait plus ainsi à décider. Rien ne se produisit. Ses règles arrivèrent à la date prévue. Elle en fut mécontente, surtout parce que, pendant ce temps-là, ils ne pouvaient plus faire l'amour.

Ces semaines passées au château de MacLeven furent les plus heureuses et les plus déroutantes de sa vie. Un jour, elle était sûre d'aimer Ian et de vouloir rester auprès de lui pour toujours ; le lendemain, elle se disait qu'elle ne pourrait jamais abandonner la danse.

Elle finit par en discuter avec Ian. Ils étaient seuls, en train de faire une promenade dans le parc ; ils s'étaient arrêtés pour se reposer, sur un banc de pierre entouré d'azalées en fleur.

— Ian, puis-je te parler sérieusement ?

Il lui sourit et serra tendrement sa main.

— Bien sûr, ma chérie.

Elle hésita, essayant de mettre de l'ordre dans ses idées.

— Ian, si je t'épousais...

Son visage s'éclaira. Elle se hâta de poursuivre :

— Je n'ai pas dit que j'allais le faire, mais simplement, si je t'épousais, est-ce que tu me permettrais de continuer à danser ? Cela signifierait que je serais loin de toi pendant des mois...

A sa grande consternation, le sourire de Ian disparut et son visage prit une expression sévère.

— Michèle, je sais que tu aimes danser, mais ce serait impossible. J'ai besoin de toi. Ta place serait ici, à mes côtés.

Elle soupira.

— C'est ce que je craignais de t'entendre dire. Ne pourrais-tu venir avec moi, à Paris, une partie de l'année ?

Elle vit, à ses lèvres serrées, qu'il allait s'entêter, et ses espoirs s'effondrèrent.

— Tu sais ce que je pense de la vie à Paris, Michèle, et puis, ce n'est pas à l'homme de suivre sa femme. C'est elle qui doit rester avec lui. (Son expression s'adoucit et il prit ses mains dans les siennes.) Mais, je voudrais que tu sois heureuse, tu le sais bien. Tu l'es, avec moi, j'en suis certain. Que veux-tu de plus ?

Michèle sentit les larmes lui monter aux yeux, mais elle les ravala.

— J'ai été très heureuse avec toi, Ian, c'est vrai. J'ai passé ici les plus merveilleux instants de ma vie, mais je ne sais pas si je pourrais vivre sans danser. Cela compte tellement pour moi.

— Tu pourrais danser pour moi et pour nos enfants, ici, à MacLeven.

Michèle se mit à rire en s'imaginant, enceinte, essayant d'exécuter quelques figures de ballet ; mais c'était un rire douloureux.

— Je t'en prie, Michèle. Reste et épouse-moi. Je m'engage à te rendre si heureuse que tu oublieras la danse.

Ce fut cet après-midi-là, lorsqu'ils revinrent au château, que Michèle fut obligée de prendre une décision.

Ils étaient à peine rentrés qu'Elizabeth accourut vers eux, tout émue.

— Michèle, un messager vient d'arriver de Paris ! Il a une lettre pour vous et attend la réponse. Il a l'ordre de ne pas repartir sans l'avoir obtenue. J'espère qu'il ne s'agit pas d'une mauvaise nouvelle !

Michèle s'arrêta, inquiète. Est-ce qu'il était arrivé quelque chose à Mme Dubois ou à Dampierre ? Une pensée plus tragique lui traversa l'esprit... sa mère ! Est-ce qu'il était arrivé quelque chose à Hannah ?

— La lettre vous attend dans la bibliothèque, dit Elizabeth. Le messager est en train de se restaurer, à la cuisine.

Michèle et Ian se hâtèrent d'entrer dans la bibliothèque ; une grande enveloppe blanche était posée sur la table ; André était assis dans l'un des fauteuils, au coin du feu.

Il se leva aussitôt, vint à elle et lui prit les mains.

— Michèle, mon enfant chérie, ne vous tourmentez pas avant de savoir ce qui se passe. C'est peut-être, au contraire, une bonne nouvelle.

Il lui tendit la lettre qu'elle prit en hésitant ; elle devina intuitivement qu'elle contenait quelque chose qui allait changer définitivement sa vie.

Ses doigts tremblaient en brisant le sceau.

Chère Michèle, pardonnez-moi cette hâte mais il faut que j'aie le plus tôt possible votre réponse sur le sujet qui me préoccupe.

Il n'y a pas encore eu de représentation des Trois Sœurs. *Je vous expliquerai pourquoi lorsque nous nous verrons. Il suffit que vous sachiez que je souhaite maintenant vous voir danser le rôle de Violette. Si vous acceptez, revenez tout de suite, le plus vite possible. Je vous en prie, répondez-moi par retour, et dites-moi oui. Je vous supplie d'accepter. Vous savez ce que ce rôle signifie pour vous, aussi bien que pour moi. Affectueusement, Arnaut Dampierre.*

Michèle était ébahie et ravie. Elle n'arrivait pas à y croire. Dampierre voulait qu'elle danse le personnage de Violette ! Un premier rôle !

Elle se tourna brusquement vers André, le visage rayonnant.

— André, regardez ! Lisez ! C'est une lettre de Dampierre.

Il la prit, la parcourut rapidement et un sourire s'épanouit sur son visage.

— Ma chérie, c'est merveilleux ! Mon Dieu, il faut faire tout de suite nos bagages, mais d'abord écrivez la réponse. Vite, de l'encre et une plume.

Ian s'avança et posa la main sur l'épaule de Michèle.

— Que se passe-t-il ? Pourquoi faut-il que tu repartes si rapidement ?

Michèle se tourna vers lui en battant des mains.

— Oh, Ian ! Arnaut Dampierre m'offre le rôle principal de son nouveau ballet. Je dois rentrer à Paris. N'est-ce pas merveilleux ?

Son visage s'assombrit et se durcit.

— Tu vas vraiment partir ? Tu as fait ton choix ?

André, comprenant que Ian et Michèle souhaitaient rester seuls, fit un signe à Elizabeth et tous deux quittèrent la bibliothèque.

— Tu vas me laisser ? Tu repousses ma demande pour aller danser un nouveau rôle ?

Michèle le regarda, impuissante.

— Ian, essaie de comprendre. Ce n'est pas simplement un nouveau rôle, c'est quelque chose de merveilleux, la chance de ma vie !

— Non, je ne comprends pas. Tu m'as dit que tu m'aimais. Si tu m'aimes, comment peux-tu me quitter ?

— Tu ne voudrais pas que je refuse la chance dont j'ai toujours rêvé, la chance que les danseurs attendent toute leur vie et n'obtiennent presque jamais ?

— Alors, tu refuses notre amour ? C'est ce que tu fais en retournant à Paris !

— Je ne refuse pas notre amour, mon chéri ! Bien sûr que je t'aime et t'aimerai toujours. Mais si je laisse échapper cette occasion, je serai malheureuse toute ma vie, car je ne saurai jamais si j'étais vraiment une bonne danseuse. Tu ne peux pas comprendre cela ?

— Je ne comprends qu'une chose, dit-il d'un air impassible. Si tu m'aimais, tu resterais ici et tu deviendrais ma femme.

— Chéri, s'écria-t-elle, je pourrais dire que si tu

m'aimais, tu m'épouserais et me laisserais danser !

— Non, Michèle, répliqua Ian, les traits figés. Tu as choisi, ne m'en fais pas porter la responsabilité. Qu'il en soit donc ainsi !

Tout le reste — la réponse à Dampierre, les bagages, les adieux aux MacLeven — resta confus dans la mémoire de Michèle.

Ian ne parut pas lors du départ ; il ne lui avait plus reparlé depuis leur ultime entretien dans la bibliothèque. Au tout dernier moment, Michèle hésita, se disant qu'ils ne pouvaient pas se quitter ainsi. Et pourtant, c'est ce qu'elle fit. Elle s'éloigna, la tête à la portière, espérant jusqu'au bout apercevoir une dernière fois son visage ; en vain.

Le voyage lui parut durer une éternité ; elle crut que son cœur allait se briser mais elle finit par comprendre qu'un cœur est bien plus solide qu'on ne le croit. André, sensible à tout ce qu'elle éprouvait, fut infiniment gentil avec elle et ne fit aucune allusion à Ian. Il orientait toujours la conversation sur le nouveau ballet et le rôle qu'elle allait y tenir. Elle arriva donc à Paris, fatiguée mais très exaltée à l'idée de danser le personnage de Violette, et découvrit qu'une autre surprise, totalement différente, l'attendait.

Lorsque tous deux, épuisés, entrèrent dans l'hôtel particulier, Mme Dubois, en personne, vint les accueillir, le visage rose d'émotion.

— Mes amis chéris ! Vous allez être vraiment très étonnés !

Quelle réminiscence ! N'avait-elle pas vécu la même scène, à peu de chose près, en Ecosse ?

— On dirait que nous n'en avons pas fini avec les surprises, répondit André. (Il se tourna vers sa vieille amie.) En quoi consiste cette merveilleuse nouvelle ? Nous sommes très las. Cela ne pourrait-il pas attendre à demain ?

Mme Dubois secoua la tête si vivement qu'un peu de poudre s'envola de sa perruque.

— Non, non, non ! Impossible ! Car si vous saviez, vous ne voudriez plus attendre, croyez-moi ! Voyez, mes amis chéris, voyez vous-même !

Elle ouvrit d'un geste théâtral la porte du petit salon et Michèle poussa un cri de joie ; là, au milieu de la pièce, se tenait la personne qu'elle désirait voir depuis si longtemps... Hannah !

D'un bond, elle fut dans les bras de sa mère et André les étreignit ; tous trois pleuraient et n'arrivaient pas à parler.

A la fin, Hannah repoussa Michèle à bout de bras et la regarda longuement.

— Tu as très bonne mine. J'avais peur que tu ne sois pâle et maigre à force de faire tes exercices, mais tu es resplendissante. (Elle jeta un coup d'œil à André.) Mon vieil ami, vous avez bien pris soin d'elle ! (Elle rit avec exubérance.) Comme vous m'avez manqué, tous les deux ! J'ai tant de choses à vous raconter, mais j'attendrai que vous vous soyez reposés. J'imagine que vous devez être bien las.

Michèle secoua la tête, en souriant tendrement.

— Franchement, en arrivant, je ne pensais qu'à me fourrer dans mon lit, mais maintenant, j'ai l'impression d'être parfaitement dispose. Maman, je suis si heureuse que vous soyez là !

Il leur fallut un moment pour se calmer et pouvoir parler raisonnablement. Mme Dubois leur fit apporter un souper froid et, tout en mangeant et buvant, ils échangèrent les nouvelles. Hannah parla à Michèle de leur abondante récolte de coton, en omettant d'évoquer une bonne partie de ses ennuis. Elle ne dit pas qu'elle avait failli perdre Malvern, car il aurait fallu lui révéler que son père avait emprunté de l'argent, et cela n'aurait fait que peiner la jeune fille. Elle ne parla pas non plus de Courtney Wayne.

Dans sa relation de l'année écoulée, Michèle ne dit rien, elle non plus, de Ian MacLeven. Elle parla du nouveau ballet et du rôle qu'elle allait y tenir, ce qui fit grand plaisir à Hannah. Pour finir, Michèle s'arrêta, à bout de souffle.

— Vous savez tout, maintenant, maman.

— Pas tout à fait, ma chère enfant. D'après Mme Dubois, tu as rendu visite à un jeune homme, en Ecosse. Elle a laissé entendre qu'il s'agissait des prémices d'une histoire d'amour.

Michèle se raidit.

— Mme Dubois est une femme intelligente, mais elle a tendance à potiner. (Elle se leva.) Je me sens tout de même très lasse, maman. Si vous voulez bien m'excuser, je vais me retirer dans ma chambre. Maman ! (Elle se pencha pour l'embrasser.) Que je suis contente !

André se leva à son tour.

— André, restez ici ! dit sèchement Hannah.

— Ma chère amie, moi aussi, je suis épuisé. (Il bâilla avec exagération.) Je vais m'abandonner aux bras de Morphée.

— Je ne vous ai jamais vu trop fatigué pour parler. Restez et dites-moi tout sur ce jeune Ecossais et Michèle.

Ils se levèrent tard le lendemain et passèrent l'après-midi et la soirée à bavarder. Et ce ne fut qu'au matin du deuxième jour que Michèle se rendit auprès d'Arnaut Dampierre.

Sa mère et André l'accompagnèrent car Hannah souhaitait faire la connaissance du maître de ballet et voir les lieux où sa fille avait passé l'essentiel de son temps.

Dampierre les accueillit avec grand plaisir. Michèle s'aperçut combien il était impressionné par la beauté et l'apparence juvénile de sa mère.

— Je sais maintenant de qui mon élève tient sa beauté, dit-il galamment en anglais. Et vous, Michèle, vous semblez en pleine forme. Avez-vous fait vos exercices, comme je vous l'avais demandé ?

— Oui, oui. André y a veillé, répondit-elle en riant.

— Bien ! Je souhaite présenter *les Trois Sœurs* le plus tôt possible et les répétitions auraient duré plus longtemps si vous n'aviez pas continué votre entraînement. Pouvez-vous commencer à travailler dès cet après-midi ?

Michèle hocha la tête.

— Il faut d'abord que j'apprenne ce qui s'est passé. Je meurs de curiosité. Dans votre lettre, vous promettiez de m'expliquer. Pourquoi avez-vous remis la première et comment se fait-il que vous ayez décidé de me donner le rôle de Violette ?

Dampierre poussa un soupir.

— Les médecins qui ont soigné Cybella disent qu'il y a peu de chances pour qu'elle puisse recommencer à danser. Sa jambe est guérie mais elle est loin d'être solide. Les os se sont mal ressoudés. Elle fait des exercices de rééducation et elle est si énergique qu'elle n'abandonne pas tout espoir. Mais si elle danse de nouveau un jour, ce ne sera pas dans un proche avenir.

— Et Denise ?

Dampierre haussa les épaules d'un air indifférent.

— J'ai finalement décidé que le rôle n'était pas fait pour elle. Physiquement, oui. Comme vous le savez, c'est une bonne technicienne, mais après l'avoir vue répéter, je me suis aperçu que j'avais commis une erreur de jugement. Elle n'est pas celle qu'il faut pour incarner ce personnage. Je n'ai pu me résoudre à donner notre première avec Denise dans le rôle de Violette.

Michèle éprouva un contentement qu'elle se reprocha aussitôt. Mais après tout, si Denise avait suscité l'accident de Cybella, ce n'était que justice !

— J'ai aussi changé la distribution des rôles masculins. Roland dansera le frère, et le prince de la forêt, ce sera Louis. J'ai pensé que vous n'auriez pas envie d'avoir Roland pour partenaire.

— J'en suis bien heureuse. Je n'étais pas très chaude, en effet, pour danser avec Roland. Je ne veux pas finir comme Cybella !

Dampierre hocha gravement la tête.

— Oui, j'étais sûr que vous réagiriez ainsi.

— Et comment vont les autres ? Est-ce qu'ils se sont un peu ennuyés de moi ?

Le maître de ballet rit d'un air taquin.

— Vous verrez par vous-même. Mais ce que je veux dire... c'est que j'ai presque dû me fâcher pour qu'ils me laissent vous parler d'abord. Est-ce que je les fais entrer ?

— Bien sûr. Je veux qu'ils fassent la connaissance de ma mère.

Dampierre alla ouvrir la porte du studio et fit un signe. Toute la troupe se précipita avec de grands cris. Derrière eux, Michèle aperçut Denise qui faisait une amère grimace ; elle resta sur le seuil, les yeux brûlants de haine.

Ses amis la serrèrent dans leurs bras, la soulevèrent de terre, l'embrassèrent à l'étouffer. Comment avait-elle pu croire qu'ils l'oublieraient ?

— Michèle ! s'exclama Marie. Je suis si contente que vous soyez revenue. Vous m'avez tellement manqué ! Et je n'étais pas la seule.

Après Marie, Louis s'avança en lui souriant comme autrefois.

— Oui, Michèle, nous sommes tous heureux de vous voir de retour.

Michèle le regarda fixement et vit qu'il était sincère.

— Alors, vous m'avez pardonné ? demanda-t-elle

d'une voix douce, juste assez forte pour qu'il l'entende par-dessus le tumulte général.

— C'est moi qui devrais vous demander pardon. Je me suis comporté comme une brute !

— Et maintenant, nous sommes de nouveau amis ?

Il l'embrassa sur les deux joues.

— Amis, et à jamais. Car je sais maintenant, comme vous me l'avez dit, que l'amour vous tombe dessus sans crier gare.

— Vous voulez dire que...

— Oui. (Il attira Marie à lui.) Marie et moi. Lorsque vous êtes partie, j'ai découvert combien elle comptait pour moi.

Michèle n'eut qu'à jeter un coup d'œil sur le visage de son amie pour voir qu'elle était heureuse.

— Je suis contente pour vous deux, dit-elle.

Elle sentit les larmes lui monter aux yeux. Louis était de nouveau son ami... Marie et lui avaient trouvé le bonheur.

Elle pensa à Ian et, de nouveau, fut sur le point de pleurer ; mais elle le chassa de ses pensées. Elle avait fait son choix, bon ou mauvais, et elle était heureuse. Sa mère était là, ses amis l'entouraient, et elle allait danser le rôle qu'elle avait tant désiré. Que pouvait-elle demander de plus ?

Après la répétition du lendemain, Michèle rendit visite à Cybella. Elle s'était attendue à la trouver amère et déprimée ; à sa grande surprise, sa camarade semblait en pleine forme et d'excellente humeur.

Il y avait une barre d'exercices dans sa chambre et un grand miroir ; lorsque Michèle arriva, Cybella était en train de travailler.

Elle s'avança vers elle en boitant et l'embrassa affectueusement.

— Je suis contente de vous voir, dit-elle en l'invitant à s'asseoir dans un confortable fauteuil. Arnaut m'a dit qu'il vous avait demandé de revenir.

— Comment allez-vous, Cybella ? Vous avez très bonne mine. Je vous avais imaginée toute mince et pâle.

— Je l'ai été, dit-elle en riant. Mais ma jambe va beaucoup mieux et je peux me déplacer, même si je boite un peu, et cela a bien amélioré mon moral. Je fais aussi des exercices, maintenant, et je deviens, chaque jour, un peu plus sûre de moi.

Michèle, pensant à ce que Dampierre lui avait dit, fronça légèrement les sourcils.

— Arnaut m'a dit que... que vous ne pourriez pas danser avant un certain temps.

Cybella sourit tristement.

— Ce n'est pas la peine d'essayer de m'épargner, Michèle. Les médecins m'ont dit que je ne pourrais probablement plus jamais danser, mais ils se trompent. Je le leur prouverai. Ce sera long, je le sais, mais je danserai de nouveau. J'y suis décidée. Comme je vous l'ai dit, je deviens chaque jour un peu plus forte et je fais des exercices ; un jour, ma jambe sera aussi musclée et souple qu'auparavant.

Michèle sourit, réconfortée par l'optimisme et l'air résolu de sa camarade.

— Je vous crois. C'est vous qui avez raison.

Cybella lui tendit une boîte de bonbons.

— Prenez-en un, Michèle. Ils sont délicieux. Au fait, je suis tellement contente que ce soit vous qui dansiez le personnage de Violette. Denise n'était pas faite pour ce rôle.

— A ce sujet, dit Michèle en prenant un bonbon, croyez-vous que Roland vous ait vraiment laissée tomber par mégarde ?

Cybella haussa les épaules.

— Je ne peux pas savoir. J'y ai beaucoup pensé, lorsque j'étais clouée au lit, mais j'ai fini par décider que cela n'avait pas beaucoup d'importance.

— Pas beaucoup d'importance ! Comment pouvez-vous dire cela, Cybella ?

— Parce que, accident ou pas, cela ne change rien au fait accompli. Je suis infirme, au moins pour le moment, et puisqu'on ne peut rien prouver, il vaut mieux ne pas ressasser tout cela. Je consacre toutes mes forces à guérir et à danser de nouveau.

Michèle secoua la tête.

— C'est une attitude admirable, mais moi, je ne suis pas aussi généreuse que vous. Je suis convaincue que Roland vous a laissée tomber exprès, et que c'est Denise qui le lui a suggéré. Je pense qu'ils devraient être punis !

— Il n'y a aucun moyen de le prouver, Michèle.

— Moi, je vais continuer à les surveiller tous les deux, et demander aux autres de faire de même. Dieu merci, Arnaut a changé la distribution et je ne serai pas obligée de danser le pas de deux avec Roland. Je crois bien que j'aurais préféré refuser le rôle que de l'avoir pour partenaire.

— Je pense qu'il est sage de les surveiller, mais je ne crois pas que vous soyez en danger. Denise n'est pas stupide ; elle doit savoir que tout le monde la soupçonne.

— Je l'ai déjà avertie par le passé, et cela ne l'a pas empêchée de recommencer. Denise n'admet pas que je la remplace. C'est le genre de personne qui ne supporte pas de voir quelqu'un posséder ce qu'elle désire et je la crois capable de tout pour se venger, dans l'espoir qu'Arnaut sera obligé de lui rendre le rôle de Violette.

— Vous avez peut-être raison, dit Cybella d'un air navré. Je me suis souvent demandé pourquoi nous endurions tout cela.

— Je crois le savoir. Il n'y a rien de comparable à notre métier. Je ne l'ai jamais éprouvé avec autant d'intensité que vous, mais j'en ai eu un avant-goût avec *la Belle et la Bête*. Les applaudissements, lorsqu'on sait que l'on a bien dansé et que les spectateurs sont contents, cela vaut bien tous les sacrifices, n'est-ce pas, Cybella ?

Elle posa cette question avec une passion qui l'étonna elle-même. Sa camarade la regarda d'un air scrutateur, avant de répondre.

— Oui, c'est vrai. Ce plaisir doit compenser tous les sacrifices que nous faisons ; sinon, pourquoi continuerions-nous ?

21

Le jour de la première des *Trois Sœurs*, Michèle se dit qu'elle ne pourrait jamais entrer en scène. Elle avait très peu dormi la nuit précédente et vomi plusieurs fois dans la journée.

Sa mère, André et Mme Dubois essayèrent de la réconforter en lui prédisant qu'elle allait donner une merveilleuse interprétation de son rôle, mais cela ne parut guère l'aider. Elle finit par s'enfermer dans sa chambre jusqu'au moment de partir pour le théâtre. Curieusement, elle aurait voulu que Ian soit là. Son amour profond et sa présence apaisante auraient pu calmer sa peur irrationnelle.

Mme Dubois avait proposé de partir tous en voiture avec elle, mais Michèle avait refusé.

— Il faut que je sois là-bas au moins deux heures avant le lever du rideau, et je souhaite être seule.

André lui apporta son soutien.

— Oui, il est préférable que Michèle parte seule. Il vaut mieux qu'elle ne soit pas distraite par quoi que ce soit jusqu'au moment d'entrer en scène ; il faut qu'elle se concentre. J'ai vécu la même situation, et je sais ce qu'elle endure. Même sa mère, ma chère Hannah, ne peut pas lui apporter de réconfort. Lorsque ce sera fini et que Michèle aura pris la place qui lui est due dans le monde de la danse, elle aura envie que nous soyons là pour partager son triomphe. Jusque-là, il faut nous conduire en simples spectateurs. Ne vous inquiétez pas, Michèle, j'ai déjà retenu une voiture et un cocher qui vous attendront pour vous conduire au théâtre.

Michèle ne savait pas pourquoi elle était si nerveuse, pourquoi son anxiété était plus forte que lors de sa première apparition en solo, ou avant la représentation à Fontainebleau. Il n'y avait pourtant pas une telle différence... Non, c'était faux. Cette fois-ci, le succès du ballet reposait avant tout sur son interprétation du rôle. Si elle ne dansait pas bien, mieux qu'elle ne l'avait jamais fait, *les Trois Sœurs* serait un échec ; et par sa faute.

En un sens, tout dépendait d'elle. Si elle échouait, elle ne danserait plus jamais. Elle se rappela ce que Dampierre avait dit lorsqu'il avait annoncé sa première sélection : « Si vous n'avez pas confiance en vous et en votre talent, comment pourrez-vous jamais interpréter un premier rôle ? »

En repensant à ce jour-là, Michèle rit sans joie. Si Dampierre avait pu soupçonner l'état dans lequel elle se trouvait, il l'aurait écartée sans hésiter et aurait confié le rôle à Denise, en dépit de ce qu'il pensait d'elle.

A ce moment, André vint frapper à sa porte.

— La voiture vous attend, mon enfant. Il est temps.

Michèle était déjà habillée depuis plus d'une heure. Mais elle répondit :

— Un moment. Je ne suis pas prête.

Elle respira plusieurs fois très profondément, essayant de se calmer ; puis elle prit son sac et ouvrit la porte. Elle lut dans les yeux d'André qu'il ne l'avait pas crue une seconde et la savait prête depuis longtemps.

— Michèle, ne vous mettez pas dans un état pareil, dit-il avec douceur. Vous danserez ce soir comme vous n'avez jamais dansé. C'est un instant décisif pour vous, tirez-en le maximum. (Il prit son visage entre ses mains et l'embrassa sur les deux joues.) Aimeriez-vous que je vous accompagne jusqu'au théâtre ?

Elle eut très envie de dire oui mais décida, de nouveau, de rester seule. Et puis, elle connaissait assez André pour savoir qu'il serait loin d'être un compagnon idéal en la circonstance. Pour le moment, il s'efforçait d'être calme et rassurant, mais plus le temps passerait, plus il s'affolerait.

— Non, mon cher André. Merci beaucoup mais je m'en tirerai mieux toute seule.

Il lui présenta le bras et l'accompagna jusqu'à la voiture qui l'attendait, devant la porte. Dans la maison, ils ne rencontrèrent personne. Apparemment, chacun se voulait d'une parfaite discrétion.

— Nous serons dans la salle, Mme Dubois, votre chère mère et moi, prêts à vous applaudir. Maintenant, allez danser de tout votre cœur, Michèle chérie.

— Merci pour tout, André. (D'un geste impulsif, elle jeta les bras autour de son cou et l'embrassa de toutes ses forces.) Je ne sais pas ce que je pourrais vous offrir en contrepartie de tout ce que vous avez fait pour moi.

Il recula, les larmes aux yeux.

— Dansez bien, c'est le plus beau cadeau que vous puissiez me faire.

Il lui tendit la main pour l'aider à monter et fit signe au cocher ; la voiture s'ébranla. Le théâtre n'était pas très loin, à moins d'une demi-heure de trajet et Michèle demeura immobile, les yeux fermés, afin que rien ne vienne la distraire. Elle essaya de ne penser qu'au ballet, qu'à Violette. Elle était Violette.

A sa grande surprise, elle commença à se détendre en évoquant son personnage et elle s'assoupit même, malgré les cahots et les bruits de la rue. Elle ne se réveilla pas lorsque la voiture s'arrêta. Le cocher dut venir la secouer gentiment par l'épaule.

— Mademoiselle, nous sommes arrivés.

Elle s'éveilla en sursaut. Ouvrant son sac, elle y chercha sa bourse pour le payer. Quelque chose la piqua et elle poussa un petit cri. Elle sortit sa main et regarda, avec surprise, le sang perler au bout de son doigt. Tout au fond, parmi un fouillis de petits objets, il y avait une longue épingle à chapeau. Elle trouva son argent, paya le cocher et il l'aida à descendre.

La voiture s'était rangée devant le théâtre. A cette heure-là, les portes principales étaient fermées. Elle pouvait appeler le concierge mais elle décida de passer par l'entrée des artistes, qu'ils utilisaient rarement. Une étroite ruelle courait entre le théâtre et la maison voisine. C'était un couloir sombre et malodorant où elle ne s'engageait jamais sans appréhension, mais c'était le chemin le plus court pour gagner les loges.

Elle y pénétra, en marchant le plus vite possible. Elle n'avait qu'une soixantaine de mètres à parcourir ; à mi-chemin, il y avait, en renfoncement, une porte de l'immeuble voisin. En passant, elle sentit, plutôt qu'elle ne vit, qu'il y avait quelqu'un de caché dans le recoin... Des épaves humaines s'y abritaient souvent, pour s'y enivrer à loisir. Elle y avait vu des hommes et des femmes endormis, couverts de haillons.

C'est alors qu'avec horreur, elle entendit des pas derrière elle : elle se mit à courir. Les pieds qui la suivaient martelèrent le pavé et, à peu de distance de son but, on la saisit par-derrière et deux mains puissantes s'abattirent sur son épaule gauche.

Elle fut brutalement plaquée contre le mur. Lorsqu'elle pivota sur elle-même, elle vit une face balafrée et des yeux cruels qui la regardaient d'un air mauvais. Une vive douleur transperça son bras gauche, sa robe se déchira et sa peau nue fut éraflée par les pierres rugueuses.

Son agresseur ouvrit la bouche, révélant des dents gâtées et lui soufflant au visage une haleine avinée.

— Est-ce que c'est vous la danseuse dont tout le monde parle ? dit-il en anglais. Vous vous appelez bien Michèle Verner ?

Sans réfléchir, elle hocha la tête. Son cœur battait la chamade et elle jeta des regards éperdus autour d'elle, espérant une aide qu'elle savait improbable ; il n'y avait personne à proximité.

L'homme eut un rire grinçant.

— Alors, je vais te régler ton compte. Quand j'en aurai fini avec toi, tu ne pourras plus jamais danser !

Elle poussa un cri perçant. Il desserra son étreinte afin de pouvoir la gifler. Les oreilles lui tintèrent mais elle essaya tout de même de s'échapper ; elle n'avait pas fait deux pas qu'il la rattrapait. Cette fois, il la poussa contre le mur, mit ses mains, à plat, de chaque côté d'elle et pressa son corps contre le sien, l'empêchant ainsi de bouger.

Il lui sourit d'un air sinistre.

— Voyons voir... Qu'est-ce que je vais te casser pour t'empêcher de danser ce soir...

— Qui vous a payé pour cette besogne ?

— Qu'est-ce qui te fait croire cela ? (Son expression de surprise, vite réprimée, suffit à le trahir.) Personne ne m'a payé. Je n'aime pas voir de petites crâneuses comme toi gagner de l'argent à ne rien faire pendant que moi, je meurs de faim. (Ses yeux brûlaient de haine.) Je vais te casser une jambe, peut-être ? Non, un bras ce sera plus facile et ça fera tout autant l'affaire.

Il lui prit le poignet gauche et le soupesa du regard. Les pensées de Michèle tournoyaient follement dans sa tête ; elle cherchait désespérément un

moyen de s'en sortir. Elle pouvait crier de nouveau...
ce ne serait pas facile de lui mettre la main sur la
bouche et de lui casser le bras en même temps. Mais
il était fort improbable que quelqu'un l'entende, dans
cette ruelle ; il valait mieux qu'elle garde ses forces.

Tout à coup, il lui rabattit violemment la main et
le bras contre le mur de pierre. Elle ne put se retenir
de crier tant la douleur fut atroce. Il rit cruellement.

— Ça fait mal, hein, belle danseuse ? Encore deux
coups comme ça et ton bras va se casser comme une
branche morte.

Alors, Michèle se souvint brusquement de quelque
chose. Elle tenait toujours son sac dans sa main
droite. Elle l'appuya maladroitement contre sa han-
che et réussit à l'ouvrir à tâtons. Elle fouilla à l'intérieur et ses doigts se refermèrent sur l'épingle à
chapeau. De nouveau, il lui écrasa le bras gauche
contre le mur. La douleur lui coupa le souffle et son
sac tomba sur le sol, mais elle n'avait pas lâché
l'épingle. Elle la brandit et le frappa au visage.

Elle était dans une telle colère qu'elle le visa à
l'œil. Elle ne sut jamais si, au dernier moment, elle
aurait modifié sa trajectoire, car son agresseur
tourna la tête pour cracher et l'extrémité de l'épingle
s'enfonça dans sa joue. Michèle la sentit pénétrer de
plusieurs centimètres dans la chair.

L'homme hurla et recula en titubant ; les yeux
écarquillés, il la regarda, d'un air incrédule. Il porta
la main à sa joue.

Michèle s'enfuit ; laissant son sac sur le sol, elle
courut comme une folle jusqu'à la porte du théâtre.
Elle l'ouvrit, s'arrêta sur le seuil quelques secondes
pour jeter un coup d'œil dans la ruelle. Son agresseur n'avait pas bougé de place ; il essayait d'arracher, avec précaution, l'épingle à chapeau fichée
dans sa joue.

Michèle n'attendit pas de voir s'il y arriverait. Elle

entra, referma la porte au verrou et s'appuya contre le battant, hors d'haleine. Son cœur battait toujours d'effroi, mais au moins, elle était en sécurité maintenant. Si l'un des autres membres de la troupe voulait entrer par cette porte, il lui faudrait frapper. Elle n'allait pas rouvrir le verrou, de peur que l'homme n'ait l'audace de la poursuivre dans le théâtre.

Toujours appuyée contre la porte, elle repensa à ce qui venait de lui arriver. D'après les paroles qui avaient échappé à ce voyou, elle était sûre qu'il ne l'avait pas attaquée par hasard. Quelqu'un lui avait dit son nom et l'avait décrite ; et cette même personne l'avait payé pour qu'il la blesse et qu'elle ne puisse pas danser ce soir.

Eh bien, ce projet avait échoué. Elle plia le bras avec prudence. Une vive douleur lui monta jusqu'à l'épaule et elle remarqua que son poignet était un peu enflé, mais elle n'avait rien de cassé. Elle s'éloigna de la porte, se dressa sur les pointes et leva les bras au-dessus de sa tête. Cela lui faisait mal mais elle pouvait bouger.

Elle n'avait qu'à ignorer la douleur ; cela aurait pu être pire.

Elle se retourna et vit Denise à quelques pas d'elle, très pâle, qui la regardait comme si elle était un fantôme.

C'était bien elle qui avait payé l'homme pour qu'il l'estropie. La fureur s'empara de Michèle et elle s'avança, menaçante.

Denise fit mine de s'enfuir.

— Inutile de fuir, Denise ! Il est trop tard !

La jeune fille s'arrêta et se redressa, arrogante.

— Je ne comprends pas de quoi vous parlez.

— Je suis sûre que si. Vous savez très bien de quoi je parle. On vient de m'attaquer dans la ruelle, et j'ai eu la chance de pouvoir m'échapper avant d'être grièvement blessée.

— Je suis désolée de l'apprendre mais je ne vois pas en quoi cela me concerne.

Michèle l'avait rejointe et se préparait à l'empoigner, si elle tentait de fuir.

— Mais si, cela vous concerne... Vous avez chargé ce bandit de me blesser afin que je ne puisse pas danser ce soir ; vous espériez qu'Arnaut vous laisserait le rôle.

Le visage de Denise exprima la peur, pour la première fois.

— Vous êtes folle de m'accuser !

— Pas folle du tout. Je sais ce que vous avez manigancé, depuis le début, Roland et vous, dit Michèle, impitoyable. Cette fois-ci, vous n'allez pas vous en tirer aussi bien. Si je laisse passer cela sans protester, la prochaine fois votre homme de main réussira son coup, et je serai comme Cybella, je ne pourrais peut-être plus jamais danser.

— De toute façon, vous n'avez pas de preuve. Vous ne pouvez rien faire contre moi !

— Nous verrons bien, dit Michèle, inflexible.

Et elle passa devant Denise, pour se rendre dans sa loge. Juste avant de l'atteindre, elle vit Dampierre qui arrivait dans le couloir.

— Michèle, un moment ! Je voudrais discuter de... (Il s'interrompit et la regarda, horrifié.) Que vous est-il arrivé, vous êtes pâle comme une morte !

— On vient de m'attaquer, dans la ruelle, dit-elle d'une voix tremblante. Quelqu'un ne voulait pas que je danse, ce soir.

— Vous n'avez rien ? demanda-t-il d'un air anxieux. Vous allez pouvoir danser tout de même ?

— Je voudrais bien voir que quelqu'un d'autre essaie de m'empêcher de danser.

— Pourquoi dites-vous qu'on voulait vous empêcher de danser ce soir ?

— Je dis ce qui est. En ce moment, je devrais être

couchée, là-bas, dehors, avec un bras ou une jambe cassé.

— Mais qui aurait ?... Denise ?

— Bien sûr. Et ne me demandez pas si j'ai des preuves. Je n'en ai pas besoin. Il m'a suffi de voir son expression, tout à l'heure, lorsqu'elle m'a aperçue apparemment indemne, pour apprendre tout ce que j'avais besoin de savoir.

Il hocha lentement la tête.

— Oui, Michèle. Je vais la renvoyer de la troupe. Vous n'avez plus besoin d'avoir peur.

— Maintenant ? Tout de suite ? insista-t-elle.

Il hésita.

— Eh bien, si vous le voulez... La doublure de Denise peut la remplacer dans le rôle de l'autre sœur, mais cela signifie que vous n'aurez pas vous-même de doublure jusqu'à ce que j'aie fait travailler votre rôle à quelqu'un d'autre. Cela peut prendre plusieurs jours.

— Nous n'en aurons pas besoin, dit-elle énergiquement. Je danserai le rôle de Violette. Quoi qu'il arrive. Je n'ai pas l'intention de laisser qui que ce soit m'en empêcher, après ce que j'ai sacrifié...

Elle s'interrompit.

— Sacrifié ? (Il lui prit le menton et tourna son visage vers lui.) Vous voulez dire que vous avez été obligée de choisir... entre ce jeune homme et la danse ?

— Oui, si vous tenez à le savoir. J'ai dû choisir et sacrifier Ian.

— Je vous avais dit que la danse était une maîtresse exigeante.

— Je m'en suis aperçue, mais je n'en mourrai pas.

— J'en suis certain, Michèle. Vous êtes courageuse et je vous admire.

— Et Roland ? Je suis presque sûre qu'il n'est pas mêlé à ce qui vient de se passer aujourd'hui. Une fois

Denise partie, il ne tentera plus rien de perfide. Nous avons besoin de lui, Arnaut.

— Je suis d'accord avec vous. Je vais toutefois le prévenir. S'il causait d'autres ennuis à ses compagnons, il serait fichu. (Il recula en souriant gentiment.) Je vous souhaite de réussir, ce soir, bien que je sache déjà que vous allez danser très brillamment. Préparez-vous à une carrière de première danseuse.

Lorsque Michèle entra dans sa loge et commença à s'apprêter, elle fit une découverte qui l'étonna et la réjouit. Le trac qui l'avait rendue malade hier et aujourd'hui avait totalement disparu. L'agression dont elle avait été l'objet et la colère qui s'était emparée d'elle avaient en quelque sorte vaincu sa peur. Elle allait danser merveilleusement, ce soir ; elle en était convaincue.

En tant que mécène de la compagnie, Mme Dubois avait une loge à elle, qu'elle partagea, ce soir-là, avec Hannah et André. Ils arrivèrent avec une bonne demi-heure d'avance. Mme Dubois était vêtue à la dernière mode ; avec trop de recherche au goût d'Hannah, mais André dit, avec un sourire teinté d'ironie, que leur hôtesse était toujours habillée ainsi. La Parisienne était assise tout contre la rampe de sa loge : elle saluait ses relations d'un geste de la main et les appelait à voix haute. Elle semblait connaître tout le monde et flirtait effrontément avec les hommes qui venaient lui baiser la main.

— Mme Dubois vient au spectacle pour s'y montrer, chuchota André, bien plus que pour voir le ballet.

— Je vous ai entendu, André, et c'est faux. J'aime infiniment les ballets. Je viens tôt afin de voir mes amis et de bavarder avec eux. Une fois que le spectacle commence, je suis aussi attentive que n'importe quel spectateur.

Hannah se sentait trop apprêtée. Lorsque Mme Dubois avait vu la modeste garde-robe qu'elle avait apportée de Virginie, elle avait paru horrifiée. Elle ne pouvait absolument pas lui permettre d'assister aux débuts de sa fille, danseuse étoile, avec des vêtements aussi démodés ! Elle l'avait contrainte à se rendre chez sa propre couturière pour commander une robe, et elle l'avait ensuite entraînée dans une série de courses épuisantes, afin d'acheter les accessoires indispensables. Hannah était à la fois fière de ses nouveaux atours, et gênée...

Ses pensées furent interrompues par André qui regardait quelqu'un, derrière elle, en fronçant les sourcils.

— Monsieur, c'est une loge particulière. Vous devez faire erreur...

Une voix dit doucement :

— Hannah ?

Elle tourna vivement la tête et prit d'abord pour une apparition cette grande silhouette élégante qui se tenait entre les rideaux écartés de la loge.

— Court ? (Elle réussit à se lever.) Mon Dieu, c'est bien toi ?

Elle fit deux pas vers lui et s'arrêta ; un vertige la fit vaciller. Court s'avança rapidement et la soutint en la prenant par les épaules.

Il dévorait des yeux son visage, redécouvrant ses traits bien-aimés. Elle chercha sa main à tâtons.

— Comment as-tu... chuchota-t-elle.

André vint se poster à côté d'elle.

— Hannah, vous connaissez ce monsieur ?

— Oh, oui !

Tout étourdie, elle se tourna vers lui et réussit à faire les présentations. Elle ne pouvait quitter Court des yeux plus d'une seconde ou deux, et revenait toujours à lui comme pour s'assurer qu'il était vraiment là ; et elle ne lui lâchait pas la main.

André observait son amie d'un air narquois et elle vit qu'il commençait à comprendre.

— Quelle surprise, ma chère. Vous nous aviez caché cela. C'est très mal !

Elle pâlit et, dans son désarroi, se tourna vers Court.

— Comment as-tu fait pour me retrouver ?

— Cela n'a pas été facile, dit-il gravement. Pourrions-nous parler en tête à tête ? (Elle acquiesça.) Si vous voulez bien nous excuser, monsieur ? Et vous aussi, madame ? Je vous la rendrai vite.

— Bien sûr, monsieur Wayne, dit royalement Mme Dubois. Et vous serez ensuite le bienvenu dans ma loge pour regarder danser notre chère Michèle.

— Merci. (Court ne quittait pas le visage d'Hannah des yeux.) Cela dépendra d'Hannah.

Il la fit passer dans le couloir et laissa retomber les rideaux derrière eux. Le promenoir fourmillait de retardataires qui se hâtaient de rejoindre leurs places. Court la conduisit jusqu'à un recoin relativement tranquille.

— Court, comment as-tu su où j'étais ? Tu es revenu à Williamsburg ?

— Oui. Lorsque je suis parti, j'avais l'intention de n'y plus jamais mettre les pieds, mais j'ai découvert que cela m'était impossible. Je suis rentré peu après que tu étais partie. John m'a dit où je pourrais te trouver. Je suis arrivé à Paris aujourd'hui même et je me suis rendu chez Mme Dubois. Là, on m'a dit que tu étais au théâtre. Mais d'abord, avant de poursuivre cette conversation... (Il s'éclaircit la voix :) Pourras-tu jamais me pardonner ?

— Pourquoi me le demander ? C'est moi qui te supplie de me pardonner, car je ne t'ai pas fait confiance, comme je l'aurais dû.

— Non, tu avais le droit de m'interroger. Ce maudit

344

orgueil ! Je te supplie humblement de me pardonner, Hannah.

Elle balaya, d'un geste, sa supplication.

— Tu es au courant, pour Jules Dade ?

— Oui, John m'a tout raconté. Tu as été très courageuse, Hannah. Si je n'avais pas été aussi stupide, je me serais occupé moi-même de Dade. Et si j'avais eu un peu de bon sens, j'aurais compris qu'il avait tué ton mari. Michael était un trop bon cavalier pour se laisser, ainsi, désarçonner. C'est Dade qui avait écrit cette lettre, n'est-ce pas ?

— Oui, Court. Il te détestait et voulait te perdre. Il y a encore une chose que je voudrais savoir... Pourquoi Michael t'avait-il emprunté cet argent ? Tu le sais ?

Il resta silencieux un moment.

— Oui. Michael m'a donné ses raisons, mais il m'a fait jurer de ne jamais te les révéler. J'ai tenu ma promesse, Hannah.

— Oui, bien sûr, il le fallait. Mais tu peux au moins me dire ceci... Il avait honte de ces raisons. Etait-ce si terrible ?

Cette fois, il répondit sans hésiter.

— Non, ce n'était pas si terrible que cela, mais il le pensait. C'était un homme fier, ton mari. Je pense que c'est un défaut commun aux mâles de l'espèce. (Il porta la main d'Hannah à ses lèvres.) Ces derniers mois ont été un enfer pour moi. J'ai fini par admettre qu'il fallait que je te revoie, que j'essaie au moins de faire amende honorable pour le chagrin que mon stupide orgueil t'avait causé.

— Tu m'as fait terriblement souffrir, Court. Et, pour moi aussi, ces derniers mois ont été un martyre. C'est pourquoi je suis venue à Paris, dans l'espoir d'oublier.

— Et alors ?

— T'ai-je oublié ? Si c'est cela que tu veux savoir,

non, je ne t'ai pas oublié. Et je n'oublierai pas non plus la douleur que j'ai éprouvée, mais elle va s'effacer maintenant que tu es près de moi. A moins que tu n'aies l'intention de repartir ?

— Pas sans toi, Hannah chérie. Si cela ne dépendait que de moi, je ne te quitterais plus jamais.

— Court ! Mon chéri !

Des larmes lui vinrent aux yeux.

Il s'avança d'un pas et la serra dans ses bras, à l'étouffer ; leurs lèvres s'unirent. Une douce flamme la parcourut tout entière et elle l'enlaça avec tout l'amour dont elle était capable.

Elle entendit des gens qui passaient rire doucement. Ils les ignorèrent et prolongèrent leur baiser jusqu'au moment où Hannah crut défaillir.

Court détacha ses lèvres des siennes et s'écarta légèrement. Il la regarda dans les yeux.

— Hannah, veux-tu m'épouser ?

— Oui ! Oh, oui !

— Nous nous marierons ici, à Paris ? Afin de revenir, mari et femme, en Virginie, lorsque le moment sera venu ?

— Marions-nous à Paris. N'importe où. (Elle le regarda avec des yeux brillants.) Ce serait bien que le mariage ait lieu ici, afin que Michèle puisse y assister.

— Alors, ce sera à Paris.

Elle tressaillit lorsque les premières mesures de l'orchestre parvinrent à ses oreilles.

— C'est l'ouverture, Court. (Elle le prit par la main.) Le ballet va commencer. Viens, je ne veux pas en manquer un seul pas !

Les applaudissements se déchaînèrent en un tonnerre ininterrompu. Michèle salua, encore et encore... Ils ne voulaient pas la laisser partir. Elle était tellement épuisée qu'elle tenait à peine debout. Ses jambes tremblaient, elle était trempée de sueur, mais tellement heureuse !

Elle avait dansé à la perfection ; elle le savait, et les spectateurs aussi avaient su apprécier sa performance.

— Bravo ! Bravo ! Bravo !

Des bouquets de fleurs tombèrent à ses pieds. Elle salua de nouveau, touchant presque du front le plancher de la scène.

Lorsqu'elle crut que les applaudissements commençaient à diminuer, elle fit mine de se précipiter vers Dampierre qui lui tendait les bras, dans les coulisses, un sourire de bonheur sur les lèvres.

Des cris s'élevèrent de la salle.

— Non ! Non !

Elle revint saluer, une fois, deux fois. Elle ramassa une rose, posa sur elle un baiser et la renvoya à ses admirateurs. Elle jeta un coup d'œil à Dampierre et vit qu'il lui faisait signe de sortir de scène. Elle se retourna vers le public et lui lança des baisers. Puis elle partit en courant et vint se jeter dans les bras de son maître ; il la souleva de terre et la fit tournoyer.

— Vous avez réussi, Michèle ! cria-t-il avec exubérance. Mon Dieu ! Je n'ai jamais rien vu de meilleur ! Je n'ai jamais été si fier de l'une de mes élèves. Vous serez demain la vedette du Tout-Paris, notez bien ce que je vous dis !

Il la reposa par terre et l'embrassa sur les lèvres. Puis les autres accoururent vers elle, Louis et Marie en tête, et tous l'étreignirent, l'embrassèrent, la submergèrent de compliments.

Même Roland lui prit la main et s'inclina profondément devant elle.

— Vous avez été merveilleuse, Michèle, vraiment merveilleuse, murmura-t-il.

Dampierre tapa dans ses mains.

— Bien ! Bien ! Il faut que Michèle aille se changer dans sa loge ! Tout le monde doit aller se changer ! Nous allons célébrer ce succès chez moi. Là-bas, on est en train de tout préparer. J'avais prévu notre réussite. Ou plutôt, je l'avais espérée.

Michèle se précipita vers sa loge. Sa mère, André, Mme Dubois et un étranger l'attendaient devant sa porte.

— Michèle, je suis si fière de toi, dit Hannah, les larmes aux yeux.

Elles s'étreignirent, puis André tira Michèle par le coude, en sautillant presque de joie.

— Est-ce que je ne vous l'avais pas dit, ma chérie ? s'écria-t-il d'une voix triomphante. Je savais que vous alliez ensorceler le public, ce soir !

— Mes félicitations, ma chère enfant, dit Mme Dubois. Vous avez vraiment dansé d'une manière éblouissante.

— Je vous remercie tous. (Son regard, plein de curiosité, s'attarda sur l'étranger.) Entrons dans ma loge. Arnaut Dampierre donne une petite fête, chez lui, et vous êtes tous invités, bien sûr. Mais il faut d'abord que je me change.

Une fois dans la loge, Hannah, soudain grave, presque anxieuse, murmura :

— Michèle, je voudrais te présenter un ami à moi, venu de Virginie, Courtney Wayne. Court, voici ma fille, Michèle.

Court s'inclina.

— Puis-je joindre mes félicitations à celles des autres personnes présentes, Michèle ? Je n'ai jamais vu un ballet dansé aussi parfaitement.

Troublée, la jeune fille se tourna vers sa mère.

— Michèle, dit timidement Hannah, nous allons nous marier, Court et moi, avant de quitter Paris. Il m'a fait sa demande juste avant que la représentation ne commence. (Ses joues s'étaient empourprées.)

Je veux que le mariage ait lieu ici, afin que tu puisses y assister.

Michèle refoula son étonnement et jeta les bras autour du cou de sa mère. Elle pensait : Ian, Ian, pourquoi n'es-tu pas ici, ce soir ? Cette soirée aurait été la plus merveilleuse de ma vie.

— Je suis très heureuse pour vous, maman, dit-elle d'une voix émue.

On frappa à la porte de la loge. Michèle fit la grimace et se dirigea vers sa table de toilette.

— Ouvrez pour moi, André. Et qui que ce soit, renvoyez-le. Je n'arriverai jamais à me changer.

Elle s'assit et commença à se démaquiller. Elle entendit murmurer derrière elle, puis le bruit de la porte que l'on refermait.

— Michèle ? dit André avec une drôle de voix.

Elle se retourna et il lui tendit un bouquet de roses rouges.

— C'est pour vous.

— Si je ne me trompe, commenta Mme Dubois d'un air malicieux, cette pièce sera bientôt envahie par les fleurs envoyées par vos admirateurs.

Michèle fit un geste d'impatience.

— Je ne veux plus être dérangée, André. Posez-les n'importe où.

— Je crois que celles-là, vous aurez envie de les mieux regarder, dit-il du même ton étrange. Elles ne viennent pas de n'importe quel admirateur, et un billet les accompagne. Le livreur m'a dit qu'ils avaient reçu la commande, il y a une semaine, avec ordre de ne les livrer qu'après la représentation.

Un pressentiment rendit Michèle toute tremblante. Elle prit les fleurs, huma leur doux parfum, puis les posa sur sa table de toilette et s'empara de la lettre qu'André lui tendait.

Michèle chérie, mes félicitations les plus sincères. Je n'ai pas besoin d'assister au spectacle pour savoir que tu as remporté un immense succès, ma mie: J'ai atrocement souffert de ma décision et je sais maintenant, sans que subsiste le moindre doute, que je préfère t'avoir avec moi une partie de l'année que pas du tout.

Ma chérie, s'il n'est pas trop tard, veux-tu être ma femme ? Si tu dis oui, je consentirai à ce que tu sois loin de moi lorsque ta carrière l'exigera. Mon cœur sera brisé par tes absences, mais je te serai reconnaissant du temps que tu pourras passer avec moi.

Je t'en prie, réponds-moi le plus vite possible. Si ta réponse est oui, comme je le souhaite ardemment, je me hâterai de partir, dès que j'aurai reçu ta lettre, et nous nous marierons où et quand tu voudras. Je t'aime de tout mon être. Ian.

Michèle refoula ses larmes, non sans peine. En voyant le sourire entendu, mais un peu mélancolique d'André, elle comprit qu'il avait deviné le contenu de cette lettre.

— Maman, que diriez-vous d'un double mariage ?

Hannah passa de la surprise à la joie.

— Ainsi donc, je ne suis pas la seule à avoir fait des cachotteries. S'agit-il du jeune Ecossais chez lequel tu es allée, ce printemps ?

— Oui ! Maman, c'est le plus beau jour de ma vie !

Hannah ouvrit les bras et Michèle courut s'y réfugier. Pendant que la mère et la fille s'étreignaient, Hannah sourit à André.

— Alors, mon vieil ami, vous sentez-vous de taille à affronter une autre génération de filles Verner ?

Achevé d'imprimer sur les presses de l'imprimerie Brodard et Taupin
58, rue Jean Bleuzen, Vanves. Usine de La Flèche,
le 5 février 1986
6667-5 Dépôt légal février 1986. ISBN : 2 - 277 - 21901 - 0
Imprimé en France

Editions J'ai Lu
27, rue Cassette, 75006 Paris
diffusion France et étranger : Flammarion